Karin Alfredsson
DE VERLOSSING

LITERAIRE THRILLER

Uit het Zweeds vertaald door

Mariëlle Maaswinkel

Uitgeverij de Rode Kamer

Oorspronkelijke titel *80° från Varmvattnet*
Verschenen bij Ordfront förlag, Stockholm
© Oorspronkelijke tekst Karin Alfredsson, 2006
© Nederlandse vertaling Mariëlle Maaswinkel en
uitgeverij de Rode Kamer, 2009
Met toestemming van Bengt Nordin Agency
Eindredactie Ton Lelieveld
Omslagontwerp Rolf van Kammen
Lay out Rough Design, Haarlem
Druk- en bindwerk Uniprint International
1e druk september 2009
ISBN/EAN 978 90 7812 4214
NUR 305

www.rodekamer.nl

Het belangrijkste deel van dit verhaal berust op waarheid.
Iedere overeenkomst met de werkelijkheid is opzettelijk.

Chongwe-District, Zambia
31 januari 2004

Beauty is voor haar gevoel net in slaap gevallen als er voorzichtig op de deur wordt geklopt. Zachtjes, nauwelijks hoorbaar, maar Beauty slaapt altijd licht. Het is al de derde nacht dat ze wordt gestoord. Gisternacht hadden ze genoeg aan haar advies, maar waarschijnlijk is het nu echt zover.

Ze trekt een jurk over haar hoofd terwijl ze fluistert – Ik kom! De deur sluit niet helemaal goed, maar hij gaat ook niet gemakkelijk open. We moeten er nu echt iets aan doen, denkt ze. Die gedachte gaat dagelijks een paar keer door haar hoofd. Ook 's nachts, want nachtelijke uitstapjes zijn voor haar de normaalste zaak van de wereld. Op de tast zoekt ze de tas met het plastic zeil, de tang en de plastic zakjes, waarna ze de deur precies zo ver openduwt dat het maanlicht niet naar binnen schijnt, want ze wil haar familie niet wakker maken.

Het witte schijnsel van de maan maakt het dorp zwart-wit en de schaduwen lang. Het is stil in de huizen waar ritmisch wordt ademgehaald, hier en daar begeleid door zacht gesnurk. Het maanlicht geeft de struiken een zilveren tint.

Het enige dat de rust verstoort is geschreeuw in de verte. Een mannenstem, zwaar en agressief, en de stem van een vrouw, afwisselend smekend en dan weer vol razernij. Beauty weet dat de vrouw zich inhoudt om de buren niet wakker te maken. Dat is in het dorp een ongeschreven wet en waarschijnlijk overal, denkt Beauty: Schreeuw zacht zodat de buren het niet horen. Op een zekere nacht zal de man zijn vrouw doodslaan en als ze dan nog bij machte is, zal de vrouw denken dat het haar eigen schuld is.

Toen Beauty vanmiddag bij Milly thuis was, waren de weeën wel op gang gekomen, maar met lange tussenpozen en nog niet zo krachtig. Terwijl Milly gewoon doorging met het koken van maïspap en zich voorbereidde op het wachten begreep Beauty dat het een onrustige nacht zou kunnen worden. Zo gaat dat. Kinderen komen het liefst 's nachts ter wereld. Waarom eigenlijk? Om eerst

5

wat te kunnen wennen voor het licht wordt?

De deur piept een beetje en gaat verder open als ze er tegenaan duwt. Haar voorzichtige stappen op de wankele trap maken een rat aan het schrikken, die na een nachtelijk maal in de berg afval het gras in schiet. Beauty's blote voeten maken een schopbeweging. Ze verdraagt die beesten, zolang ze maar buiten blijven.

Ze verwacht Felipe, Milly's man, in het maanlicht te zien. De laatste weken is Beauty diverse keren thuis geweest bij de familie met wie ze, zonder dat het is uitgesproken, een groeiende onrust deelt. Milly's vorige bevalling was een uitputtingsslag en het kind, dat nu bijna twee wordt, kan nog niet eens staan. Het is een vrolijk ventje dat honderduit kletst als hij op het platgetrapte grasveld zit, maar als hij zich wil verplaatsen, schuift hij met zijn achterwerk over de grond. Zijn moeder geeft hem een standje en lacht gegeneerd terwijl ze de kleine steentjes van zijn billen veegt en hem een ander versleten broekje aantrekt. In het dorp wordt er sussend over gesproken, iedereen wuift het probleem weg met de woorden: 'Hij is gewoon wat later'. Maar ondertussen denken ze: Wat als dat ventje nooit zal kunnen lopen? Hoe moet hij zich dan redden?

Het liefst denkt Beauty nu helemaal niet aan het jongetje. Stel dat ze een fout heeft gemaakt. Dat het haar schuld is en dat, als ze kundiger en wijzer was geweest, hij misschien betere kansen had gehad?

Beauty's blik dwaalt onrustig rond. Het maanlicht schijnt fel op de struiken en het pad naar de steenbakkerij, maar Felipe is nergens te bekennen. Het is stil, op een zacht briesje na dat de knoop van de waslijn tegen de boom doet schuren. Er staat een zwerfhond bij het huis, maar honden kloppen niet op de deur. Het geschreeuw van het stel aan de andere kant van het dorp is overgegaan in gesnik. Hopelijk is het voor deze keer weer voorbij en kennelijk heeft de vrouw het opnieuw overleefd.

Verstrooid zet Beauty een omgevallen krukje rechtop en voelt aan de was die nog aan de lijn hangt. De vochtige nachtlucht heeft het drogend effect van de zon gesaboteerd. Ze moet onthouden dat ze de overhemden straks binnenhaalt. Maar wie heeft er geklopt? Er is niemand te zien.

Opeens hoort ze iets. Zacht gesnik, afgewisseld door een snelle, heftige ademhaling. Langs de kant van de weg zit een donker meisje op haar hurken. Beauty ziet ogen in het donker oplichten en een lichaam dat schokt van het huilen. Wat doet een jong meisje midden in de nacht buiten?

– Puni? Wat is er gebeurd? Waarom ben je hier? Wat wil je?

Beauty's blote voeten zakken weg in de grijze klei. Met een geroutineerde beweging schept ze een precieze klodder in de houten vorm (klatsch!), schraapt de overtollige klei er met een houten spatel af (ratsch!) en laat de vorm op de stelling vallen (pang!), waarna de klei tot een baksteen wordt gebakken.

Beauty werkt al vijftien jaar bij de steenbakkerij en hoeft bij haar werk nooit na te denken. Ze runt het bedrijf samen met drie andere vrouwen. Ze werken op basis van stukloon. Eén keer per week komt haar baas langs, die eigenaar is van een aantal kleine steenbakkerijen in de buurt. Hij berekent hun productie, betaalt de lonen en verkoopt de stenen aan dorpsbewoners die ze nodig hebben. Hij krijgt daar altijd een flinke stapel bankbiljetten voor. Soms vraagt Beauty zich af waarom. Welke inspanning levert hij die zij en de andere vrouwen niet zelf zouden kunnen leveren? Hij heeft niet eens voor de houten vormen gezorgd. Die zijn in elkaar getimmerd door Joseph, Beauty's man.

Het is drukkend warm en volledig windstil. Zelfs de vogels lijken te zijn ingedommeld. Als dit een gewone dag na een lange nachtdienst was geweest, had Beauty misschien moeite gehad haar ogen open te houden, maar nu is dat geen probleem.

Ze houdt het smalle paadje dat naar het dorp kronkelt continue in de gaten. In het witgekalkte huis ligt Milly met krachtige weeën terwijl Beauty's kinderen bij haar waken. Als een bevalling eenmaal goed op gang is gekomen vraagt Beauty de vrouwen meestal naar haar huis te komen. In Beauty's huis zijn maar twee kamers en in de kleinste kamer zonder raam staat een bed met een bodem van ruw touw waarop een dunne deken ligt. Ze heeft de bedden van haar eigen familie, haar man en zes kinderen, in de grote kamer wat dichter bij elkaar moeten leggen, zodat de vrouw die aan het bevallen is een rustige kamer voor zich alleen heeft. Het plastic zeil, dat met heet water is schoongeboend en altijd netjes opgevouwen in haar tas zit, ligt nu op het bed.

Het dorp is uitgestrekt en sommige zwangere vrouwen moeten van ver komen. Als Beauty haar werk bij de steenbakkerij, de verzorging van haar kinderen en het bereiden van de maaltijden wil combineren met haar werk als vroedvrouw, is het een stuk praktischer de vrouwen bij haar in huis te nemen. Bovendien vinden de vrouwen het vaak heerlijk hun huis een poosje te kunnen verlaten. Ze hoeven zich dan niet om het huishouden en hun andere kinderen te bekommeren en zijn even weg bij hun man, die toch nooit met iets helpt.

De enige mannelijke dorpsbewoners die bij bevallingen hun handen uit de mouwen hebben gestoken, zijn Beauty's man Joseph en haar vader. Zij kunnen water koken, er precies genoeg zout aan toevoegen, zodat scheurtjes en wondjes gemakkelijker kunnen genezen en – als een drastische ingreep noodzakelijk is – helpen de vrouw stil te houden door haar armen stevig vast te pakken. Ze hebben geen last van angst of gêne en worden door de zwangere vrouwen volledig geaccepteerd. Verder is hier geen enkele man welkom.

Beauty heeft de taak van dorpsvroedvrouw van haar moeder geërfd. Op tienjarige leeftijd is ze begonnen haar te assisteren en het meeste dat ze weet heeft ze van haar moeder geleerd. Toen haar moeder begon te helpen bij bevallingen waren de adviezen nog eenvoudig en concreet, zoals het gebruiken van gekookt water en schone doeken. Bij iedere bevalling deed Beauty nieuwe ervaringen op en met de tijd ontwikkelde ze zich steeds verder door met anderen te praten en diverse kruiden als medicijn te testen.

Beauty's moeder vocht tegen bijgeloof en geruchten over hekserij. Diverse malen werd ze tot lid van de groep van dorpsoudsten gekozen, wat voor een vrouw zeer ongebruikelijk was. Beauty heeft een deel, maar niet alle status geërfd die haar moeder had. Maar ze is minstens zo overtuigd van het gevaar dat bijgeloof met zich meebrengt. Ziekten hebben een medische oorzaak, ze ontstaan niet door het boze oog of bezwerende uitspraken. Dat heeft ze lang geleden, tijdens een paar gedenkwaardige nachten, geleerd.

Het ergste is dat de nieuwe ziekte, waaraan zo veel mensen sterven, het geloof in hekserij juist heeft aangewakkerd. Ook al heeft ze geen officiële opleiding gevolgd, Beauty heeft al die tijd geweten dat die verhalen niet kloppen, dat de dodelijke infectie op een normale manier wordt verspreid, want heksen bestaan niet! Toen ze de blanke vrouw ontmoette, die haar uitlegde dat liefde – of veel te vaak geweld – de boosdoener van het verspreiden van de ziekte is, raakte ze direct overtuigd. Maar die boodschap is in het dorp moeilijk over te brengen. Ze moet voorzichtig zijn dat ze haar goede reputatie niet schaadt. Daarom ontmoet ze de blanke dokter het liefst buiten het dorp.

Opeens hoort ze haar zesjarige dochter roepen.

– Mamma! Kom!

Beauty rent. Als ze een stuk afsnijdt via de bosjes en over de greppel springt is ze in een paar minuten thuis. Haar blote voeten vinden gemakkelijk hun weg over het smalle pad, haar rok blijft haken aan een doornstruik, maar ze rukt de stof resoluut los. Een snelle blik de kamer in bevestigt dat het kind gelijk heeft. Het is zover. Milly heeft hulp nodig.

Beauty gooit haar modderige kleren van zich af, waarna ze haar gezicht, armen en handen in het water van de put wast. Het koude water loopt langs haar brede kin omlaag, terwijl ze ook wat water onder haar armen en op haar bezwete borst spat. Ten slotte giet ze een emmer water over haar hoofd, God weet wanneer ze weer tijd zal hebben zich te wassen.

Beauty's handen zijn schraal en zitten vol kleine wondjes van de ruwe klei, maar het werk in de steenbakkerij brengt één voordeel met zich mee – ze is sterk. Als het nodig is, kunnen haar stevige vingers het meest onwillige kinderlijfje nog naar buiten krijgen. De verschoten rode vroedvrouwjurk is schoon en ligt opgevouwen onder het bed, samen met de andere spullen die ze nodig zal hebben. Ze trekt plastic zakjes over haar gekloofde vingertoppen. Het laatste paar plastic handschoenen, dat ze van de blanke dokter had gekregen, is laatst stukgegaan. Het is lastig de glibberige en uiterst onpraktische plastic zakjes weer te moeten gebruiken, maar ze weet dat ze zich moet beschermen, omdat veel van haar patiënten de ziekte bij zich dragen.

Beauty stuurt haar kinderen de kamer uit, zet water op het open vuur en praat op een kalmerende toon tegen Milly. Maar haar gedachten zijn voordurend bij Puni. Is alles nu in gang gezet? Durft ze iemand bij zich in de buurt te hebben of zal ze zich buiten moeten verstoppen? Hoe bang en eenzaam zal ze zich voelen? Beauty zou willen dat ze bij haar kon zijn, maar dat is natuurlijk uitgesloten.

Bovendien heeft Milly haar hulp nu nodig. Nee, het gaat niet. Wanhopig staart Beauty naar Milly's gekwelde lichaam. De bevalling duurt al ruim twee dagen en is voor Milly nauwelijks meer vol te houden. Als de kliniek nou maar open was geweest, maar de laatste verpleegster is al lang geleden vertrokken en het ziekenhuis is veel te ver. Noch Milly, noch Beauty hebben geld voor een buskaartje. Als Milly het al naar de grote weg, waar de bus langskomt zou redden. Milly's ademhaling is schokkerig en haar lichaam glanst van het klamme zweet. En dan is er een arm!

Uit Milly's baarmoeder steekt een klein armpje. Het kind ligt helemaal verkeerd. Beauty is de tel kwijt hoe vaak ze het kleine lichaampje, via kneden en drukken op Milly's puntige buik, heeft geprobeerd te draaien. Om het kind eruit te kunnen krijgen zal ze het armpje moeten terugduwen. Het zal niet lang duren of er is nog maar één alternatief dat in elk geval Milly's leven kan redden – het armpje afzetten. Nooit eerder heeft Beauty voor een moeilijkere keuze gestaan.

Hoe doen ze zoiets in het ziekenhuis!?

Ze heeft gehoord dat ze de buik van de moeder opensnijden. Met een vlijmscherp mes snijden ze dwars door de huid en alle vliezen daaronder, tillen het kind eruit, waarna ze alles weer dichtnaaien. Beauty's mes is niet zo scherp en zo'n naald en draad heeft ze niet – ze kan de gebruikelijke scheurtjes, die de meeste moeders tijdens de bevalling oplopen, niet eens hechten – en als ze die spullen wel had, en zou proberen te hechten, zouden de moeders waarschijnlijk ter plekke doodbloeden of doodgaan van de pijn. Als ze het kind al niet per ongeluk zou dood snijden. Beauty heeft geen idee hoe het er vanaf die kant uitziet.

Nee, het enige dat ze met haar pas geslepen mes durft aan te vallen is het piepkleine armpje. Zonder een arm valt wel te leven. Zou dat zelfs niet beter zijn dan dat je niet kunt lopen? Nee, ze mag niet aan Milly's eerste kind denken.

De zoon van Beauty's zus was enige tijd geleden door een ongeluk met een kapmes een van zijn armen verloren en de wond op het overgebleven stompje was ondertussen geheeld. Als ze nu maar zeker wist dat het afzetten van het armpje zou kunnen helpen om het lijfje te draaien, zodat het er via de juiste weg uit zou kunnen komen. Hoe moet ze trouwens een afgesneden arm verbinden?

Ze schuift het besluit voor zich uit terwijl ze in de doos onder het bed naar een ontsmettingsmiddel zoekt. Ze vindt wondspray en verband. Maar wat moet ze dan met het uiteinde van de botten doen? Er is eigenlijk zo veel dat ze zou moeten weten.

Beauty voelt zich vreselijk onzeker. Leefde haar moeder nog maar, dan had ze tenminste iemand gehad aan wie ze het probleem had kunnen voorleggen. Ze kan zich niet herinneren dat haar moeder ooit iets over zo'n situatie heeft verteld, dus waarschijnlijk had zij er ook geen pasklaar antwoord op gehad, maar dan waren ze in ieder geval met zijn tweeën geweest en had ze iemand gehad waarmee ze het besluit had kunnen delen.

Plotseling schiet haar iets te binnen.

Pastoor Abraham!

Er is een kans dat het kind sterft en dan moet er een pastoor in de buurt zijn die het kan dopen. Anders komt het kind niet in de hemel en dat wil Beauty absoluut niet op haar geweten hebben.

Het zal toch niet verboden zijn een kind te dopen waarvan alleen het armpje zichtbaar is? Het doopwater kan toch wel over het armpje worden gesprenkeld? Dat zal toch geen ernstige overtreding van Gods regels zijn? Beauty kent de Bijbel niet zo goed, ze heeft geen tijd het boek te bestuderen en ook al kan ze lezen, zelfs in het Engels waarin de Bijbel is geschreven, het kost haar zeer veel tijd de lange, ingewikkelde zinnen te spellen. Maar nu zou ze willen dat ze er meer van wist. Ze wil er zeker van zijn dat de ziel van het kind is gered voor ze het mes gaat gebruiken. Pastoor Abraham moet dus komen. Als Milly sterft is er ook een priester nodig en, in het gunstigste geval, weet hij door zijn goede opleiding ook het een en ander van medicijnen. Maar alleen in het gunstigste geval.

Joseph springt op zijn fiets, blij dat hij met iets kan helpen.

Beauty heeft nieuw water opgezet om er het pas geslepen mes in uit te koken en is net de uitgeputte Milly aan het vertellen wat ze van plan is, als de mannen komen aanfietsen. Pastoor Abraham zit achter op de bagagedrager met de bijbel onder zijn arm.

Als de jonge priester de verduisterde kamer is binnengestapt legt Beauty de situatie uit. Pastoor Abraham doet een paar stappen achteruit en gaat voorzichtig zitten. Het lijkt of hij helemaal niet hoort wat ze zegt. Plotseling beseft Beauty dat hij misschien nog nooit het onderlichaam van een barende vrouw heeft gezien, waarbij het idiote armpje de situatie er niet gemakkelijker op maakt.

Opnieuw vertelt ze hem over het probleem en haar plan. Een nooddoop met daarna een laatste draaipoging, waarbij ze in het ergste geval een mes zal moeten gebruiken. Het lijkt niet tot hem door te dringen, hij zit maar op zijn bijbel te trommelen. Als hij ten slotte uit zijn toestand van apathie komt, slaat hij verward het boek bij een schijnbaar willekeurig hoofdstuk open, en begint een onsamenhangend verhaal te brabbelen. Beauty neemt aan dat het een passage uit de Bijbel is, hoewel ze de tekst niet herkent. De manier waarop de priester het verhaal opdreunt lijkt bijna een poging de werkelijkheid te ontvluchten.

Beauty voelt haar respect voor de pastoor bij iedere zin afnemen. Ze had moeten inzien dat hij geen greintje beter of slechter is dan alle andere mannen. Misschien wel slechter. Omdat pastoors niet mogen trouwen of met vrouwen mogen slapen, heeft hij zelfs minder ervaring dan andere mannen. Toch voelt ze zich teleurgesteld. Ze had gehoopt dat hij haar tot steun zou zijn, dat ze hem om hulp zou kunnen vragen.

Goed, dan hangt dus alles van haar af. Ze legt uit dat ze een poging gaat doen het armpje terug te duwen om het kind te kunnen draaien. De priester zegent fluisterend alles wat eventueel te zegenen valt terwijl hij zijn hoofd wegdraait.

Beauty's stevige kleivingers pakken het armpje vast, buigen het resoluut – het maakt niet uit of ik het armpje breek als afsnijden het alternatief is, denkt ze – en uiteindelijk lukt het haar het armpje in de vagina terug te duwen. Ze kneedt de buik een aantal keren, moedigt Milly aan een laatste keer te persen en – plof – daar ligt het kind. Een krijsend jongetje met beide armpjes in goede staat. Beauty veegt het zweet van haar voorhoofd. Ze merkt dat ze haar adem heeft ingehouden en vult haar longen met een duizeligmakend grote ademteug. Het krijsende jongetje ligt glibberig van het witte vruchtwater in haar handen. Milly opent haar ogen terwijl er op haar van pijn verwrongen gezicht een lach verschijnt.

Even denkt Beauty dat pater Abraham is flauwgevallen. Hij hangt achterover tegen de muur en reageert niet als ze hem vraagt of hij het jongetje kan vasthouden, zodat zij haar laatste schone scheermesje kan pakken om de navelstreng door te snijden. Dan ziet ze dat hij schokkend zit te huilen. Dit is waarschijnlijk het meest afschuwelijke dat hij ooit heeft meegemaakt, denkt ze, terwijl ze begripvol lacht. Mannen!

– Ik huil ja, zegt hij, ik huil van vreugde.

Hij droogt zijn tranen, terwijl hij zijn bijbel steviger vastpakt, zijn rug strekt en zijn keel schraapt waarin het snot door het huilen is opgehoopt. Zijn stem krijgt een nieuwe, zalvende klank.

– Beauty, besef je dat we zojuist getuige van een wonder zijn geweest? Een godswonder. Herinner je je de verhalen in de Bijbel waarin Jezus de blinden hun zicht teruggeeft en de lammen weer laat lopen? We zijn net toeschouwers van zo'n mirakel geweest.

– Het ongeboren kind vocht voor zijn leven en God hielp, opdat het leven kon zegevieren. De Heer zij geprezen. Jezus Christus, onze Heer, heeft wederom zijn kracht en macht getoond. Hij heeft als goede herder het leven van een kind gered. De Heer zij geprezen! Laat ons bidden!

Nou, nou, denkt Beauty, terwijl ze het kind op de doek legt en het scheermesje pakt. Nadat ze de navelstreng heeft doorgesneden en verbonden, legt ze het jongetje bij de uitgeputte Milly neer. Dan vouwt ze plichtsgetrouw haar handen, terwijl de priester zijn gebeden in een razend tempo voorleest.

Denk je soms dat je God op de bagagedrager hebt meegenomen? denkt Beauty. Dat jouw warrige verhaal voor een wonder heeft gezorgd? Volgens mij komt het doordat Milly een poosje had kunnen uitrusten en ik, op het moment dat ik het bijna niet meer zag zitten, opeens extra kracht in mijn vingers kreeg. Ik denk dat het mijn verdienste is. God heeft misschien geholpen, maar als hij had gewild, had hij dat ook kunnen doen voor je hiernaartoe kwam.

Priesters zijn wel belangrijk, en God ook, maar hun invloed moet niet worden overdreven.

Het jongetje is gewassen en in de lap gewikkeld die zijn moeder bij zich had, een glanzende, goudgele katoenen lap met een dessin van maïskolven, een prachtige stof die in de stad is gekocht en waarschijnlijk flink wat geld heeft gekost. Beauty voelt zich trots als ze het jongetje bij de uitgeputte moeder achterlaat. De moederkoek is op de gebruikelijke plek begraven, waar de maïs extra hoog en krachtig groeit. Beauty heeft het plastic zeil afgespoeld en aan de waslijn gehangen, de hemden eindelijk van de lijn gehaald en de gebruikte plastic zakjes weggegooid.

De zon staat nog hoog aan de hemel, maar het zal niet lang duren voor de schemering valt. In de meeste huizen wordt een kooktoestel aangestoken of een open vuur gemaakt. Maar er zijn ook huizen waar men geen aanstalten maakt om te gaan koken, en Beauty weet waarom. Daar is geen eten. Veel van Beauty's buren kunnen zich tegenwoordig maar één maaltijd per dag veroorloven.

Een heel klein meisje in een versleten, roze nylonjurkje loopt voorbij. Op haar hoofd balanceert een grote plastic mand waarvan de inhoud groen is. Ze draagt de mand met een verbeten blik en kijkt geen moment opzij, de kleine blote voetjes hebben haast, willen naar huis, naar haar grote zus. Beauty weet dat er in de mand overgebleven groenteafval zit, gekregen van een oma die aan de andere kant van het dorp woont, en dat de familie op de meeste dagen van de week niets anders te eten heeft. Beide ouders zijn ziek, de moeder ligt binnen in de lemen hut op een dunne deken en komt nauwelijks meer buiten.

Hoewel Beauty, als ze de mogelijkheid heeft, de familie een paar keer per week bezoekt om hen een kom maïsmeel te 'lenen', wordt de naam van de ziekte nooit uitgesproken. De buurvrouw is 'ziek' en haar man 'voelt zich niet goed'. De magere lichamen rillen van de koorts en de oudste dochter Precious is met school gestopt om voor haar beide ouders en de vier broers en zussen te kunnen zorgen.

Vorige week werd het kooktoestel meerdere malen per dag aangestoken, waarbij het trotse twaalfjarige meisje krachtig in de aluminiumpan met maïspap stond te roeren op een plek waar iedereen die voorbij liep haar goed kon zien. Precious probeerde zelfs een deel van het meel aan Beauty terug te geven, met dank voor het lenen. Beauty wist het meisje over te halen het meel te houden, maar de plotselinge toestroom van geld maakt Beauty zowel blij als ongerust. Precious kwam met een vaag verhaal over hoe ze aan het geld was gekomen. Beauty vraagt zich ongerust af of het meisje heeft ontdekt dat ze haar lichaam kan verkopen.

Milly slaapt diep met het jongetje in haar armen. Hij dronk gulzig aan haar borst en zijn armpje lijkt niet te zijn gebroken, het is alleen iets gezwollen. Beauty schuift de deur, die niet helemaal sluit, weer dicht. De trotse vader Felipe deelt een beker zelfgebrouwen bier met Joseph en de ongewoon zwijgzame priester. Nu hij hier toch is heeft pater Abraham van de gelegenheid gebruikt gemaakt het jongetje te dopen. Het kind is Miracle genoemd.

Beauty gebaart naar Joseph dat hij moet aanbieden de priester een lift naar huis te geven, voor de man straks tot het avondeten blijft hangen. Ze is moe, ze is de priester, de Bijbel en haar verantwoordelijkheid als vroedvrouw spuugzat. Ze wil haar drammerige kinderen hun avondpap geven en daarna heeft ze slaap nodig. Ze vindt dat ze de kerk niets verschuldigd is.

Dan opeens komt Rose via het pad tussen de maïsvelden aanrennen. Haar bloten voeten maken stofwolken, ze trekt aan haar haar, schudt met haar hoofd en gilt luidkeels.

Rechter McArthur overleden. Mogelijk nieuwe meerderheid in het Hooggerechtshof

Washington – Rechter van het Hooggerechtshof, professor Vernon McArthur (67) is gisteren onverwacht in zijn huis in Washington, DC overleden.

Perschef van het Hooggerechtshof, Sheila Velasquez, zegt dat de rechter, die in juni een bypassoperatie onderging, vermoedelijk opnieuw door een hartinfarct is getroffen.

Rechter McArthur stond bekend als een van de meer liberale rechters van het Hooggerechtshof. Hij werd in 1998 door president Clinton aangesteld, na een heftig debat met de senaat, waar vooral zijn opvattingen over het abortusvraagstuk omstreden waren. Rechter McArthur heeft veel vonnissen geschreven in de periode dat de abortuswet gerechtelijk werd onderzocht en schijnt de meest directe voorstander van het recht van de Amerikaanse vrouw op abortus te zijn geweest.

President George W. Bush krijgt nu de gelegenheid een voorstel in te dienen, waarin rechter McArthur door een tegenstander van abortus wordt vervangen. Veel conservatieve rechters wachten hun kans af in het hof van appel, waarvan de meerderheid tijdens het beleid van George W. Bush snel in conservatieve richting opschoven. Een verschuiving van de meerderheid in het Hooggerechtshof zou in conservatieve en christelijke kringen zeer worden toegejuicht, terwijl de meeste democraten in het congres hier afwijzend tegenover staan.

'We wachten in spanning af hoe de president met de situatie om zal gaan', zegt Patrick Hudson, woordvoerder van de Christelijke Coalitie. 'Misschien wordt de stem van het volk nu eindelijk gehoord, zelfs in het Hooggerechtshof.'

'De Verenigde Staten hebben op het punt gestaan abortus te verbieden', zegt Sarah Grant, woordvoerder van de *Planned Parenthood Federation*. 'Misschien is dat moment nu aangebroken.'

De woordvoerder van President George W. Bush liet in een persconferentie weten de plotselinge dood van rechter McArthur zeer te betreuren en sprak zijn medeleven uit met de naaste familie. Hij liet weten voorlopig geen uitspraken over de situatie te willen doen.

Rechter McArthur laat twee dochters met hun gezin achter. De begrafenis zal op vier februari om 16.00 uur in de Universiteitskerk van Georgetown plaatsvinden.

Chongwe-District, Zambia
2 februari 2004

Het is onnatuurlijk stil en de namiddagzon vormt messcherpe schaduwen. Alleen het zachte ruisen van de wind door de bladeren van
de bananenbomen is hoorbaar, alle gebruikelijke dorpsgeluiden
lijken te zijn verstomd, zelfs de vogels houden zich stil, alsof ze
naar iets luisteren.

Beauty hoort haar eigen hart kloppen. De rest van haar leven zal
ze dit beeld voor zich blijven zien. Het is alsof de wereld stilstaat.
De bloederige rok over de smalle bruine benen en het huiswerk
in de open schooltas. Een detail dat zich in haar geheugen grift
en dat in haar dromen steeds zal terugkomen is het opengeslagen
boek, een rekenboek vol letters die midden tussen de cijfers staan.
Beauty's verdoofde bewustzijn klampt zich aan dit beeld vast en
aan de vraag: wat doen die letters tussen de cijfers? Alle andere
onverklaarbare gedachten zoemen als een zwerm muggen door
haar hoofd, terwijl haar hart bonkt.

Beauty zakt door haar benen en gaat naast Puni's lichaam zitten.
Verbaasd ziet ze dat iets – wat blijkbaar haar eigen vingers zijn –
het droge gras uit de grond trekt en van de graspollen een bergje
maakt. Langzaam voelt ze haar krachten terugkomen. Nu moet ze
zich professioneel gedragen.

Een aantal dorpsvrouwen komt aangerend, met pater Abraham in
hun kielzog en daarachter een hele zwerm kinderen. De vrouwen
gillen en rukken aan hun kleding, terwijl de kinderen met grote
ogen naar hun wanhopige moeders en het bewegingsloze meis-
jeslichaam staren. Tenslotte verzamelt de priester al zijn moed en
neemt het woord.

– Wat is er gebeurd? vraagt hij aan Beauty.

Ze weet het, weet het, weet het, maar trekt toch Puni's rok omhoog en voelt. Het onderzoek is nauwelijks voldoende, maar dat
begrijpt pater Abraham niet.

Ze denkt een paar seconden na. Zal ze een leugen vertellen om

Puni's eer te redden? Maar zelfs als het haar lukt pater Abraham om de tuin leiden, zullen de vrouwen haar door hebben.

– Een miskraam, zegt ze.

– Wat?

Begrijpt hij niet wat ze bedoelt of heeft hij het niet verstaan? Beauty's stem krijgt een scherpe, pedagogische klank.

– Een miskraam. Maar zo vroeg in de zwangerschap dat het niet eens zeker is dat ze wist dat ze zwanger was. Het is vermoedelijk een acute bloeding geweest, die tijdens haar slaap is ontstaan, waardoor ze geen kans meer had op te staan en hulp te zoeken.

Dat laatste is zeer onwaarschijnlijk, dat weet Beauty, die nog nooit van een hevige bloeding zonder pijn heeft gehoord, maar al te goed. Als Puni sliep, wat niet waarschijnlijk is, was ze zeker wakker geworden. En waarom zou ze hier op de grashelling gaan liggen? Maar wat had ze moeten doen? Wie had ze om hulp kunnen vragen? Wat had ze moeten zeggen?

– Ze heeft toch niet gezondigd?

De schijnheilige blik van pater Abraham roept bij Beauty niets dan verachting op.

– Wat bedoelt u, pater?

– Je weet precies wat ik bedoel, Beauty. Heeft ze niet zelf geprobeerd het werk van God af te breken? En de geboden van het evangelie geschonden?

– U bedoelt, geprobeerd het kind weg te halen?

– Ja.

– Dat denk ik niet. Zoals ik al zei geloof ik niet dat ze wist dat ze zwanger was.

Beauty ziet in dat ze het heft in handen moet nemen. Ze krabbelt overeind en richt zich tot de moeder van het dode meisje.

– Heeft ze iets gezegd?

De wanhopige vrouw zit op haar knieën naast het lichaam van haar dochter heen en weer te wiegen. Ze huilt niet, ze kermt alleen. Onhandig aait ze de hand van het meisje, troostend, alsof haar moederliefde het meisje weer tot leven kan wekken. Na een eerste nieuwsgierige blik hebben de andere vrouwen zich teruggetrokken en vormen een kleurrijke cirkel. Ze proberen hun nieuwsgierige kinderen in toom te houden. Blote voetjes en vieze mouwen verdringen elkaar in stilte om iets te kunnen zien. Hun moeders zijn zo vreselijk streng en waarom ligt Puni zo stil?

– Heeft ze iets gezegd? vraagt Beauty nogmaals, terwijl ze het antwoord al weet.

Puni's moeder schudt wild met haar hoofd.

Wat had ze moeten zeggen? De moeder tilt de dunne hand van haar oudste dochter op en drukt hem tegen haar borst. Puni was veertien jaar. Eerst is ze dood – en dan blijkt ze ook nog zwanger te zijn! Wat een verdriet zal er komen, maar nu is alles nog zo onbevattelijk.

Nee, Puni heeft niets gezegd.

– Ik heb een gerucht gehoord, vervolgt de priester, terwijl Beauty haar adem inhoudt. Ze balt haar vuisten. Het is alsof ze zo haar evenwicht beter kan bewaren, alsof ze anders onderuit gaat. Beauty voelt dat haar pols klopt en haar oren suizen van angst.

Maar ze vermant zich en richt haar ogen strak op de priester.

– Als pater Abraham naar geruchten luistert en daarover wil discussiëren, vind ik dat we dat ergens anders moeten doen. Wat vindt u ervan eerst het meisje te zegenen?

Beauty en pater Abraham lopen achter elkaar over het smalle paadje terug naar Beauty's huis. Pater Abrahams zwarte jas voorop, gevolgd door Beauty's gekrompen jurk. Het droge gele gras kraakt onder haar voeten en ze kan haar eigen hartslag horen, terwijl de gedachten in haar hoofd rondtollen.

Wat kan er zijn gebeurd? Heeft Puni mijn raad niet opgevolgd en iets doms gedaan? Is dit allemaal mijn schuld? En wat voor gerucht heeft pater Abraham gehoord?

Achter zich hoort Beauty geritsel en als ze zich omdraait ziet ze een klein groepje kinderen dat in een rijtje achter haar aan sjokt. Haar eigen kinderen lopen er ook tussen. Door de chaotische situatie heeft ze helemaal niet gemerkt dat de kinderen haar met grote ogen achterna zijn gekomen. Het is opeens een heel andere dag geworden. Enkele meisjes huilen een beetje, omdat ze voelen dat er iets verdrietigs aan de hand is, maar wat dat precies is weten ze niet.

Sinds de komst van de witte dokter is alles gecompliceerder

geworden, denkt Beauty. Het verschil tussen goed en fout was vroeger veel duidelijker. Toen ging er ook veel mis, maar daar was dan niets aan te doen. Ja, natuurlijk wist ze in die tijd ook al het een en ander. Door haar vakkundigheid kon ze het lot enigszins beïnvloeden, of misschien was het Gods wil, zoals nu met Milly's kind, maar uiteindelijk had ze het niet helemaal in de hand.

Misschien heeft ze te veel macht gekregen. Een groot deel van de dorpelingen is ervan overtuigd dat een mensenleven door goede, maar vooral door kwade machten wordt gestuurd. Net als die nieuwe, slopende ziekte, waarvan velen geloven dat het met tovenarij te maken heeft. Is dit misschien een straf omdat ze overmoedig is geworden?

Maar aan de andere kant – denk aan al die levens die ze heeft gered! Vijf jaar geleden zou Puni een van de vijf of misschien zelfs een van de tien dode meisjes zijn geweest. Breinaalden, glasscherven en scherpe stokjes geven ernstige bloedingen of koorts, situaties die vaak tot de dood leiden. Een overdosis malariapillen doodt de foetus, maar vaak ook de moeder.

En al die ongewenste kinderen die door langdurige, pijnlijke bevallingen ter wereld zijn gekomen, met veel te jonge moeders die met school moesten stoppen om met een man te trouwen die ze niet zelf hadden uitgekozen – of gewoon het dorp werden uitgestuurd. Nee, ze moet helder blijven denken. Het *is* nu beter.

Beauty dwingt zichzelf aan Mary te denken, het dertienjarige meisje dat weigerde te vertellen wie de vader van haar kind was, en die daarna met het pasgeboren jongetje spoorloos was verdwenen. In het dorp is geen plaats voor kinderen zonder vader. Iemand had Mary bij het busstation in de stad gezien, in een kort rokje en met een sigaret in haar hand. Maar niemand weet waar het jongetje is gebleven.

Beauty denkt dat ze wel weet wie Mary zwanger heeft gemaakt. Beauty weet over het algemeen vrij veel, want een bevalling maakt heel wat los. Tussen de pijnlijke weeën wordt vaak meer verteld dan achteraf de bedoeling was, maar Beauty houdt haar mond. Wat ze te horen krijgt gaat niemand anders wat aan.

Mary zelf heeft niets over de vader van haar kind gezegd, maar Beauty kan twee plus twee optellen, of één plus één plus één plus één. De getrouwde oom van het meisje heeft minstens vier kinderen in het dorp rondlopen, in de meeste gevallen het resultaat van wrede verkrachting.

Die waarheid zou niemand in Mary's familie kunnen verdragen. Daarom kon Mary niet in het dorp blijven. Stel dat Beauty haar toen had kunnen helpen, dan had ze haar school kunnen afmaken en was ze niet bij het busstation beland.

Maar wat is er misgegaan?

Waarom is Puni dood?

Wat heeft pater Abraham gehoord?

En waar heeft Puni het doosje gelaten?

Plotseling blijft Beauty staan en twijfelt of ze zal terugrennen om de plek rond het lichaam te onderzoeken. Het groepje kinderen blijft ook staan, klaar om met haar mee te rennen, wie weet gebeurt er nog iets spannends. Maar Beauty heeft op de plek waar het meisje lag niets zien liggen en vermoedelijk heeft de familie het lichaam ondertussen verplaatst, dus mocht er enig bewijs hebben gelegen, dan moeten ze dat ondertussen al hebben gevonden. Ze loopt door naar huis.

Ze heeft nu dringende zaken te regelen, zoals die andere doosjes die thuis onder het bed liggen. Die moeten weg, onmiddellijk. Daarna kan ze naar het huis van Puni's ouders gaan om het verdriet met hen te delen en goed om zich heen te kijken.

Tampa, Florida, VS
17 februari 2004

Dag mijnheer pastoor. Ik ben het, Melissa. Ik praat tegen u, maar dat hoort u natuurlijk wel. Hoewel u niet weet hoe ik heet. Melissa. Zo, nu weet u dat. En dat is genoeg. Gezien de situatie, lijkt me een achternaam niet nodig.

Als ik u dingen vertel heeft u toch zwijgplicht? U mag toch niets doorvertellen? En ook al ben ik van huis uit niet katholiek, dit kan toch wel als een soort biecht worden beschouwd?

Ik zal af en toe, als ik alleen op mijn kamer ben, iets op deze band vertellen, dan zien we wel hoever ik kom. En dan bepaal ik uiteindelijk of ik de band aan u zal geven. Dat heb ik op dit moment nog niet besloten.

Ik heb het hier niet naar mijn zin, er gebeurt zo weinig en ik pieker zo veel. Soms lijkt het net of de muren op me afkomen, waardoor er steeds minder lucht is om in te ademen, terwijl ik weet dat dat niet kan. Toch zie ik de muren bewegen. Daar moet ik soms van huilen.

Ik praat bijna de hele dag met God en dat helpt, maar niet altijd. God is liefde, zegt u steeds, en dat weet ik wel, maar God kan ook straffen. Als God zijn handen van me heeft afgetrokken, weet ik niet hoe ik verder zou moeten leven.

Daar heb ik het met u over gehad. Ook al zeg ik nooit zo veel als u hier bent, u moet weten dat ik het fijn vind dat u komt.

Ik heb beloofd niets te vertellen over wat er is gebeurd, en dat heb ik tot nu toe ook niet gedaan. Maar dat voelt erg eenzaam.

Ik dacht dat het misschien beter zou voelen, als ik het aan u zou vertellen, ook al kunt u geen antwoord geven. God luistert toch ook en misschien begrijpt hij me dan wat beter.

Hoewel hij het natuurlijk allemaal al weet. Wat dom van me.

Ik denk veel aan de andere meisjes en vraag me af hoe het nu met ze gaat. Ik denk natuurlijk aan hem, maar ook aan de meisjes, en aan de dominee. Ik hoop dat ze trots zijn dat ik een soldaat van God ben geweest, precies zoals hij zei.

Van wat de wet over mijn daad zegt denk ik het volgende.

Stel dat u in een park loopt waar u een sluipschutter ziet die op kleine kinderen schiet, dan wilt u er toch alles aan doen hem te laten stoppen? Maar als u vervolgens naar de politie gaat, die u vertelt dat de scherpschutter slechts gebruikmaakt van zijn recht op 'keuzevrijheid' en zegt niets te kunnen doen, omdat dat een inbreuk op zijn privacy zou zijn, hoe zou u dan reageren?

Als u met de schutter zou praten en hij zou zeggen dat hij van plan was de kinderen één voor één dood te schieten, omdat hij in zijn recht stond, wat zou u dan doen? Zou u blijven toekijken, of zou u proberen hem op alle mogelijke manieren te laten stoppen?

Ik denk dat u zou proberen hem te laten ophouden.

Luchthaven Arlanda, Zweden
2 februari 2004

28,1 Kg in digitale lichtgroene cijfers.

De zorgvuldig geëpileerde wenkbrauwen van de grondstewardess bewegen zich nauwelijks terwijl ze het langwerpige label met de tekst HEAVY vastplakt.

Ellen hapt geruisloos naar adem terwijl er een koude rilling door haar heen gaat. Natuurlijk kan ze het overgewicht betalen, maar hoe minder ophef er over haar bagage wordt gemaakt, hoe beter.

De twee stuks volgepropte handbagage staan onopvallend onder de incheckbalie. Het gebeurt af en toe, eigenlijk steeds vaker, dat men de handbagage ook wil wegen en controleren. Het is zelfs een keer gebeurd dat Ellen een van de tassen bij haar koffer op de band moest achterlaten.

Niet goed.

Niet alleen vanwege de honden, maar ook vanwege de kans op diefstal.

Maar het lijkt ook deze keer weer goed te gaan.

Er is ook niemand die zich druk maakt om haar visum. Dat lijkt op Arlanda nooit een probleem te zijn, en in dit paspoort staan maar vier – dezelfde – visumstempels. Geduldig staat ze in de rij met haar blik op oneindig. Ticket, boardingpas, paspoort – ze is aan de beurt.

Quasi ontspannen zet ze de twee loodzware tassen op de lopende band. Een tas valt met een klap om en wordt door een bewaker opgetild, die zich over het overgewicht niet druk lijkt te maken. Dat is zijn verantwoordelijkheid niet. Soms kan Ellen zo gaan staan dat ze de beelden op het röntgenapparaat, waarop uiteraard niets verdachts valt te ontdekken, kan zien. Vierkante contouren, dat zou best een toilettas of wat boeken kunnen zijn. Sinds 11 september stopt ze alle canules in haar koffer. Ze moesten eens weten.

Ooit was er een tijd – het voelt als een eeuwigheid, terwijl het pas drie jaar geleden is – dat de sfeer van de vertrekhal haar aan champagne deed denken. Bruisend, verwachtingsvol, spannend. De spontane inkopen bij de taxfreeshops en misschien een glas wijn aan de bar. Bij de kiosk kocht ze damesbladen en haar bestemming was Londen, Kreta of een enkele keer New York. Tegenwoordig komt ze precies op tijd. Niet te vroeg en niet te laat. En haar bestemming is altijd Zambia.

Toch voelt het deze keer anders. Niet zoals gewoonlijk. Ze is een beetje misselijk en strijkt met haar hand het klamme zweet van haar voorhoofd. Zo gaat het niet langer. Zowel het project als haar leven zijn zo gecompliceerd geworden. Ze vraagt zich af of ze nog een gewoon leven zal kunnen leiden als ze nog meer bij het project betrokken raakt. En geeft het leven haar genoeg voldoening, als ze eruit zou stappen? Wil ze eruit stappen? En kan dat eigenlijk wel? Wie zou het van haar moeten overnemen?

In de taxfreeshop koopt ze, net als altijd, een paar plastic flessen gin en een nieuw flesje nagellak. Plastic flessen, zodat het niet zo zwaar wordt (praktische Ellen!), gin, omdat dat lekker kan zijn na een lange dag in de hitte (verfrissende Ellen!) en omdat gin en tonic kinine bevatten (medische Ellen!). Hoewel ze de laatste tijd steeds meer flessen koopt en die steeds sneller leegdrinkt (alcoholverslaafde Ellen?).

En hoe zit het met die nagellak? Een huismerk deodorant van de *Konsum*-supermarkt werkt in de regel net zo goed als een duur merk, en als ze de mascaraprijzen nauwkeurig vergelijkt, komt het warenhuis *Åhléns* er het best vanaf.

Maar om de een of andere reden geldt dit niet voor nagellak. Als iemand Ellen onder druk zou zetten, zou ze misschien zeggen dat nagellak een product is waarvan de kwaliteit met de prijs samenhangt.

Maar eigenlijk weet ze dat het onzin is. Ze is dol op de schappen vol kleurige flesjes in de taxfreeshops en is trots op haar lange verzorgde nagels, die ze in Afrika net zo knalrood kan lakken als ze maar wil zonder dat iemand er iets van zegt. Thuis in het ziekenhuis kijkt iedereen haar scheef aan als ze met vrolijk gekleurde nagels rondloopt, dus daar gebruikt ze doorschijnende nagellak, maar ze weigert haar nagels te knippen met als argument dat ze – meer dan eens – haar wijsvinger als mini schroevendraaier heeft kunnen gebruiken en dat ze de allerdunste draadjes kan oppakken. Ze ziet zichzelf als Liza Minelli in haar favoriete film 'Cabaret', waarin ze met lange groene nagels zwaait: 'divine decadence'.

De nagels waarmee ze haar creditcard aan de verkoper over-handigt zijn onschuldig lichtroze, terwijl de inhoud van het nieuw aangeschafte flesje knalpaars en peperduur is. Divine decadence, denkt Ellen glimlachend.

Terwijl ze haar koffie met melk drinkt, verstopt ze zich achter de krant Dagens Nyheter, om zo de blikken van andere mensen te ont-wijken, want ze wil hier absoluut geen bekenden tegenkomen. Ze denkt goed na over hoe ze zich kleedt als ze op reis gaat. Een witte, gebreide katoenen trui, een blauwe spijkerbroek, anoniem zwarte tassen, haar lange haar in een paardenstaart en geen make-up. Ze wil niet opvallen.

Misschien moet ze toch even haar moeder of Björn bellen, hoewel hij zelden zijn mobiele telefoon aanzet als hij op zijn werk is en meestal vergeet zijn antwoordapparaat af te luisteren. In het begin bracht hij haar altijd naar het vliegveld, maar daar is hij mee ge-stopt, en op zich kan ze dat wel begrijpen. Het is natuurlijk onzin dat hij iedere keer een halve dag vrij moet nemen, terwijl ze net zo goed met de taxi kan gaan. Een kus in de ochtend, goede reis, mail even als je bent aangekomen, succes, we zien elkaar weer snel. Op de terugreis haalt hij haar meestal van het vliegveld op. Dat wel. Maar hoe lang nog?

Maar haar moeder vindt het altijd fijn als ze belt. Ellen toetst het telefoonnummer uit haar jeugd in en de telefoon gaat vier keer over. De tekst op het antwoordapparaat verraadt het generatiever-schil. Het verhaal is omslachtig en uiterst beleefd:

'Hallo, u bent verbonden met het antwoordapparaat van Marianne Olofsson. Helaas kan ik u op dit moment niet te woord staan, maar als u uw naam en telefoonnummer inspreekt, bel ik u zo spoedig mogelijk terug. Laat alstublieft ook even weten wan-neer u heeft gebeld. Dank u wel voor het bellen.'

Het had heel wat maanden geduurd voor haar moeder de bood-schap had veranderd en haar vaders stem had gewist. Ze zei dat ze niet wist hoe ze dat moest doen, waarna ze het vergat, omdat ze natuurlijk nooit haar eigen nummer belde en dus ook nooit de boodschap hoorde. Maar haar dochters – gekweld door de spook-achtige stem op de band – vermoedden dat het om iets anders ging. Het niet in staat zijn te kunnen loslaten. De naam van haar vader staat nog steeds op de voordeur.

Terwijl Ellen een tweede kopje koffie haalt, houdt ze haar tassen in de gaten. De koffie op Arlanda is zo schandelijk duur dat je het gratis tweede kopje wel moet benutten, denkt ze terwijl ze langs twee tegen elkaar geschoven tafeltjes loopt.

– Ellen! Ik dacht al dat jij het was!

– Hallo.

– Jemig, wat lang geleden! Hoe lang geleden is het wel niet? Tien jaar, of is het nog langer?

Om precies te zijn, acht en een half.

Toen Ellen in de vrouwenkliniek van Örnsköldsvik haar co-schappen liep, ontmoette ze daar Margoth Oxenstierna, een gerenommeerd arts die vijftien jaar ouder was dan zij. Energiek, spraakzaam en deftig, maar ook aardig en geestig. Met dezelfde droge galgenhumor hadden ze samen heel wat baby's ter wereld geholpen en miskramen weggeschraapt, en tijdens het wassen van de baby's hadden ze gegiecheld als de verpleegsters even niet keken.

Ze werden vriendinnen, maar verloren elkaar uit het oog toen ze allebei verhuisden. Met kerst kwam er nog een paar keer een kaartje, maar dat hield op een gegeven moment op.

Ellen had in een medisch tijdschrift gelezen dat Margoth met onderzoek was begonnen toen haar kinderen groot waren. Het had iets met het immuunsysteem te maken. Naast Margoth zit een halve schoolklas, of gezien hun lengte eerder een basketbalteam.

– Dit is Ellen, met wie ik in Ö-vik heb gewerkt. En dit is Peter, mijn man.

Een van de goed getrainde teamleden heeft wat grijze haren. Ze heeft het gevoel dat ze hem ergens van kent.

Margoth stelt haar grote familie voor, ze knikken allemaal verstrooid, nauwelijks geïnteresseerd in een oude bekende van hun moeder. Wat een hoop tekst zonder één keer adem te halen, denkt Ellen. En waar ken ik die Peter van? Hebben we elkaar misschien een keer in Ö-vik ontmoet, of zou hij een bekend persoon zijn?

– En jij? Ik hoorde van iemand dat je druk met je proefschrift bent.

– Ja, dat klopt, maar dat kost een hoop tijd.

Ellen wil niet praten. Ze wil rustig haar koffie kunnen drinken en geen bekenden tegenkomen. Ze wil zich niet met Margoth en haar familie bezighouden. Ze heeft genoeg aan haar eigen zaken.

– Ik moet deze reis nog maken en een paar maanden achter de computer zitten. Ik doe onderzoek naar sterfte onder zwangere vrouwen in een district in Centraal-Zambia.

– Dat klinkt erg spannend!

– En jij?

Ellen verschuift de aandacht graag naar de ander.

– Ach, ik zit meestal achter de computer, reisjes zitten er voor mij niet in. In het gunstigste geval mag ik naar een saaie conferentie in Frankfurt.

Margoth lacht en wuift afwerend naar haar gezin, dat graag naar de taxfreeshops, bars en andere attracties wil lopen.

– En waar gaan jullie nu naartoe?

– Op vakantie. Leeuwen en giraffen kijken.

– Ik neem aan in Nairobi?

– Nee, we dachten naar Zambia en het *South Luwanga-park* te gaan. Ben jij daar wel eens geweest?

– Nee.

– Maar jij gaat nu naar Lusaka?

– Ja.

Dat kan ze onmogelijk ontkennen.

– Dan zitten we dus in hetzelfde vliegtuig. Waar slaap je?

Ze wil zeggen – bij goede vrienden, maar dat is niet waar en aangezien de hotelbussen klaarstaan bij het vliegveld, kan ze niet tegen Margoth liegen.

– In het Pamodzi Hotel.

– Wij zitten eerst in het Continental, maar na de safari kunnen we een ander hotel nemen. Dat is over vijf dagen. Het zou *zo* leuk zijn als we elkaar wat uitgebreider zouden kunnen spreken, dan kunnen we lekker bijkletsen over wat er in al die tijd gebeurd is.

Het hele basketbalteam slentert weg, kibbelend over wat een cd-speler in de taxfreeshop zal kosten. Ze zijn niet bang gezien of gehoord te worden.

Voor de maaltijd in het vliegtuig is geserveerd laat Margoth zich niet zien. Als het eten is rondgebracht doet Ellen oordoppen in en verstopt zich achter het oogmasker en de knetterende synthetische deken. Het alternatief, zich op haar onderzoeksmateriaal storten, is geen optie. Ze heeft verder niets bij zich, behalve een matige detective, die haar vermoedelijk niet tegen Margoths enthousiasme zal kunnen beschermen.

Ze is enigszins verbaasd dat Margoth de gebruikelijke familie-vragen oversloeg:

'En hoe zit het? ... heb je kinderen?'

In Zweden vraag je tegenwoordig niet meer 'ben je getrouwd'? Maar kinderen zijn openbaar bezit, dus daar mag je uitgebreid naar vragen.

Ellen loopt door een lichtgroene gang. Misschien een ondergrondse tunnel. Geen ramen. Beschadigingen op de muur waar rolstoelen, bedden en stepjes tegenaan zijn gebotst. Ze heeft haast, maar kan niet rennen. Ze beweegt zich in slow motion, alsof ze door het water loopt of harde tegenwind heeft. Alles om haar heen staat stil. Het enige dat ze zeker weet is dat ze te laat komt. Te laat voor iets belangrijks.

Ellen wordt wakker als de stewardess met een warme handdoek langskomt. Ze gromt een dankjewel, terwijl ze de veel te warme doek opzij gooit.

Het is geen ongewone droom. Ellen komt in haar dromen vaak te laat. Droomduidingen interesseren haar niet, maar het is duide-lijk dat haar dromen over ontoereikendheid gaan. Maar wie is er wel toereikend?

Ze denkt aan de omgeving waar de droom zich afspeelde. Wat was dat voor gang? Geen gang in het ziekenhuis, haar werk-plek. Toch hing er een sterke ziekenhuisgeur. Desinfecteermiddel en schone lakens. Metaal en plastic. Duizenden witte klompen hadden slijtageplekken op de geschilderde houten vloer gemaakt. De deur achter in de gang had een donkergroene kleur waarin een rechthoekig raampje zat. Een operatiezaal?

Nee. Als ze weer indommelt zwaait de hydraulische deur met een sissend geluid open en staat er een gynaecologische stoel. Over de benen van de patiënt ligt een groene lap. Met bonkend hart ziet Ellen wie daar ligt. Dan kijkt ze naar de arts, die in het groen is gekleed en onder de doek zit te wroeten. Dat is zij ook. Ze is het allebei. En allebei zijn ze bang.

Tijdens de tussenlanding op Harare heeft Margoth Ellen gevonden, die niet langer kan volhouden te doen alsof ze slaapt. Hangend over de medereizigers, waarmee Ellen nauwelijks een woord heeft gewisseld, werkt Margoth haar hele vragenlijst af. Ellen antwoordt zo min mogelijk, zonder direct onbeleefd te zijn.

Ja, ze is met Björn getrouwd, die ze tijdens haar studie heeft ontmoet. Hij is ook arts, maar is helemaal op onderzoek gericht en werkt in de farmaceutische industrie, het is dus niet gek dat Margoth hem niet kent. Ze wonen in een appartement in Solna. Geen kinderen, nee, daar zijn ze nog niet aan toegekomen. Ellen werkt op de afdeling Verloskunde van *Karolinska Sjukhuset*, maar is vaak vrij om aan haar proefschrift te kunnen werken.

Ellens vader is dood, maar haar moeder leeft nog en met haar zussen gaat het goed.

Waarom zou ze dat allemaal niet vertellen? Margoth was altijd al nieuwsgierig, maar ook heel aardig, en niets van wat Ellen vertelt is geheim. Toch kost het haar moeite.

Terwijl Margoth over haar onderzoek babbelt, over de successen van haar kinderen, over de villa in Stocksund, over het zomerhuis op Dalarö, over de jaarlijkse vakanties met de hele familie, de laatste jaren in Afrika – 'Thailand is zo toeristisch geworden' – realiseert Ellen zich dat haar leven sterk is veranderd.

Twee jaar geleden zou ze blij zijn geweest Margoth te ontmoeten. In die tijd was ze graag met haar gaan lunchen, had ze haar misschien als een grote zus gezien die ze over haar proefschrift om raad zou kunnen vragen. Ze zou zich een beetje hebben aangesteld over het exotische aspect van haar project, Margoth en haar man misschien zelfs bij haar thuis hebben uitgenodigd en iets aparts hebben gekookt, waarvoor ze complimentjes zou hebben gekregen. Björn zou hen vast aardig vinden.

Nu hoopt ze alleen maar dat Margoth & Co zo door elkaar en door de nijlpaarden in beslag zullen worden genomen, dat Ellen stilletjes kan verdwijnen. Ze heeft geen behoefte aan mensen die vragen stellen over haar privéleven en haar werkzaamheden in Zambia.

Ellen bladert verstrooid in het tijdschrift van de luchtvaartmaatschappij dat ze uit de stoelzak voor zich heeft gepakt. Op een wereldkaart zijn de breedtegraden aangegeven. Ze kan precies uitrekenen hoever ze eigenlijk van huis is. 'Tachtig graden van Varmvattnet', mompelt ze, terwijl ze zich een avond herinnert, nog niet zo lang geleden, wàarop het sneeuwde.

– Op de volgende reis en op een nieuwe vriend in de club!

Ellen en Anne-Marie zetten beide hun wijnglas met een knal neer en knikken tevreden. Gelukkig denken niet alle bedrijven alleen maar aan geld. De nieuwe compagnon van de *Junta* blijkt zowel betrouwbaar als genereus. Dankzij het contact van Anne-Marie met haar baas kunnen ze op een soepele, rechtstreekse manier communiceren. Ellens volgende opdracht zal een stuk gemakkelijker gaan, met betere hulpbronnen. En Björn is niet thuis, dus ze kunnen vrijuit praten.

– Mijn hemel, is de wijn nu al op!? zegt Anne-Marie. Hoeveel hebben we gedronken? Volgens mij kan ik beter naar huis gaan.

– Niks aan de hand, ik heb nog een doos. Kijk maar even onder in de voorraadkast. Ik moet naar de wc.

Ellen wankelt als ze haar panty omlaag trekt om op de wc-bril te gaan zitten. Ik kan beter niet meer drinken, denkt ze, terwijl ze spijt heeft dat ze Anne-Marie over de doos wijn heeft verteld. Maar als ze haar gezicht met een beetje koud water heeft afgespoeld, voelt ze zich een stuk beter. Het gebeurt niet elke dag dat een van de leden van de *Junta* op bezoek komt. En Björn is voor één keer eens niet thuis. Ellen was trouwens al heel lang nieuwsgierig naar Anne-Marie's geschiedenis.

Ze pakt een fles mineraalwater uit de koelkast en loopt terug naar de kamer waar ze op de bank ploft, nog steeds een beetje duizelig.

– Wat bedoel je met dat je 'ervaring met het rechtssysteem hebt'?

– Ach, soms praat ik te veel.

Anne-Marie's goed gestreken bloes is uit de band van haar broek omhoog gekropen en op een onhandige manier probeert ze die erin terug te friemelen. Ellen ziet dat ook zij niet meer helemaal nuchter is en dat lucht op.

– Volgens mij is dat het probleem niet, zegt Ellen met een provocerende ondertoon. Je bent hartstikke gesloten.

– Insgelijks.

– Hoezo, ik ben een open boek!

– Pff. Anne-Marie's protest klinkt als een leeglopend luchtbed. Allemaal gelul!

– Wat zou je willen weten, vraagt Ellen, terwijl ze voor alle zekerheid haar wijnglas met water vult.

– Waarom ben je hiermee bezig?

Ellen kijkt naar de lantaarnpaal die voor het huis staat en terwijl ze met een tegenvraag antwoordt, herkent ze haar eigen reactiepatroon. De aandacht naar een ander verschuiven. Is ze inderdaad gesloten?

– Vind je niet dat we zinvol bezig zijn?

– Ja, misschien wel zinvol, zegt Anne-Marie, maar tegelijkertijd ook idioot. Je hebt alles voor elkaar, je zou een heerlijk rustig leven kunnen leiden.

– Dat zou jij toch ook kunnen doen.

– Dat doe ik al, en bovendien stel ik mezelf niet bloot aan groot gevaar. Overigens ben ik meer van het soort...

– Van welk soort?

– Het soort dat risico's neemt.

– Hoe dan?

– Nee, laat maar.

– Kom op. Als je A zegt moet je ook B zeggen.

– Je moet me beloven dat je niets tegen de anderen zult zeggen.

– Beloofd!

Net als in haar kindertijd houdt Ellen haar duim naar voren en drukt hem tegen die van Anne-Marie als teken dat ze het geheim niet zal doorvertellen.

– Nu heb je het beloofd!, waarschuwt Anne-Marie, waarna ze een flinke slok wijn neemt.

– Jaha, vertel nou maar!

– Ik ben veroordeeld in een strafzaak.

Het klinkt zo plechtig. Alsof ze uit een wetboek voorleest.

– Echt waar? Waarvoor dan?

– Fraude.

– Dat meen je niet. Heb je in de gevangenis gezeten?

– Ja. Een jaar.

– Hoe ging dat dan?

– Toen ze het ontdekten hebben ze natuurlijk aangifte gedaan.

– Ja, ja. Dat begrijp ik. Maar hoe zat het dan met die fraude?

– Het was eigenlijk heel simpel. Kinderlijk eenvoudig. Ze hadden geen enkel beveiligingssysteem. Dat stond ook in het vonnis, en daarom heb ik maar één jaar gekregen.

– Om hoeveel geld ging het?

Anne-Marie's anders zo rustig klinkende stem krijgt iets uitdagends als ze antwoordt.

– Ruim drie miljoen kroon.

– Lieve hemel.

Opeens kijkt Ellen met heel andere ogen naar haar vriendin.

– Van wie was het geld?

– Van een verzekeringsmaatschappij. Ik werkte er op de schade-
uitkeringafdeling.

– Maar wat heb je dan precies gedaan?

– Ik verzon zowel schademeldingen als klanten, waarna ik de
schadevergoedingen naar mijn eigen rekening overmaakte.

– En dat merkten ze niet?

– Het heeft twee jaar geduurd. Natuurlijk wist ik dat ze er vroeg
of laat achter zouden komen.

– En toch ging je ermee door?

– Ik had uitgezocht hoe hoog de straf zou kunnen uitvallen.
Maximaal twee jaar omdat ik nog nooit eerder was veroordeeld.
Ik dacht dat het de moeite waard zou kunnen zijn.

Zou dat zo zijn? vraagt Ellen zich af. Ze heeft het water opge-
dronken en vult zowel haar eigen glas als dat van Anne-Marie
weer met wijn. Anne-Marie wikkelt een haarstreng rond haar
vinger, terwijl ze een korte pauze inlast om ruimte te geven voor
meer vragen.

– Wat heb je met het geld gedaan?

– Gereisd, kleding gekocht en mijn appartement laten renoveren.

– En wat gebeurde er toen ze er achter kwamen?

– Toen deden ze natuurlijk aangifte. Het was overduidelijk dat
ik de schuldige was, want ik had niet eens een poging gedaan de
sporen te wissen. Maar vlak voor de rechtszaak werd ik door het
bedrijf voor een lunch uitgenodigd, omdat ze van me wilden weten hoe ze het beveiligingssysteem zouden kunnen verbeteren. Ze
eisten het geld niet terug, ze vonden de kwestie zo gênant dat ze
die het liefst zo onopvallend mogelijk wilden afhandelen, zodat
hun klanten niet in de gaten zouden krijgen hoe onzorgvuldig er
met hun geld was omgesprongen. De rechtbank ging daarmee ak-
koord. Mijn advocaat zei in zijn betoog dat het systeem misbruik
in de hand had gewerkt.

– Hemeltjelief.

Anne-Marie strekt haar benen uit onder het salontafeltje terwijl
ze zich uitrekt. Ze stopt haar bloes opnieuw in de band van haar

broek. Onder haar armen zijn kleine zweetplekken zichtbaar en ze heeft haar schoenen uitgeschopt. Toen ze een paar uur geleden op Ellens versleten leren bank ging zitten zag ze er fris, maar nogal oncomfortabel uit. Of – de bank zag er oncomfortabel, doorgezakt en smerig uit. Anne-Marie's goed gestreken kostuum vroeg om een ivoorwit bankstel of misschien een lichtgeel, had Ellen gedacht. Nu passen Anne-Marie en het bankstel plotseling een stuk beter bij elkaar.

– Maar hoe was het in de gevangenis? gaat Ellen verder.

– Tja, niet geweldig natuurlijk. De meeste vrouwen in de bajes kunnen nauwelijks lezen – ze hebben hun hele leven lopen klooien, kunnen geen brief schrijven of een bezwaarschrift indienen als ze worden overgeplaatst of zoiets – dus ik werd een soort supermoeder voor ze en omdat ik vriendelijk was en me goed aanpaste waren de bewakers ook op me gesteld. Bovendien heb ik Åsa daar ontmoet …

– Heb je haar daar ontmoet?

Ellen trekt haar benen onder zich op de bank. Ze moet even nadenken. Ellen weet dat Anne-Marie lesbisch is en met Åsa samenwoont. De *Junta* heeft Åsa maar een paar keer ontmoet. Ze is nogal verlegen en een heel stuk jonger dan Anne-Marie.

– Zat ze ook in de gevangenis? Of werkte ze daar?

– Ze zat daar ook.

– Waarom?

– Het bekende verhaal. Je weet wel. Een rotmoeder, geen vader, kindertehuis, jeugdzorg, bier, hasj, sterke drank, amfetamine. Op haar vierentwintigste zat ze voor de tweede keer in de vrouwengevangenis *Hinseberg*. Een klein drugsdelict, wat joyriding en valsheid in geschrifte. Dat is meer dan tien jaar geleden, toen er nog cheques bestonden die je kon vervalsen. We hadden een cel naast elkaar. En zodoende …

– Hoezo, 'en zodoende'?

Ellen merkt dat ze onnodig streng klinkt.

– We werden verliefd op elkaar.

– Ja, dat snap ik. Maar hoe dan?

– Op de normale, ouderwetse manier, lijkt me.

Nu is het Anne-Marie's stem die geïrriteerd klinkt.

– Nou ja, ik bedoel – vielen jullie daarvoor ook al op vrouwen?

– Ik niet. Ik had nauwelijks een relatie gehad. Toen ik eindexamen deed had ik een vriendje, maar nadat hij het had uitgemaakt heb ik nooit meer iemand kunnen vinden. Ik denk dat ik daarom dat geld jatte. Ik was ongelofelijk eenzaam en vond het leven saai. Er gebeurde helemaal niets. Het gaf in ieder geval een moment van spanning. Als ik Åsa niet had ontmoet was ik waarschijnlijk nog steeds alleen geweest. De kans was wel groot geweest dat ik weer op het verkeerde pad was geraakt, hoewel ik het dan wel iets slimmer zou hebben aangepakt. Want daar houd ik van, het berekenen, het plannen, en de risico's. Klinkt dat gek?

– Ik weet het niet. Ik heb daar nooit zo over nagedacht.

– Echt niet? Anne-Marie klinkt sceptisch.

– Hoe zat het dan met Åsa? Was zij lesbisch?

– In haar drugstijd had ze relaties met zowel mannen als vrouwen. Afhankelijk van wat het meest lonend was. Maar eigenlijk zat ze in hetzelfde schuitje. Zij was ook een eenzame ziel. Schepen die elkaar op zee ontmoetten ...

Anne-Marie staart door het raam naar de straatlantaarn. Een lichte sneeuwval maakt het beeld een tikkeltje wazig.

– Ongelofelijk, zegt Ellen, vooral tegen zichzelf.

– Heb je zin in een toastje met kaas?

– Ja, lekker.

Ellen haalt twee kleine bakjes kruidenkaas, een met knoflook en een met gemengde kruiden, die ze gisterenavond voor het avondeten met Björn heeft gemaakt. De toastjes zijn met sesamzaad en Ellen weet dat ze erg lekker zijn. Ze kunnen wel wat energie gebruiken. En nog een beetje wijn. Een klein beetje maar.

– Maar daarna? vraagt Ellen, als alles op tafel staat en ze Anne-Marie het kaasmesje heeft gegeven dat oom Bertil van elandenbot heeft gemaakt.

– Was het niet moeilijk daarna een baan te vinden? Vroeg niemand wat jullie die jaren hadden gedaan?

– We hadden geluk. Eerst kregen we een baantje in de gevangenis, wat meer een soort werktraining was, maar al vrij snel begonnen we een echte baan te zoeken. Åsa's baas bij *Åhléns* had zelf een wat duister verleden en vond dat iedereen een tweede kans verdiende. En ik – ik solliciteerde gewoon op de formele manier. Ik was over de dertig en had diverse banen gehad. Het verloren jaar verklaarde ik door te vertellen dat ik had gestudeerd, maar vanwege ziekte mijn examen niet had gehaald. En dat klopte voor een deel. Ik had in de gevangenis inderdaad gestudeerd en een paar studiepunten verzameld. Gelukkig was er niemand die de verzekeringsmaatschappij belde. Ik had ze ook niet als referentie opgegeven.

– Nee, dat begrijp ik.

Ellen is net bezig met haar derde toastje kaas en heeft zichzelf opnieuw een glas wijn ingeschonken, als Anne-Marie de tegenaanval inzet.

– Nu is het jouw beurt. Wat voor geheimen heb jij? Ik beloof – ze maakt hetzelfde symbolische gebaar met haar duim in de lucht – dat ik het niet zal doorvertellen.

– Hoezo? Ik heb geen geheimen.

– Toch is het gek. Waarom ruil je een schitterende carrière in voor iets dat zo onzeker en zelfs verboden is. Ook jij kunt worden gepakt.

– Welnee.

– Natuurlijk wel. Soms doe je echt onnozel, weet je dat?

– Wat bedoel je daarmee?

– Ik heb het idee dat je onnodig veel risico neemt. Dat begrijp ik niet. Ben je niet bang voor de consequenties? Wat zegt je man ervan, hoe heet hij ook alweer, Björn?

– Hij zegt niets.

– Dat geloof ik niet, zegt Anne-Marie snel.

Ellens gezicht begint rood aan te lopen. Het gaat Anne-Marie helemaal niets aan wat Björn vindt en hoe kan ze nu beweren dat ze niet gelooft wat ze zegt? De welopgevoede, volgzame secretaresse lijkt van de aardbodem te zijn verdwenen. Anne-Marie's stem heeft een nieuwe, scherpe klank.

– Hoeveel weet hij eigenlijk?

– Hij weet het belangrijkste, dat we mensen helpen en niets crimineels doen, tenminste niet bijzonder veel.

– Is dat zo?

Anne-Marie is het er niet mee eens, maar besluit er verder niet op in te gaan.

– Wat vindt hij ervan dat je zo vaak weg bent?

– Dat vindt hij niet fijn, maar ik heb hem gezegd dat ik nu wat vaker thuis zal zijn. Geloof ik.

– Hebben jullie een goede relatie?

– Jaha! De toon die Ellen aanslaat geeft aan – tot hier en niet verder. Anne-Marie begrijpt de boodschap.

– Oké, laat Björn nu maar even maar zitten. Wat probeer je eigenlijk te bewijzen? Voor wie?

– Niets. Ik probeer alleen iets goeds te doen.

– En van wie heb je dat? Wie heeft je geleerd wat goed is?

– Mijn vader, vermoed ik.

Ellen denkt een poosje na.

– En mijn opa. En oma. In het dorpje Varmvattnet.

– In Varmvattnet? Dus je bent van Varmvattnet naar Heetvattnet gegaan?

Ellen moet moeite doen de in wijn gemarineerde gedachten te volgen. Net, toen ze Varmvattnet zei, viel alles ineens op zijn plek. Daar kwam het allemaal vandaan. Van dat rode huis op de helling bij het meer. Van de heuvels vol wilgenroosjes en de steiger waar je op voorn kon vissen. Van het bos met de vossenbessen en bosbessen en de zoutsteen voor de elanden. Opeens kan ze haar eigen gedachtegang niet meer zo goed volgen, en er iets over vertellen lijkt al helemaal onmogelijk. Er zijn zo weinig woorden. Het is meer een gevoel. Hoe zou Anne-Marie moeten begrijpen wat Ellen zelf niet eens helemaal begrijpt.

– Nee, je begrijpt het niet. Varmvattnet is een dorp. Daar woonden mijn opa en oma en daar is mijn vader geboren. Toen ik jong was, logeerde ik daar vrij veel.

– Ja, en?

– Daar draaide alles om 'Het Goede', 'Het Juiste' te doen.

– Hoe dan?

– Opa was geheelonthouder en voorzitter van het genootschap van geheelonthouders, of hoe dat ook heette. Midden in de nacht ging hij in zijn oude Opel op weg om de een of andere alcoholist te helpen die ruzie met zijn vrouw had en die na een flinke preek zijn roes in het tuinhuis van mijn opa en oma mocht uitslapen. Mijn oma zat in het missiewerk, was leidster van de naaivereniging, reed naar het huis van die alcoholist om zijn vrouw te troosten en kookte altijd extra veel voor het geval er iemand zou langskomen. Er kwam bijna altijd iemand langs. En ze stuurde al het geld dat ze overhielden naar de arme, zwarte kindertjes in Afrika.

– En ondanks dat ze strenggelovig was, ja, ik geloof zelfs dat ze met de bijbel onder haar hoofdkussen sliep, was ze wars van vooroordelen en had ze altijd begrip voor mensen die het moeilijk hadden. Mijn opa en oma zijn al heel lang dood, maar ik denk dat ze achter ons werk zouden staan.

Ellens stem wordt hees. Ze kan de brok in haar keel niet doorslikken. Ze snottert een beetje, pakt een servet van het kaasplankje en snuit haar neus.

– Tot hun zestigste hadden ze pleegkinderen in huis. Ik vond het er altijd heerlijk. 'Heb je vandaag iets van blijvende waarde gedaan?' vroeg mijn opa altijd als hij op de rand van mijn bed kwam zitten, nadat oma het avondgebed had opgezegd. Dan moest ik altijd nadenken. Had ik dat gedaan? En zo denk ik nog steeds bijna iedere avond.

Ellen veegt een traan weg die langs haar wang omlaag rolt.

– Maar je was toch een intelligente meid, die het goed op school deed? vraagt Anne-Marie. Anders had je nooit arts kunnen worden.

– Jawel, maar dat was niet voldoende. Je huiswerk doen of een goed cijfer halen was niet iets van 'blijvende waarde'. Dat was een eerste vereiste. Iets wat je sowieso deed. Maar er werd wat meer van je verwacht.

– En je vader?

– Hij was hun zoon. Hij probeerde het op zijn manier goed te doen. We waren het niet altijd eens over de manier waarop hij dat deed. Maar hij wilde hetzelfde, iets moest blijvende waarde hebben.

Ellen staat op. Het tolt in haar hoofd en ze moet zich aan de bank vasthouden.

– Misschien had je gelijk met dat Varmvattnet en Heetvattnet. Hoe ver kan het zijn naar Zambia?

– Verdomd ver.

– Ten zuiden van Varmvattnet kan het natuurlijk behoorlijk warm worden.

– Ja, pas maar op dat je je niet brandt.

Anne-Marie pakt de wijnfles, glazen en het kaasplankje op, terwijl Ellen naar de badkamer waggelt. Ze gaat plassen, tanden poetsen en naar bed. Anne-Marie bestelt een taxi.

Ellen herinnert zich precies de dag, het uur en de minuut waarop ze besloten heeft het onderzoek voor haar proefschrift stop te zetten. Niet formeel, nee, formeel is ze er nog mee bezig en levert ze bij haar steeds minder geïnspireerde studiebegeleider sporadisch wat papieren in. Maar twee jaar geleden, op een middag in september, voelde ze, op een ongeverfd bankje in de Afrikaanse zon, haar passie voor het academische project uitdoven.

Het dorp was in rouw gehuld en rouw is in Afrika een boze geest die moet worden uitgedreven. Geschreeuw en geklaag in verschillende toonsoorten en geluidssterkten, de directe nabestaanden werden door familie en vrienden bijgestaan. Ellen wilde dat ze haar handen voor haar oren kon houden. Maar zij was een belangrijke buitenlandse gast die een plaatsje op de bank naast de familie had gekregen.

Een aantal vrouwen zong een langzame, wiegende melodie.

– Oh Jezus, Oh Jezus ...

Gospel, dacht Ellen, terwijl ze probeerde het geschreeuw uit haar hoofd te krijgen. Ze wilde niet gaan huilen, haar bescheiden manier van snotteren zou als misplaatst gevoeld hebben, veel te zachtjes en niet betrokken. Denk aan iets anders! Gospel, denkt ze nogmaals, maar in Afrika heet het vast anders. Hier was alles begonnen. De Rythm and Blues, de Rock and Roll. De rest van de wereld had het mogen lenen, er hier en daar iets aan veranderd, maar hier was het ritme ontstaan, hier hoorde het thuis.

Maar in tegenstelling tot de oeroude muziek die in de rode aarde nog steeds nieuwe wortels maakt, is Jezus met de blanken mee naar Afrika gekomen. Hij neemt een hoop plaats in en lijkt het bijzonder naar zijn zin te hebben.

Ellen had nogal moeten wennen aan het onophoudelijk aanroepen van de Heer, voor het eten, na het eten en tijdens de dagelijkse begroetingen. De onafgebroken gebeden en zegeningen. Niet als een soort formaliteit, maar oprecht bedoeld. Jezus is onder de brandende zon voortdurend aanwezig.

– Oh Jesus, my Lord, bring mercy...

Dat Jezus zich hier had gevestigd was op zich niet zo erg, als hij maar niet in zulk slecht gezelschap terecht was gekomen.

– Oh Jesus, my Lord, bring mercy...

Er werd afwisselend in het Engels of in een andere taal gezongen, net zoals in de gewone gesprekken gebruikelijk was. Ellen heeft de moed opgegeven de verschillende talen te leren spreken of ze zelf maar uit elkaar te houden. Ze kent wat zinnetjes in het Nyanya en een paar in het Bemba. Mensen zijn geïmponeerd dat ze 'hallo', en 'dankjewel' kan zeggen – weinig blanken bekommeren zich om de taal – maar daarna stapt ze over op Engels of op gebarentaal. Het verhaal dat ze wil overbrengen is bovendien zo concreet dat ze zich met gebaren uitstekend kan redden.

Kleurrijke jurken, kraakwitte hemden en op de maat meetikkende voeten in goedkope plastic sandalen. Begrafenissen zijn hier al te gewoon en de doden veel te jong, maar dit keer is het erger dan gewoonlijk. Een zinloze dood. Volstrekt, volstrekt, volstrekt onnodig.

Toen Patricia voor de trein was gesprongen, had niemand er iets van begrepen. Voor het de machinist was gelukt de trein tot stilstand te brengen had de locomotief het levenloze lichaam al een paar honderd meter meegesleurd. De treinbestuurder was wanhopig, maar hield keer op keer koppig vol dat het meisje plotseling op de rails stond. Ze moest zijn gesprongen of vanuit de bosjes zijn geduwd, het was geen gewoon ongeluk en de machinist had onmogelijk op tijd kunnen stoppen. Als er geen getuigen waren geweest – een aantal vrouwen verkocht geroosterde maïskolven aan de andere kant van het spoor – had niemand de machinist geloofd, maar de vrouwen hadden zijn verhaal bevestigd. Het meisje had in de buurt van de struiken op een steen gezeten en op het moment dat de trein kwam aanstuiven was ze opgestaan en op de rails gesprongen. Het was verschrikkelijk snel gegaan.

Maar waarom? Patricia deed het goed op school, ze leek een gelukkig leven te leiden en wilde arts worden.

Toen Ellen haar voor het eerst ontmoette was ze vijftien jaar en maakte ze deel uit van een straattheatergroep dat een toneelstuk over aids opvoerde. Ze was erg slim, sprak uitstekend Engels en Ellen had een tolk nodig. Voortaan ging Patricia met Ellen mee langs de dorpen, waar ze vertaalde, uitleg gaf en de schakel vormde die de blanke vrouw nodig had om in de hutten en in de belevingswereld van de dorpsbewoners te worden toegelaten. Patricia kreeg hiervoor een kleine vergoeding en leerde tevens een hoop over het artsenvak. De laatste tijd had ze het erg druk met school gehad, waardoor Ellen tolken had moeten werken.

peens – totaal onverwacht – was Patricia voor de trein

De begrafenisgasten zongen in een wiegend ritme en Patricia's moeder begon opnieuw te gillen, terwijl de vader de handen van zijn vrouw stevig vasthield. Een paar schurftige honden scharrelden rond de benen van de begrafenisgasten, zonder te begrijpen wat er aan de hand was.

Ellen vroeg zich af of ze iets had kunnen doen, iets had kunnen zien, of met iets had kunnen helpen.

Onder haar lange rok kriebelde het droge gras tegen haar benen. Ze had een paar jeukende muggenbeten en dat maakte haar ongerust. Wanneer was ze gestoken? Hier zijn muggenbeten niet alleen irritant, ze kunnen ook heel gevaarlijk zijn. Malaria. Was ze zich vergeten in te smeren?

Een van de nadelen van het volwassen worden is dat je last van muggen krijgt. Als Ellen aan de bossen en de meren uit haar kindertijd terugdenkt, verbaast het haar hoe ze het als kind en als tiener vaak hele avonden, soms zelfs hele nachten buiten uithield. De muggenplagen zijn niet verergerd – dat heeft ze uitgezocht – maar alles draait om tolerantie. Als ze tegenwoordig van de Zweedse, lichte midzomernachten wil kunnen genieten, heeft ze een sjaal, anti-muggenmiddel en lange mouwen nodig en moet ze haar broekspijpen in haar sokken stoppen. Het voordeel van die overgevoeligheid is dat ze altijd een goed merk anti-muggenmiddel van de apotheek bij zich heeft, waardoor ze meestal niet wordt gestoken. Geïrriteerd krabde ze aan haar been en tilde het schrijfblok uit haar rugzak om het flesje muggenmelk te kunnen zoeken.

– Hoe kun je hier aantekeningen lopen maken, terwijl je in plaats daarvan zou kunnen helpen?

De stem naast haar klonk rustig, gecontroleerd, maar woedend. Dora legde haar baby aan de borst terwijl de tranen over haar wangen liepen. Met het schrijfblok op schoot graaide Ellen nog een poosje in haar tas, waarna ze de natte wang van Patricia's oudere zus onhandig streelde.

– Wat bedoel je?

– Patricia was zwanger.

Ellens hand zakte op haar knie. Dora drukte haar ene neusgat dicht, spoot het snot van het huilen door het andere neusgat naar buiten en veegde haar hand af aan een graspol.

– Ze vroeg me haar te helpen het kind weg te halen.

– Hoe dan? vroeg Ellen, maar ze realiseerde zich tegelijkertijd dat ze dat waarschijnlijk helemaal niet wilde weten.

– Ik deed mijn best, maar geen van de methoden die ik kende leek te werken. Patricia bloedde, kotste en crepeerde, maar het kind bleef zitten. Dat was de reden dat ze niet meer voor je kon werken, ze was zelfs een paar maanden doodziek. Ik geloof dat mijn moeder het wist, maar ze zei niets. Het zou snel zichtbaar worden en er moest iets gebeuren.

Dora streelde haar jongste over zijn krullende haartjes. Haar andere kind zat op de trap naast het huis met grote ogen naar de begrafenisgasten te kijken.

– Ik vond het geen ramp, want kinderen krijg je vroeg of laat toch wel, maar voor haar was het dat wel. Een ramp dus. Ik trouwde en kreeg Pilot, die nu zes jaar is, bijna direct. Ik was toen zestien jaar. Maar Patricia wilde dat niet. Ze wilde absoluut niet trouwen met de vader van haar kind, die leraar op haar school is. Heb je hem wel eens ontmoet? Meester Phiri?

Ja, Ellen had hem ontmoet. Een sympathieke man van rond de vijfendertig, welbespraakt, met een stralend witte lach en goed thuis in de Engelse literatuur.

– Mijn familie had hem waarschijnlijk kunnen dwingen Patricia als tweede vrouw te nemen, zegt Dora. Maar dat scenario was volgens Patricia erger dan de dood. Dus koos ze voor de dood.

Het flesje anti-muggenmiddel was uit Ellens hand gevallen, maar ze hield het schrijfblok stevig vast, alsof dat haar kon beschermen. Ze zat – midden in het zonlicht – als bevroren.

Plotseling stond Dora op, de baby bungelend onder een arm. Met haar andere hand trok ze het hemdje weer over haar borst, waar nog een druppel melk aanhing. Haar stem klonk nog steeds rustig, maar toen ze zich vooover naar Ellen boog was haar lichaamstaal dreigend.

– Ons hier een beetje komen bestuderen! Alsof wij een stelletje domme apen zijn. Aantekeningen maken, verhalen schrijven om zo zoetjes aan flink wat geld op te strijken en een leuk baantje te versieren omdat je ons de hele tijd hebt lopen analyseren! En dan wil je ook nog dat wij je helpen, zoals Patricia deed. Vertalen, uitleggen, je helpen de dingen te begrijpen, zodat jij je mooie rapporten en boeken kunt schrijven en in je fijne, witte land een vet salaris kunt opstrijken.

Dora neemt een pauze om haar kind goed op haar heup te zetten. Niemand anders luistert, iedereen wordt door het verdriet in beslag genomen.

– Patricia vertelde dat je eigenlijk arts bent, ging de vrouw verder. Dat je weet hoe het werkt, dat je lang hebt gestudeerd om andere mensen te kunnen helpen, en dat er goede medicijnen in jouw land zijn. En toch loop je ons hier alleen maar te bestuderen. Terwijl wij en onze dierbaren ondertussen door allerlei ziektes sterven, of ons voor de trein storten omdat we geen andere uitweg zien. Dat je je niet dood schaamt!

Het beeld van haar donkerbruine gezicht, dat nat van de tranen is, verandert plotseling voor Ellens ogen. Als in een soort overbelichte film.

' ... een mooie baan en een vet salaris ... terwijl je de mensen zou kunnen helpen!'

Toen ze haar ogen had scherpgesteld zag ze voor zich een lichtgrijze snor onder een paar dwingende blauwe ogen.

– Heb je de laatste tijd iets van blijvende waarde gedaan?

Dora huilde hysterisch toen de priester een schep rode aarde over de kist strooide. Hij begroef haar kleine zusje en daarmee ook het proefschrift van een arts.

Lusaka, Zambia
3 februari 2004

– En wat is dit!?

De douanier zwaait met een van de witte doosjes uit Ellens geopende koffer. Dit heeft ze vaker meegemaakt. Het interesseert de douanier geen barst wat 'dit' is. Hij heeft geen flauw benul of import wel of niet is toegestaan, hij weet niets over welke tarieven eventueel van toepassing zijn, hij roept maar wat. Hij is straatarm, heeft een familie te onderhouden en hij ziet haar als een wandelende schatkist.

Als het zou kunnen zou ze protesteren en weigeren te betalen. Weigeren het systeem in stand te houden dat iedere vorm van fatsoen dwarsboomt, erop staan dat de douanier zijn chef zou halen, en die weer zijn chef, en inzage in de voorschriften eisen waarnaar wordt verwezen. Dreigen met de Minister van Binnenlandse Zaken – of wie dan ook.

Maar nu kan dat niet.

Misschien ruiken de douaniers dat ze hier niet is gekomen om herrie te schoppen. Ze houden haar vaak aan, graaien in haar tassen, maar niemand lijkt zich haar te herinneren, niemand schrijft een rapport. Natuurlijk niet, alles gebeurt hier immers buiten de regels om. Als iemand zijn smeergeld zou laten zien, zouden er meer willen meedoen en de buit willen delen.

En dat is op een bepaalde manier haar redding.

Ellen pakt een stapeltje dollars in kleine coupures, dat ze van tevoren stevig heeft opgerold en van een elastiekje heeft voorzien, zodat de douaniers het geld niet onopgemerkt kunnen natellen voor ze het in hun zak laten glijden en haar laten doorlopen. Ze heeft eerder wel eens in kwacha's betaald, maar daar is ze mee gestopt. Deels omdat de groene dollarbiljetten de ogen van de corrupte douaniers doen fonkelen, en deels omdat ze de waarde van hun eigen valuta veel beter kennen.

Dan worden de automatische deuren geopend en mag ze doorlopen, opnieuw. Vlak achter haar probeert een lange Amerikaanse man met een aktetas zich naar voren te wurmen. Hij is vast niet gewend naar Afrika te reizen. Hij draagt een driedelig pak!

De hitte komt haar tegemoet en ze trekt haar gebreide trui uit en propt hem in haar rugzak. Ondanks de hectiek op het vliegveld, reageert haar lichaam positief op de warmte. Eindelijk. Haar gespannen spieren genieten van de warme wind en het licht. Haar bevroren skelet begrijpt waarom de oermens ervoor gekozen heeft in Afrika te worden geboren en ze vraagt zich af waarom die daar ooit is weggetrokken.

Een van de wielen van de bagagekar is stuk, waardoor hij lastig stuurt. Haar koffers zijn zwaar, maar Ellen wijst resoluut alle hulp van de hand. Natuurlijk zou ze best wat hulp kunnen gebruiken, en natuurlijk zou ze de behulpzame handen wat centen voor hun grote families moeten gunnen, maar ze heeft daar nu even geen geduld voor. Ze wil met rust worden gelaten en haar eigen zaakjes regelen. Typisch Zweeds, denkt ze chagrijnig.

Dan komt de taxi-invasie. Hardwerkende taxichauffeurs en sjacheraars verdringen elkaar. Ze hebben allemaal een glimmend gezicht en dragen allemaal een overhemd met korte mouwen. De meesten van hen rijden in auto's die de Zweedse APK-keuring niet eens zouden *inkomen*, laat staan *doorkomen*. Ellen heeft in taxi's gezeten waar ze dwars door het verroeste onderstel trapte en heeft wel eens een chauffeur moeten helpen de versnellingspook op zijn plek te houden als hij moest schakelen. Om nog maar niet te spreken van al die keren dat ze vooraf moest betalen, zodat de chauffeur precies het aantal deciliter kon tanken dat nodig was om de bestemming te kunnen bereiken.

Maar er zijn er ook die klantvriendelijk en servicegericht zijn. Zoals de chauffeur die ze niet eerder mocht betalen dan dat hij haar van het restaurant naar huis had teruggebracht, 'het is hier niet veilig voor een vrouw alleen, en ik wil niet dat u in moeilijkheden raakt, dus kom ik over anderhalf uur terug mevrouw, hebt u daar genoeg aan? U hoeft niet naar buiten te komen, ik kom u binnen ophalen.'

Maar vandaag gaat ze niet met de taxi. Ze houdt haar blik strak op de stoep gericht, terwijl ze alle chauffeurs negeert die haar bagagekar proberen te grijpen.

– Madame! Taxi!?
– Madame! Taxi to the city? Very cheap!

– Miss! Can I help you?

Het felle licht komt haar tegemoet en ze zoekt naar haar zonnebril, terwijl haar T-shirt tegen haar rug plakt. In de goot liggen platgereden colablikjes en vieze plastic zakjes. Met het wiebelige karretjes zigzagt ze langs de gaten in de weg.

– Bus naar Hotel Pamodzi!

De chauffeur die de minibus van het hotel bestuurt is blij haar weer te zien en merkt op dat ze net als altijd weer veel bagage bij zich heeft.

– Papieren en boeken, zegt ze, met een verontschuldigende glimlach, terwijl ze hem wat geld geeft.

De bus is niet vol, maar toch kruipt Ellen helemaal achterin en gaat, met een zuinig knikje in de richting van een uitgelaten Engelse familie, vlakbij het raam zitten. De zonnebril komt goed van pas. Ze wil met niemand praten. De bezwete Amerikaan in zijn driedelig kostuum heeft de aangeboden hulp op het vliegveld wel geaccepteerd, en betaalt de overgelukkige jongeman met een briefje van twintig dollar. Misschien heeft hij nog geen tijd gehad zijn geld te wisselen, maar Ellen zou nog liever zelf haar koffers door het stof slepen, dan zoveel geld te betalen. En dat is niet omdat ze het geld niet heeft. Als je in een land waar de bevolking straatarm is met dollars gaat smijten, geef je aan dat voor jou geld geen waarde heeft en als jouw geld geen waarde heeft, is dat van hen ook niets waard. Natuurlijk wil Ellen geld geven, ze kan zich dat veroorloven, maar dan wel een redelijk bedrag. Anders voelt ze zich een koloniale potentaat. Ze betwijfelt of de kruiers op het vliegveld het met haar eens zouden zijn.

De Amerikaan blijkt niet op de passagierslijst te staan, maar hij mag toch instappen. Vriendelijk groet hij de andere passagiers en gaat helemaal achterin bij het andere raam zitten.

Margoths grote familie is nog niet bij de bus gearriveerd, dus met een beetje geluk is Ellen al onderweg voor ze aankomen. Maar nee, daar komt de hele club onder leiding van hun coach aanzetten. Margoth heeft het zo druk met het tellen van haar kinderen en de koffers dat ze helemaal vergeet naar Ellen uit te kijken. Mooi. Dat ze maar in het *National Park* mogen verdwijnen en nooit meer zullen opduiken.

De weg naar het centrum van Lusaka is een stuk verbeterd. Vanwege een pan-Afrikaanse topontmoeting eerder dit jaar zijn de grote gaten in de weg opnieuw gevuld en overbelaste minibussen denderen met een snelheid van honderd kilometer per uur voorbij. Hier en daar zie je glimmend-zwarte Mercedessen met geblindeerde ruiten, waarin regeringsfunctionarissen en zakenlieden zich laten vervoeren. Ontwikkelingswerkers rijden in Jeeps met vierwielaandrijving.

Langs de kant van de weg – je kunt de hobbelige strook nauwelijks een stoep noemen – lopen mensen. Schoolmeisjes met spierwitte bloess en plooirokken, arbeiders met zanderig gereedschap in hun handen, vrouwen met zware lasten op hun hoofd en rug, straatjongens in vieze kleding die verwilderd uit hun ogen kijken. Een vrouw, gewikkeld in een doek met fleurige patronen, en met een groot pakket op haar hoofd en op haar heup, staat bij een brede greppel langs de kant van de weg te wankelen. Ze zoekt haar evenwicht, neemt een aanloop, en precies op het moment dat ze springt ziet Ellen het kind dat op haar rug bungelt. Verstrooid schuift de vrouw de last op haar hoofd weer op zijn plaats en loopt met een kaarsrechte rug verder.

Wat zo kenmerkend voor Afrika is, denkt Ellen, is dat iedereen er *loopt*. Urenlang, dagen achtereen, kilometer na kilometer. In Vietnam fietst iedereen die de kans heeft een fiets te kopen. Of – als men het echt getroffen heeft – rijdt men er op een brommer met de hele familie achterop de bagagedrager. Tijdens hun artsenopleiding hadden Björn en Ellen een half jaar verlof opgenomen en als vrijwilligers in een ziekenhuis in Hanoi gewerkt. Toen hadden ze alles op de fiets gedaan.

Op zijn minst zou een fiets voor veel Afrikanen toch ook mogelijk moeten zijn, maar je ziet ze zelden. Misschien hebben de mensen in Afrika simpelweg niet zo'n haast, accepteren ze dat het tijd kost om ergens te komen. Doe je er twee uur over om op je werk te komen, dan is dat nu eenmaal zo en met een beetje geluk krijg je onderweg een lift.

Betekent dat dat Afrikanen gelukkiger zijn?

Of alleen maar armer?

Ellen leunt achterover en sluit haar ogen.

Het lukt haar tegenwoordig goed in het vliegtuig te slapen, als ze zich maar aan haar ritueel houdt. Gin met tonic, rode wijn bij het eten, koffie met cognac. Geen conversaties met medereizigers, schoenen uit en zachte sokken aan, de knoop van haar broek los, een halve film, oordopjes, een nekkussen en een deken. Ze heeft ook deze reis goed geslapen en is eigenlijk niet zo moe.

Als ze straks bij het hotel aankomt, moet ze niet vergeten Björn te mailen om te laten weten dat ze is aangekomen, dat alles goed is gegaan en hem vragen of hij zijn schoonmoeder even wil bellen. Ellens moeder is de laatste tijd steeds ongeruster als Ellen op reis is. Voor de dood van haar man maakte ze zich nergens druk om, maar tegenwoordig is ieder item in het nieuws waarin over onrust in de wereld wordt gesproken, een reden zich over haar dochter zorgen te maken. Dat Bali, waar die bomaanslagen zijn gepleegd, een halve aardbol van Zambia verwijderd ligt, is voor haar steeds moeilijker te begrijpen. Maar Björn kan goed met haar overweg en het lukt hem een stuk beter dan haarzelf zijn schoonmoeder gerust te stellen.

Björn kan überhaupt goed met mensen omgaan, denkt ze. Eigenlijk is het verbazingwekkend dat zij nog steeds met patiënten werkt terwijl hij achter zijn microscoop zit. Haar zussen, waar ze vaak mee in de clinch ligt, zijn dol op hun sympathieke zwager. Ze zullen het af en toe wel met hem te doen hebben, omdat hij zo'n stijfkoppige vrouw heeft.

Vermoedelijk heeft Björn zijn menslievendheid te danken aan zijn onconventionele opvoeding. Hij is opgegroeid met zijn moeder, zijn oom en zijn tante, met elkaar in een groot huis in Uppsala. Björns vader, die van zijn vrouw scheidde toen Björn nog een baby was, kwam er ook regelmatig over de vloer en het hele stel ging altijd samen op vakantie, waarbij het kleine ventje in het middelpunt van de belangstelling stond. Ellen vindt het prettig bij Björns familie en vergelijkt soms zijn kindertijd jaloers met die van haar. In haar familie was het vaak erg stil. Een soort stijfkoppige stilte.

Ze heeft wel eens gedacht dat het leukste van Björn zijn familie is, en dat, als ze zouden scheiden, ze die meer zou missen dan haar man, maar zo mag ze niet denken. Björn is een goed mens en een betrouwbare echtgenoot. Een kameraad op de werkvloer, een goede vriend enzovoort, enzovoort. Meer kun je je toch niet wensen? Of wel?

Ze moet echt niet vergeten vanaf het hotel te mailen. Ze graait in haar rugzak naar een pen en schrijft op haar hand 'Björn mailen!' Misschien kan ze straks een duik in het zwembad nemen en kijken of de vrouw die massages geeft nog een uurtje over heeft. Het werk en de stoffige wegen kunnen best even wachten, vandaag neemt ze het ervan. Ellen sluit haar ogen en laat zich door de deinende schokdempers in slaap wiegen.

Ze schrikt wakker als de bus plotseling remt. Het is niets bijzonders, gewoon een rood stoplicht dat voor Afrikaanse chauffeurs altijd als een verrassing lijkt te komen.

Naast de bus komt een vrachtwagen tot stilstand. Hij is volgeladen met mannen die zich aan de rand van de laadvloer vasthouden en op de maat meedeinen als de wagen stopt. Hij staat zo dicht naast de bus, dat Ellen hem zou kunnen aanraken als ze haar raampje zou opendoen. Misschien is het een soort openbaar vervoer, of een transportwagen voor arbeiders. De mannen dragen een T-shirt of een overhemd op een spijkerbroek, die in sommige gevallen nog heel is, maar niet bepaald schoon.

Precies naast Ellen, met zijn gezicht tegenover dat van haar, staat een erg knappe, jonge knul van hooguit vijftien jaar. Opeens heeft hij haar in de gaten en tovert een krijtwitte glimlach tevoorschijn. Hij zet grote ogen op en maakt overduidelijke bewegingen met zijn onderlijf. Het is zonder twijfel een uitnodiging tot seks. Ze heeft dit eerder meegemaakt, maar toen was de afstand groter, waardoor ze zich snel van de persoon kon afkeren. Nu zit ze daar en kan de jongen zelfs op het raam kloppen. Als hij met zijn lichte handpalm het raam begint te strelen draait ze gegeneerd en verward haar hoofd weg.

Volgens Afrikaanse maatstaven zou hij haar zoon kunnen zijn.

Wat haalt hij zich in zijn hoofd? Is het alleen een demonstratie van zijn mannelijkheid of zou hij het serieus menen? Zou hij in dat geval geld willen hebben? Zijn er blanke vrouwen die seks met jonge zwarte jongens hebben en er misschien zelfs voor betalen? In dit met HIV besmette land?

De andere mannen in de laadbak hebben ondertussen in de gaten wat er aan de hand is en moedigen de jongen aan, die steeds uitdagender begint te bewegen. Onder de gulp van zijn versleten broek zit een markante bobbel en met de hand die hij niet nodig heeft om zich aan de laadbak vast te houden streelt hij zijn gespierde bruine borst onder zijn opengeknoopte overhemd. Tot haar schrik merkt Ellen dat ze bloost. Er moet een verkeersopstopping zijn, want het stoplicht is al een paar keer op groen gesprongen, maar het verkeer komt niet op gang. Godzijdank heeft ze een zonnebril op.

Ellen draait haar gezicht demonstratief weg en staart door het andere raam naar een reclamebord voor mobiele telefonie. Het lawaai uit de met testosteron gevulde laadbak neemt toe. Ondanks de airco loopt het zweet van haar af en kan ze haar hart voelen bonzen.

Plotseling staat de Amerikaan naast Ellen woedend op, doet een grote stap naar voren en leunt over de lege stoel voor haar. Terwijl hij de handgreep beetpakt en het raam omlaag trekt, schreeuwt hij iets naar de mannen in de laadbak. Ellen kan de taal niet verstaan. Kennelijk richt hij zich direct tot de hitsige jongeman, want de jongen stopt en staart hem verbouwereerd aan. Het verkeer komt weer op gang en terwijl de Amerikaan het raam dichtschuift hoort Ellen in de laadbak een nieuw lachsalvo losbarsten, maar dit keer wordt de hitsige jongen uitgelachen.

De Amerikaan gaat weer op zijn plek zitten, terwijl de blikken van alle passagiers op hem zijn gericht. De enige die iets zegt is de chauffeur. Het klinkt bemoedigend, maar Ellen kan ook hem niet verstaan.

– Dat ware rake woorden, zegt de chauffeur nu in het Engels, terwijl hij zich direct tot Ellen richt.

Nog natrillend kijkt ze verbaasd naar de Amerikaanse man in het driedelig pak.

– Bedankt, zegt ze uiteindelijk met een benepen stemmetje.

– Graag gedaan, antwoordt hij en Ellen ziet dat hij zweet. Zijn gezicht is rood aangelopen en hij trekt geïrriteerd aan de knoop van zijn stropdas.

– Wat zei je eigenlijk? vraagt ze.

– Dat wil je niet weten, zegt hij met een brede glimlach. Er is iets geks met zijn ene oog, dat soms even wegdraait.

– Welke taal was het?

– Tonga. Dat heb ik als kind geleerd. Ik geloof niet dat het de lokale taal is, maar de meesten lijken het te verstaan. En het had in elk geval effect.

– Woon je hier? vraagt Ellen.

– Nee. Het is zelfs de eerste keer dat ik in Lusaka ben. Maar toen ik klein was heb ik in Zambia bij een zendingspost aan de *Zambezi* gewoond. Daar was mijn pa missionaris.

Hij zegt 'pa' in plaats van 'vader', denkt Ellen, maar dat is misschien iets Amerikaans.

– Op mijn veertiende zijn we naar de VS verhuisd, maar ik heb altijd terug willen gaan. Nu is het eindelijk zo ver, ik ga hier wat werken, en dat vind ik heel spannend. Hoewel er natuurlijk enorm veel is veranderd.

Er is veel te weinig veranderd, denkt Ellen, maar ze vraagt:

– Wat doe je voor werk?

– Ik ben freelance journalist en ik ben van plan een aantal artikelen over de gezondheidssituatie in Zambia te schrijven. Aids en zo. Ik werk voor een aantal kleine specialistische tijdschriften. Ben jij hier eerder geweest?

– Ja.

– Vaak?

– Dat kun je wel zeggen.

– Wat doe je?

– Ik ben arts en ik doe onderzoek naar sterfte onder zwangere vrouwen.

– Dat klinkt spannend. Misschien kun je me aan wat contacten helpen?

– Misschien wel, zegt Ellen, terwijl ze zich voorneemt helemaal niet te helpen en de Amerikaanse journalist op veilige afstand te houden. Hij mag haar dan wel hebben geholpen en er is zeker niets mis met hem, maar Ellen heeft geen behoefte aan gezelschap.

De Amerikaan heeft bij zijn stoel zo weinig beenruimte dat hij zijn lange benen in het gangpad moet uitstrekken. Op zijn goedgepoetste schoenen ligt een dun laagje stof en zijn broek heeft een geperste vouw en een omslag. Een fout geklede, lichtelijk schele Amerikaan – met Tonga als tweede taal.

De bus passeert het terrein van de steenhouwers. Ze zijn terug, . denkt Ellen, die weer van de schrik is bekomen en voor iedereen in de bus die het wil horen over de steenhouwers begint te vertellen. Op een open stuk grond – opgekocht door een projectontwikkelaar, maar nog niet bebouwd – zitten zo'n twintig mannen en vrouwen en veel te veel kinderen, ieder bij hun eigen berg uitgehouwen stenen. Verschillende steenhouwers hebben zich in een bepaalde grootte van stenen gespecialiseerd. Naast enorme bergen grof grint hebben sommigen kleine zeskantige stenen naast zich liggen, zoals baksteen, en weer anderen grotere en meer onregelmatige stenen. Het basismateriaal, de steenblokken, hakken ze een eind verderop los, waarna ze de rest van de tijd op het winderige bouwterrein de massieve blokken bewerken.

Af en toe komt er iemand met een kar langs om wat stenen te kopen. Om de week stuurt de grondeigenaar er een groep zware jongens op af, die de steenhouwers met auto's afvoeren. De eigenaar heeft geprobeerd de grond te omheinen, maar zonder resultaat. In een land waar mensen elkaar voor een zak maïs doodslaan, is het lastig de politie te motiveren achter een stelletje steendieven aan te gaan, vooral als de grondeigenaar niet van plan is de agenten netjes voor hun diensten te betalen. Als de mensen zijn afgevoerd duurt het vaak een aantal dagen, maar dan komen ze steevast weer terug. Het enige dat een arm mens te verkopen heeft is zijn lichaam, in het meest gunstige geval als arbeidskracht, en als dat met wat stenen te combineren valt, verdubbelt dat de inkomsten.

– Dus als iemand wat stenen nodig heeft, kan ik dit verkooppunt zeer aanbevelen, zegt Ellen lachend, waarop de Engelse familie laat weten de regels voor overgewicht van de luchtvaartmaatschappij te betreuren.

Ze moeten ook erg lachen als Ellen vertelt hoe in Lusaka een rotonde wordt genoemd: een *keepilefti*.

Ellen herkent zichzelf niet. Normaal praat ze nooit met mensen die ze niet kent, laat staan dat ze grappige verhalen aan vreemden gaat zitten vertellen. De spraakwaterval zal wel door de opluchting komen na het akkefietje met de jongen op de vrachtwagen.

De ernst keert terug als de bus de weg naar het hotel oprijdt. De groep jonge meisjes, die altijd bij de opening in de heg rondhangt, is groter geworden. Ze zijn fel opgemaakt, dragen truitjes met lage decolletés, korte rokjes en hoge hakken. Af en toe jaagt een van de bewakers van het hotel ze van het terrein af, maar de meesten van hen vinden het wel best. Zolang de meisjes niemand lastigvallen mogen ze blijven en bovendien heeft een groot aantal hotelgasten soms behoefte aan wat gezelschap. De nachtbewaker kan tijdens zijn saaie arbeidsuren ook wel wat afleiding gebruiken. Gratis uiteraard, en in ruil daarvoor knijpt hij dan een oogje toe als iemand door het hek glipt. Ellen ziet dat sommige meisjes heel jong zijn, nauwelijks twaalf, dertien jaar. Ze moet eraan denken wat condooms langs te brengen.

De Amerikaan geeft haar zijn visitekaartje, dat ze snel in haar zak stopt, want de bus stopt nu bij de bekende ronde plantenbak voor het hotel. De voorzijde van het hotel is met plastic bedekt en een groepje arbeiders is bezig een bouwsteiger op te zetten. Dat was ze vergeten. Zou het hotel in februari worden gerenoveerd?

– Miss Ellen, welkom terug!

De grijs wordende conciërge in zijn uniform met gouden bies kijkt oprecht blij als hij haar ziet. Hij zet haar koffers op de bagagekar, terwijl hij vrolijk vertelt hoe hard het gisteren heeft geregend en hoe weinig regen er vandaag wordt verwacht. Met een extra handdruk verontschuldigt hij zich voor de renovatiewerkzaamheden in het hotel. Ze zal er zeker geen last van hebben en het resultaat wordt heel, heel mooi, dat heeft hij op de tekeningen kunnen zien.

De airco in de hal van het hotel doet het in elk geval en de oude bekende souvenirverkoper heeft een aantal nieuwe houten maskers, waarvan hij vindt dat Ellen ze moet komen bekijken. Later, ze blijft nog een hele tijd. De receptionist is nieuw, maar de chef van de receptie komt haastig aanlopen om haar te vertellen dat haar kamer net als gewoonlijk tegen een speciaal tarief is geboekt. En de bouwsteigers zullen voorlopig niet aan de kant van haar kamer komen. Tegen die tijd mag ze, als ze dat wil, van kamer wisselen.

De jongeman die de koffers draagt lijkt ook blij haar te zien. Dat is niet zo verwonderlijk, want ze heeft hem meerdere malen een extra fooi gegeven als hij haar houten souvenirgiraffen voor het transport naar Zweden in bubbelplastic verpakte.

Bij de receptie vult Ellen het registratieformulier in.

Naam: Ellen Elg.

Meisjesnaam: Ellen Olofsson.

Direct na haar achttiende verjaardag, toen Ellen meerderjarig werd, had ze haar achternaam laten veranderen. Ze had alle zaterdagen achter de kassa bij de *Konsum* gezeten om geld te sparen voor het verzoek tot naamsverandering, en de formaliteiten waren geen probleem geweest. Ellens opa uit Varmvattnet was geboren met de achternaam Elg, wat klinkt als het Zweedse woord voor eland, maar veranderde zijn naam in Olofsson, omdat hij vrij klein was, slechts 1.60, en tijdens zijn jeugd veel met de naam Elg was gepest. Ellen had daarmee het recht weer haar oude familienaam aan te nemen – en ze had met 1.76 haar lengte mee.

Het lastigste was om haar besluit aan haar vader mee te delen, die uiteraard doorhad – dom was hij niet – dat dit voor haar een manier was om zich van hem los te maken. Als een Olofsson kende iedereen je en werd je permanent in de gaten gehouden. Daar had Ellen schoon genoeg van en hoewel ze op het punt stond het huis uit te gaan, wilde ze die naam niet langer dragen. Ze wilde een nieuw leven beginnen op een nieuwe plek met een nieuwe identiteit. Daarbij was het mooi meegenomen dat de naam Elg kracht uitstraalde en gemakkelijk was te onthouden. In die tijd speelde anonimiteit geen grote rol.

Dat haar zusters Kristina en Maria zodra ze meerderjarig werden haar voorbeeld volgden en ook hun achternaam in Elg veranderden, maakte Ellens vader er niet vrolijker op – en eigenlijk vond Ellen dat ze best zelf iets hadden kunnen verzinnen.

Beroep: 'consultant', schrijft ze, want dat klinkt lekker vaag.

Huisadres. Paspoortnummer. Geen probleem.

Dan komt het vakje dat ze altijd demonstratief overslaat:

Naam van de echtgenoot/vader: vandaag schrijft ze toch Björns naam op. Waarom ze dat doet weet ze niet. Ze moet later maar eens nadenken of dit een onbewust signaal is, misschien een waarschuwingsteken.

Ellen heeft het in het hotel uitstekend naar haar zin. Geen lastige vragen over wat ze hier komt doen, lekkere omeletten bij het ontbijt en een prima service. Als ze een paar dagen op pad moet is het geen enkel probleem dat ze haar spullen inpakt en voor die dagen niet betaalt, zelfs als dat vrij onverwachts gebeurt. Ze krijgt bijna iedere keer dezelfde kamer, met een stoeltje op het balkon, van waaruit ze uitzicht op de zonsondergang heeft.

Het is een typisch zakenhotel voor alleenreizende consultants, ondernemers en ontwikkelingswerkers van beide seksen. Vandaag zit er gek genoeg een familie met drie kleine kinderen op de bank bij de ingang. De moeder snuit de neus van het middelste kind, terwijl de baby een beetje huilt. De vader poetst de ijsvlekken van zijn zoontjes kin en beide ouders lachen om een grapje dat hij maakt. Ellen, die voelt dat ze naar de baby staart, wendt haar blik af en concentreert zich op de receptionist.

– Zijn er nog boodschappen voor me achtergelaten?

De receptionist overhandigt haar een enveloppe waarop het logo van het hotel staat. Er zit een computeruitdraai in met daaraan vastgeniet een handgeschreven briefje waarvan ze het slordige handschrift direct herkent.

'Welkom Ellen. Doe het kalm aan, pak je koffers rustig uit en slaap een paar uur als je dat nodig hebt, maar bel me even zodat ik weet dat je goed bent aangekomen. Ik kom je rond zes uur ophalen. Blessing'.

'P.S. Ik voeg een grappig en opmerkelijk berichtje bij, dat ik via de mail kreeg'.

De kartonnen doos, die ze de vorige keer in de opslagruimte van het hotel heeft achtergelaten, staat er nog steeds. Hij is goed dichtgetapet en zo te zien onaangeroerd. De kruier sleept de doos naar buiten en zet hem op de kar. Ze heeft al vaker bij vertrek, één of twee dozen in een hok van het hotel mogen achterlaten

'Stapels papieren en werkmateriaal waarvoor ik geen overgewicht wil betalen', zegt ze altijd. Ze gelooft niet dat er iemand in de dozen snuffelt, en mocht dat wel zo zijn, dan liggen er bovenop wat papieren en is de doos verder vooral met frisgewassen kleding en ingepakte toiletspullen gevuld. Een beetje merkwaardig misschien, maar nauwelijks verdacht. Ze ziet er nauwkeurig op toe dat ze geen spullen achterlaat die het hotel in de problemen zouden kunnen brengen, of een nieuwsgierige hotelmedewerker op vreemde gedachten.

Bij de receptie is er wat opschudding ontstaan rond de boeking van de Amerikaan. Er is geen kamer voor hem gereserveerd, en nu zit het hotel vol, zegt de receptionist, maar natuurlijk kan opeens alles worden opgelost als er wat dollars uit een binnenzak worden gehaald.

De kruier helpt haar met de koffers. Op de verdieping waar haar kamer is, is de renovatie in volle gang, maar de kruier zegt dat er niet wordt getimmerd 'beng beng' zegt hij, terwijl hij doet alsof hij met een hamer slaat – maar alleen wordt geschilderd – hij veegt met zijn hand langs de muur. Als hij hotel-Engels spreekt is zijn woordenschat indrukwekkend, in andere situaties redt hij zich uitstekend met gebarentaal.

De vloer op de gang is bedekt met houtvezelplaten en bouwplastic. Een schilder is met de kozijnen bezig. Hij draagt een witte, gevlekte schildersoverall, waarvan de knopen tot onder zijn borst zijn opengeknoopt. Een groot gouden kruis bungelt tegen zijn zwarte huid. Hij kijkt naar Ellen, terwijl ze het geperforeerde pasje in de gleuf van het slot steekt.

De kamer ziet er precies zo uit als alle andere kamers. Twee bedden, een klein bureautje, een bankje waarop je je koffer kunt inpakken, een luie stoel, dichtgetrokken gordijnen, een tv met afstandsbediening, badkamer met ligbad – alles in abrikoosgele pasteltinten. Het zou een fatsoenlijk middenklasse hotel waar dan ook op de wereld kunnen zijn, ware het niet dat je hier uitzicht op Jacarandabomen, het zwembad en de skyline van Lusaka hebt. De kruier begint volstrekt overbodige informatie te geven over de werking van de lampen, de televisie en de airco. Kan hij niet ophoepelen? Dan begrijpt ze de hint en stopt nog een fooi in zijn hand.

Eindelijk alleen. Ellen controleert zorgvuldig of de deur op slot zit, trekt haar klamme reiskleding uit en grabbelt haar ochtendjas uit de kartonnen doos. De kleding propt ze in een waszak van het hotel. Dat is een luxe waarvoor ze zich niet langer schaamt – je kleren mogen inleveren zodat je niet zelf hoeft te wassen of te strijken. Ze heeft lange tijd met handwasmiddeltjes in de wasbak staan knoeien, waarna ze onder de druppelende was moest doorkruipen om onder de douche te kunnen stappen. Maar dat heeft ze achter zich gelaten. En ze zal haar moeder nooit vertellen dat ze niet zelf wast.

In de kartonnen doos zit een enveloppe met een Zambiaanse simkaart. Ze wisselt de kaart in haar mobiele telefoon, ontvangt het enthousiaste welkomstbericht van de Zambiaanse operator en toetst het nummer van Blessing in. Haar huishoudster antwoordt dat, 'nee, miss Blessing is helaas niet thuis' en 'nee, ze weet niet wanneer ze thuiskomt'.

Ellen zit op het bed en bladert in haar adressenboekje. Ze beseft voor de honderdste keer dat het niet slim is al haar contactgegevens in één boekje te hebben staan zonder er een kopie van te hebben gemaakt. Ze moet niet vergeten voor alle zekerheid het hele boekje te kopiëren.

Het duurt vrij lang voor Blessing opneemt. Ze zit in de auto, draait ritmische Congolese rockmuziek en is onderweg naar de begrafenis van haar schoonzus. Ze verwacht daar zeker tot zonsondergang te blijven, maar ze belooft daarna naar het hotel te komen. Natuurlijk is het overlijden van haar schoonzus verdrietig, zegt ze, maar haar dood kwam niet onverwacht.

– Zo gaat het tegenwoordig nu eenmaal in het leven. Maar luister, ik heb een vreemd bericht uit Chongwe ontvangen. Ik moet dat even uitzoeken en bel je dan zo snel mogelijk terug. Het is waarschijnlijk niet dringend.

Nee, waarschijnlijk niet dringend, maar iets in Blessings stem aan de andere kant van de krakerige telefoonlijn zegt Ellen dat Blessing wel degelijk ongerust is. En Blessing is nooit ongerust. Ze is de meeste relaxte vrouw van Afrika, en dat wil wat zeggen.

Ellen ziet Blessing voor zich in haar gedeukte auto op een stoffige grintweg vol kuilen. Het gebutste portier aan de bestuurderskant, de muziek die haar handen uitdaagt het ritme op het stuur mee te tikken, de gebloemde jurk waarin de donkerbruine, volumineuze armen door de veel te krappe armsgaten worden afgekneld. Blessing is groot, in Zweden zouden ze haar dik noemen, maar hier is ze mooi. Met haar versleten heupen waggelt ze voort op enorme Katrien Duck-schoenen, terwijl ze nauwkeurig uitkiest in welke stoel ze veilig kan gaan zitten.

Blessing straalt uit dat ze bergen kan verzetten. Dat kan ze ook en dat zal ook nu weer nodig zijn. Haar overleden schoonzus laat vier jonge kinderen achter terwijl hun vader, Blessings broer, een jaar geleden gestorven is. De kinderen zullen nu dus over de rest van de familie worden verdeeld. Blessing, die al eerder vier kinderen in huis heeft genomen, zal er ook een paar gaan verzorgen. Ze zal er een extra baantje bij moeten zoeken om het schoolgeld te kunnen betalen en de kinderen zullen moeten inschikken om met z'n allen in het kleine huis te passen. Althans, als mister Singogo niet kan helpen.

Ellen weet zeker dat zowel Blessings broer als haar schoonzus aan aids zijn gestorven, hoewel Blessing daar nooit iets over heeft gezegd. Als het om andere dingen gaat, bijvoorbeeld seks, kan

57

ze buitengewoon open zijn. Maar als het haar eigen familie betreft houdt ze zich aan de Afrikaanse gewoonten en laat ze over de doodsoorzaak niets los. Mensen sterven, maar er wordt niet gesproken over hoe of waarom. Leven en dood hebben in Afrika altijd in hetzelfde bed geslapen, en tegenwoordig meer dan ooit.

Tijdens haar jaren in Afrika is Ellen naar zo veel begrafenissen geweest.

In de Zambiaanse traditie zijn begrafenissen langdurige bijeenkomsten die verscheidene dagen duren met enorm veel eten. Familieleden nemen vrij van hun werk en slapen met z'n allen op de grond. Niet alle families kunnen zich dat tegenwoordig nog veroorloven, maar Blessings familie houdt de traditie in stand en trakteert op veel eten. Daarom komt ook iedereen.

Op Zambiaanse begrafenissen wordt het verdriet krachtig en luidkeels geuit en het kruis op het kerkhof is primitief, maar wel speciaal voor die gelegenheid gemaakt. De aarde is rood.

In Zweden zijn de begrafenissen stil en draagt iedereen een donker pak of een zwarte jurk. Openlijk verdriet is gênant, je stopt je nog liever vol kalmeringsmiddelen dan dat je je emoties toont. Je moet sterk zijn en je groot houden. Verdriet houd je voor jezelf.

Bridge over troubled water is al bijna te revolutionair en de aarde onder de zware grafstenen is zwart.

Net als de begrafenis van Ellens vader. Hij had alles voorbereid: de crematie, een goedkope kist 'om geen geld te verspillen aan iets dat toch maar zou opbranden', een moderne kerk met een radicale priester, *de Internationale*, de psalm *Här är Gudagott att vara*, witte lelies, de bodes die de kist droegen, de plek waar de as zou worden uitgestrooid en hij wilde geen grafsteen. In de kluis vond Ellens moeder een instructielijst waarop zelfs het aantal gasten en het broodbeleg was vastgelegd. Hij had niets aan het toeval of aan zijn familie overgelaten.

En zo ging het, geheel volgens plan. De lokale afdeling van de Sociaal-Democratische Partij kwam in gesloten formatie, net als de Coöperatie en de Bewonersvereniging, met ieder een rode roos. Allemaal richtten ze zich tot 'kameraad en collega Stig Olofsson', in eenzelfde weloverwogen, goed geformuleerde en onpersoonlijke toespraak. Bertil, de neef en jeugdvriend van haar vader, had een paar woorden op een velletje papier gekrabbeld dat hij tot een prop verkreukelde toen de wethouder was uitgesproken. Daarna stond Bertil een hele poos bij de kist en bewoog nauwelijks merkbaar zijn lippen, terwijl Stig onder de deksel van zijn goedkope kist lag te luisteren. Bertils roos was wit.

Ellen, haar moeder en haar zussen, die stijf stonden van de valium, hadden geen woord gezegd.

Ellen heeft gelezen dat de Zweedse kerk een groeiend probleem heeft met families die over de details van een begrafenis ruziemaken. Daarom wordt er aangeraden ruim van tevoren zorgvuldig over je uitvaart na te denken, zodat daarover voor je naaste familie geen onenigheid kan ontstaan.

Onenigheid? Had Ellens familie maar eens iets gehad om ruzie over te maken, een ventiel waardoor de overdruk had kunnen ontsnappen. Nu bleven ze achter in een enorme stilte.

Ellen pakt de kleding uit de doos en hangt de kreukelige jurken in de kast. Ze heeft wat kleding van verschillende bedrukte Zambiaanse stoffen laten naaien. De roestbruine, armloze jurk met groene ruiten is het meest stijlvol, het jasje met de turkooizen vissen het vrolijkst. De witte rok die al vele keren is in- en uitgepakt, zit iedere keer strakker. 'In de was gekrompen', zegt Ellens moeder altijd, die al haar hele leven ieder jaar een paar kilo zwaarder wordt, een eigenschap die Ellen heeft geërfd en waar ze niet langer tegen vecht. De rok zal ze ook deze keer niet dragen, dus die kan wel in de doos blijven liggen.

De linnen schoenen zijn misschien niet zo mooi, maar ze kunnen worden gewassen als ze in de modder heeft gelopen. Net als haar orthopedische sandalen. Ze kan zich nauwelijks herinneren wanneer ze die witte schoenen met hoge hakken heeft gekocht, maar weet nog wel dat het in een schoenenwinkel bij Manda Hill was. Ze zal ze vast ter gelegenheid van een evenement op de ambassade hebben gekocht toen ze vond dat ze er elegant moest bijlopen. Ellen houdt helemaal niet van hoge hakken, deels omdat ze niet lekker lopen, maar vooral omdat ze zelf al lang genoeg is. Toen ze jong was groeide ze zo snel dat ze in de brugklas al één meter zeventig was. Haar hele leven heeft Ellen mensen, en vooral mannen, beoordeeld op hun lengte en altijd vriendjes uitgekozen die lang genoeg waren. Björn is één meter tweeënnegentig.

Ze zou liegen als ze zei dat dat niet had meegespeeld.

Ze neemt haar toilettas mee naar de badkamer en zet alle toiletspullen op een rij.

De spanning van het vliegveld wil maar niet van haar afvallen. Deze reis heeft iets definitiefs. Niet dat het haar laatste reis is, nee, er staan er al diverse in de planning en waarom zou ze ermee ophouden nu de nieuwe samenwerking er zo veelbelovend uitziet?

Dagcrème, mascara, haarborstel en shampoo. Ellen maakt haar haar los en borstelt het met lange halen. Lang haar is niet praktisch en zij heeft het laag op haar rug hangen. Het enige aan Ellens uiterlijk waar ze ooit complimentjes over heeft gekregen is haar lange haar, en dat is de reden dat ze het lang heeft gehouden, zelfs in tijden dat het uit de mode was.

Heeft de spanning misschien met Björn te maken? Was hij deze keer minder geïnteresseerd dan anders? Ze probeert terug te denken. Gisteravond hadden ze samen gegeten en een fles wijn gedeeld. Daarna wilde hij voetbal kijken. Dat had ze prima gevonden, want dan kon ze haar spullen rustig achter een gesloten slaapkamerdeur inpakken. Ze probeert zich te herinneren of hij voor ze in slaap vielen nog iets speciaals heeft gezegd. Tijdens het ontbijt las hij de krant, terwijl zij naar haar badjas zocht die achter het bad bleek te zijn gevallen. Een kus, tot gauw, en wees voorzichtig. Nee, niets bijzonders.

Zonnebril, contactlenzenvloeistof, een paar extra contactlenzen. Haar nagellakcollectie heeft absurde proporties aangenomen. Zes, zeven, acht, tien flesjes waarvan een aantal bijna exact dezelfde kleur heeft. Ellen stopt er een paar terug in haar toilettas. Ze weet niet voor wie ze dat doet. Voor de schoonmakers? Zouden schoonmakers ook maar één gedachte schenken aan het aantal flesjes nagellak dat een hotelgast bij zich heeft? Waarschijnlijk niet. Toch doet Ellen hetzelfde met de flessen gin. Eén fles mag op het tafeltje blijven staan, terwijl ze de rest in een tas stopt die ze onder het bankje schuift.

De tampons mogen ook in haar toilettas blijven. Het duurt nog een hele tijd voor ze weer ongesteld wordt en op Ellens ongesteldheid kun je de klok gelijkzetten. Drie jaar geleden was ze met de pil gestopt, nadat haar gecompliceerde relatie met Thomas was beëindigd en ze haar leven – voor altijd – met Björn zou gaan delen.

Ze was toen vierendertig, een uitstekende leeftijd om moeder te worden, voor een academicus in de grote stad zelfs wat aan de vroege kant. Een mooi besluit dat met een heerlijk visje, champagne en een voorzichtige, bijna verlegen vrijpartij werd gevierd. Björn, die al langer kinderen had willen hebben, maar had geaccepteerd dat zij eerst wat verder aan haar proefschrift wilde werken, begon direct in de etalages naar kinderwagens te kijken. Kinderlijk genoeg had ook zij gedacht dat het gemakkelijk zou gaan, terwijl ze toch veel kinderloze echtparen had ontmoet. Juist toen herinnerde ze zich vooral de vrouwen die al zwanger raakten als ze naar een man wezen. Maar dat was bij Ellen niet het geval, en terwijl de jaren voorbijgingen en de bloedingen steevast bleven komen, spraken ze er steeds minder over. Toen Björn tussen neus en lippen door de mogelijkheid had geopperd een onderzoek te laten doen, had ze dat resoluut van tafel geveegd. Het zou toeval kunnen zijn en bij sommigen gaat het niet zo gemakkelijk. Stress misschien? Wellicht een slechte reisplanning met het oog op haar eisprong-cyclus? Of iets heel anders, iets dat moeilijk bespreekbaar is.

Ze legt haar papieren in keurige stapels op het bureau.

Op haar koffers zit zowel een combinatieslot als een hangslot. Hoewel er achter de ramen op de zevende verdieping alleen de warme buitenlucht is, doet ze toch de gordijnen dicht en de veiligheidsketting op de deur. Daarna opent ze de koffers.

Ja hoor, alles zit er nog in. Alle doosjes, dicht op elkaar gepakt. Een aantal flesjes alcohol als ontsmettingmiddel, rubber handschoenen en gaasjes. In het begin nam ze ook altijd watten mee, maar die zijn ook bij de zelfbedieningswinkel in Manda Hill te koop.

Ze doet de koffers weer op slot, rijgt de sleuteltjes aan haar halsketting en tilt de koffers naar een hoek van de kamer alsof ze net zijn uitgepakt.

Ze heeft het opnieuw ijskoud en laat de warme buitenlucht via de balkondeur naar binnen stromen.

Nu is het wachten op een bericht van Blessing. Ze kan ondertussen net zo goed even van de warmte gaan genieten. En mailen. Als Björn weet dat ze een paar uur geleden is geland zit hij meestal op een mailtje te wachten en de *Junta* zal het ook waarderen als ze een paar zinnen schrijft. Ze neemt een warme douche, laat haar natte haar loshangen zodat het vanzelf kan opdrogen en trekt de donkerrode jurk met het druppelmotief over haar hoofd. Ze kijkt in de spiegel en steekt een speld in haar haar. Ze is zo bleek als een Engelsman. En dik! Met een ontevreden rimpel tussen haar wenkbrauwen bekijkt ze zichzelf en profil, terwijl ze haar buik intrekt.

De misdaadroman en haar badpak stopt ze in haar rugzak die ze over haar schouder hangt, en ze controleert nauwkeurig of de deur goed in het slot valt.

Als ze door de gang loopt ritselt het plastic onder haar voeten. De schilder is verdwenen, maar zijn trap vol verfvlekken staat er nog. Ze pakt de lift naar beneden.

In het businesscenter staat een rij voor de enige computer die op internet is aangesloten en ze kan over een uur een massage krijgen.

Kennelijk zijn alle hotelgasten aan het werk, want er is niemand bij het zwembad en als Ellen een badlaken heeft gepakt kan ze kiezen waar ze wil gaan liggen. De zon is heerlijk warm en de zacht ruisende bladeren van de palmbomen geven schaduw. Ze trekt haar badpak aan, doet de sleutel van haar hotelkamer, haar horloge en halsketting in haar rugzak en duikt aan de diepe kant het zwembad in. Het water, dat maar een paar seconden koud aanvoelt, stroomt langs haar stijve lichaam terwijl ze onderwater blijft zwemmen tot ze over de bodem van het ondiepe gedeelte schraapt. Ze trekt nog een paar baantjes, klimt via het trappetje het zwembad uit, knijpt het water uit haar haar, haalt nog een badlaken en zet de ligstoel midden in de zon, wat ze nu juist beter niet zou kunnen doen. Ze weet dat ze vanavond al branderige schouders zal hebben, maar de warmte is zo lekker en een bevrijding voor haar lichaam na die ellendig koude winter. Het verhaal in het boek komt langzaam op gang en terwijl de pomp in het zwembad ronkt en de palmbomen boven de hibiscusstruiken ritselen, valt ze in slaap.

Ze wordt wakker van de kou. De zon heeft zich verplaatst en Ellen ligt met haar hoofd en schouders in de schaduw van de palmbomen. De jongen die de handdoeken uitdeelt is verdwenen en als ze haar jurk weer heeft aangetrokken en het chloor uit haar badpak heeft gespoeld, legt ze de natte handdoek over de rugleuning van de stoel en zet deze weer op zijn plek. Ze lacht een beetje om haar eigen precisie en moet denken aan die paar weken dat ze bij Blessing logeerde en door haar huishoudster werd bediend. Toen het meisje druk met iets anders bezig was, sloop Ellen voor de derde keer de keuken in om haar eigen thee te maken zodat ze niet om hulp hoefde te vragen. De huishoudster was met een ernstig gezicht naar haar toe gekomen en had gevraagd of er iets mis was met de thee die zij maakte en waarom mevrouw niet tevreden over haar werk was. Ik zou het met personeel niet uithouden, had Ellen toen gedacht, maar ze realiseert zich nu dat ze dat wel degelijk zou kunnen. Niets went zo snel als comfort.

Lang geleden, tijdens een diner in een tropische tuin, was de discussie over huishoudelijk personeel flink opgelaaid. Een Zweedse vrouw, die net met haar baan als milieuambtenaar op de ambassade in Lusaka was begonnen, verkondigde met enige trots dat ze er niet over peinsde personeel in dienst te nemen. Het zou ongemakkelijk voelen mensen in huis te hebben, zei ze, ze woonde alleen en had altijd haar eigen eten gekookt en haar huis zelf schoongemaakt – en de tuin zou het ook wel overleven als ze maar af en toe het gras maaide. Ellen, die ook een nieuwkomer in Afrika was, vond dat een zinnige redenering, tot David, de vriendelijk Zambiaanse econoom die in Lund had gestudeerd, zijn stem verhief. Hij was kwaad, kwader dan de Zweden hem ooit hadden gezien, zijn ogen schoten vuur toen hij de milieuambtenaar duidelijk maakte hoe weinig solidariteit uit haar opvatting sprak.

– Iedere keer dat ik voorbij een huis kom waarvan de tuin verwilderd is, komt er plaatsvervangende schaamte bij me op, zei hij. Nee, erger nog – ik word razend. Als je geld hebt voor een groot huis, en dat heb je, dan ben je verplicht mensen in dienst te nemen. Je eigen tuin verzorgen terwijl je een tuinman kunt betalen die daarmee zijn hele familie kan onderhouden – dat is niet alleen onnadenkend, dat is misdadig. Doe af en toe de afwas als je dat zo graag wilt, maar neem een huishoudster in dienst, laat haar zich trots kunnen voelen over het werk dat ze doet en betaal haar fatsoenlijk. Het kost je bijna niets en het is misschien – ook al klinkt dat in jullie oren vreselijk – het zinnigste dat je voor de bevolking van dit land kunt doen, al jullie ontwikkelingscenten ten spijt.

David richtte zich tot alle Zweden die aan tafel zaten. Ze luisterden vol verbazing naar de uitbarsting van de anders zo zachtaardige Afrikaan, die zich verontschuldigde en vervolgens het huis inliep.

Later nam hij terug wat hij had gezegd, vooral over het aanstellen van personeel, dat dat het zinnigste was wat ontwikkelingswerkers konden doen. Maar Ellen is ervan overtuigd dat hij ieder woord dat hij had gezegd oprecht had gemeend. Haar begrip voor Blessing, die ondanks haar geldzorgen toch altijd een huidhoudster in dienst had, was ook toegenomen.

Het businesscenter is nu leeg en de internetverbinding voor één keer zelfs tamelijk snel. De mail naar Björn is beknopt. Hij weet veel over haar taak en is een goede steun, maar sommige dingen kan hij beter niet weten. Bovendien is ze er niet zeker van of het wel zo veilig is vanuit het hotel te mailen en wil ze geen enkel risico lopen.

Ze vraagt Björn haar moeder te bellen en ondertekent met KeK, hun vaste afkorting voor Kus en Knuffel. Ze drukt op de verzend-knop en kijkt op haar horloge. Björn is waarschijnlijk nog op zijn werk. Als Ellen op reis is maakt hij het vaak erg laat. Björn werkt veel te veel als ze weg is en dat geeft haar een slecht geweten. Hij vindt het saai alleen thuis te zijn. Soms gaat hij naar de film, maar dat is ook saai in je eentje. Alleen eten vindt hij vreselijk.

Bij Ellen is dat precies andersom. Ze vermaakt zich uitstekend als ze alleen is, ze geniet ervan haar tijd zelf te kunnen indelen, tv te kunnen kijken wanneer ze zin heeft, om negen uur naar bed te kunnen gaan of in bad te liggen tot het water koud is. Björn zou ook best eens wat mogen overwerken als ze wel thuis is.

Als ze over haar reizen vertelt en haar vrienden haar vragen of de avonden niet eenzaam zijn, knikt ze instemmend zoals van haar wordt verwacht, maar als haar reizen niet langer dan een maand duren en een aantal avonden door dinertjes of andere sociale afspraken wordt gevuld, afgewisseld met de avontuurlijke opdrachten en reizen door het land, bevalt het hotelleven haar uitstekend.

Toen ze nog volledig met haar onderzoek bezig was, gebruikte ze de avonden vaak voor het lezen en uitwerken van haar aantekeningen. Tegenwoordig kijkt ze meestal naar de *BBC* of naar een slechte film op de kabel, of ze slaapt. De realiteit is voldoende. Ze heeft de avonden nodig om bij te komen. Soms is het fijn bij Blessing te lo-geren, maar meestal kiest ze voor de eenzaamheid van het hotel.

Drie ongeduldige zakenlieden in bijna identieke kostuums, maar met een verschillende huidskleur – 'een gele, een zwarte en een witte', gniffelt Ellen – staan achter haar in de rij te wachten tot ze klaar is. De blanke man heeft stekeltjes en is een Amerikaan. Hij is iets te dik en te oud om marinier te zijn. Ex-marinier misschien. Hij staat door te telefoon ruzie te maken met een autoverhuurbedrijf. Hij accepteert geen andere auto dan een Jeep Grand Cherokee – 'a great American car'– vertelt hij iedereen die binnen een straal van vijftien meter om hem heen staat. Hij is klein en breed en goed gekleed. De Amerikanen in hawaï-shirts en basketbalgympen bivakkeren dit jaar kennelijk ergens anders. Plotseling loopt er iets vast in cyberspace. De snelheid van de verbinding wordt extreem langzaam. Ongeduldig trommelt ze op de tafel om aan te geven dat het heus niet haar schuld is dat het zo lang duurt. En haar moeder, tja … Als Björn zijn mail te laat leest belt hij haar vanavond niet meer. Mobiel bellen naar Zweden is vreselijk duur, maar toch belt Ellen af en toe naar haar moeder om haar gerust te stellen. Alleen gebeurt het dan veel te vaak dat haar moeder haar uitgebreid wil bijpraten en een lang verhaal begint te vertellen over iemand die iets bijzonders gedaan heeft, of ze vraagt of Ellen zich kan voorstellen dat … en dan voelt het zo onaardig het gesprek af te breken. Nee, vandaag geen telefoontje naar Västerbotten. Een mail naar Kristina moet voldoende zijn:

– Hoi! Ik ben in Lusaka aangekomen. Alles prima. Lekker een uur bij het zwembad liggen bakken. Begin morgen met werken. Bel alsjeblieft even naar mamma. Kus! Zuslief.

Ellen had haar eigen mail nog willen ophalen, maar laat dat nu maar zitten. Het getrappel van de drie mannen achter haar rug werkt op haar zenuwen.

Ze logt uit, betaalt en wisselt een paar woorden met de vrouw die in het businesscenter werkt. De vrouw klaagt over de renovatie die af en toe voor stroomstoring zorgt, waardoor zij van woedende hotelgasten de wind van voren krijgt. De vorige keer dat Ellen in het hotel logeerde had de vrouw een broer die kanker had en zat ze voornamelijk met verschillende artsen en haar familie te telefoneren. Tijdens de vele uren die ze bij de trage computer moest wachten had Ellen een hoop over de familie te horen gekregen. De broer is ondertussen behandeld en genezen, zegt de vrouw, die onder de indruk is van Ellens geheugen en haar belangstelling zeer op prijs stelt.

Tevreden met zichzelf en met het gevoel hier thuis te zijn, ook al is dat thuis maar een zakenhotel in Afrika, pakt Ellen de lift omhoog naar haar kamer om een handdoek voor de massagebehandeling te halen. In de lift controleert ze haar mobiele telefoon. Waarom heeft Blessing nog niet gebeld? Is er iets mis met haar telefoon? Maar nee, de ontvangst lijkt prima en de batterij is opgeladen.

Als ze door de gang loopt en de schilder met het gouden kruis passeert, hoort ze een van de andere liften met een tingelend geluid op dezelfde verdieping stoppen.

De zon heeft haar kamer verwarmd en ze doet de gestreepte gordijnen dicht. De natte handdoek die ze voor het douchen heeft gebruikt ligt over de stoel bij het bureau. Ze pakt hem op en wil hem in de badkamer te drogen hangen, als haar blik op een van de stapels papieren op het bureau valt. Ze had toch keurige stapeltjes gemaakt? Nu ligt een van de stapels overdwars, een doorbroken symmetrie, alsof iemand de papieren heeft opgepakt. Beeldt ze het zich in, of is het echt zo?

Ellen draait zich snel om en loopt naar de koffers in de hoek van de kamer. Voorzichtig tilt ze ze allebei op. Ze zijn nog even zwaar en de hangsloten zien er onaangeroerd uit. Maar is de combinatie van het cijferslot van een van de koffers niet veranderd? Ze zet de combinatie altijd op 0000 als ze de koffers open heeft gehad. Nu staat het slot van de ene koffer op 1234. Dat is niet eens de juiste combinatie. Hoe kan dat? En zijn de koffers ook niet verplaatst? Hoe stonden ze voor ze ze optilde? Is er nog meer in de kamer veranderd? Ellen kijkt snel in de badkamer, in de kast en onder het bed – daar is niets te zien – en voor ze verder gaat zoeken bevestigt ze eerst de veiligheidsketting op de deur.

Tampa, Florida, VS
17 februari 2004

Ik heb maar twee boeken bij me. De Bijbel natuurlijk, waar ik veel met de nachtzuster over praat. Ook zij leest de Bijbel als ze wakker wordt. Soms vraagt ze wat ik het mooiste verhaal vind, maar dat weet ik niet precies. Ik vind bijna alles mooi. De verhalen over Jezus natuurlijk, maar ook veel andere verhalen, zoals in het Oude Testament.

Ik lees bijna voortdurend in de bijbel. Het boek ligt 's nachts naast mijn kussen.

Mijn bijbel is nogal oud en ik moet er een elastiekje omheen doen, zodat de Korintiërs er niet uitvallen. Dat klinkt eigenlijk best grappig, vindt u niet?

Ik kocht hem tweedehands voor dertien dollar op mijn favoriete afdeling in de boekhandel. Op die afdeling zijn boven de deur twee engelen geschilderd, waartussen in mooie letters staat geschreven 'Inspiratieruimte voor religieuze overpeinzingen'. Dat vond ik prachtig: 'Inspiratieruimte voor religieuze overpeinzingen'.

Nadat ik hier in Florida was aangekomen ontdekte ik de boekhandel al vrij snel. Hij is heel groot en verkoopt zowel nieuwe als tweedehandsboeken. Ik vond de winkel toen ik bij een groot bord bleef staan dat bijna de hele gevel bedekte. 'Misdaadbestrijding – Bel!' stond er levensgroot geschreven. 'Bel, en doe aangifte! U kunt anoniem blijven!' Ik belde een aantal keren en zei dat ik helemaal niet anoniem hoefde te blijven, sterker nog, dat ik niet eens anoniem wílde blijven, maar ze zeiden dat dat waarvan ik aangifte wilde doen helemaal geen misdrijf was. Toen drong het besef bij me door hoe ernstig de situatie was.

Maar goed, de boekhandel dus. Ik vind tweedehandsboeken zowel goedkoper als beter. Ik houd meer van oude boeken. Ze zijn vaak beter qua inhoud en ik vraag me altijd af wie de vorige eigenaar is geweest. Bijvoorbeeld met mijn bijbel. Daar staat geen naam in, maar er is veel in onderstreept. Vooral in de Korintiërs. Misschien vallen ze er daarom uit.

Je mag in die boekhandel in de inspiratiekamer uren zitten lezen, zonder dat iemand daar iets van zegt. Er zijn een paar vreemde afdelingen, zoals een kast met 'Oosterse religies', 'Astrologie', en zelfs een kast met 'Hekserij'. Stel je voor, God wordt in zijn eigen inspiratiekamer niet eens met rust gelaten!

De conciërge, die daar schoonmaakte en de prullenbakken leegde, vond het fijn als ik er was. Hij zei altijd 'hallo' als ik binnenkwam en 'nog een prettige dag' als ik wegging. Een keer vroeg hij wat mijn lievelingsbloemen zijn. Waarom hij dat vroeg weet ik nog steeds niet. Ik was toen al een paar weken in Florida.

Ik mis hem. De conciërge bedoel ik. Als hij er niet was geweest had ik de boeken over hekserij aan stukken gescheurd. Ik weet zeker dat God dat fijn had gevonden. Gods wraak kan zich op verschillende manieren openbaren, dat weet ik, omdat ik de Bijbel heb gelezen. Ik had toen dus al, in het klein, een soldaat van God kunnen worden, maar ik besloot daar op dat moment van af te zien. Vanwege de conciërge. Hij had dat vast niet fijn gevonden, want hij had immers de verantwoordelijkheid voor alle boeken en dan had ik waarschijnlijk nooit meer mogen terugkomen. Dat wilde ik natuurlijk ook niet.

Ik zei tegen hem dat mijn lievelingsbloem een kerstster is. Ik weet niet waarom ik dat zei, het was nog lang geen kerst, misschien alleen maar om iets te zeggen. Misschien had ik citroenkruid moeten zeggen, want daar ben ik mee opgegroeid, maar dat is eigenlijk geen bloem.

Nu zit ik hier over de conciërge en bloemen te praten, maar dat was eigenlijk niet wat ik wilde vertellen. Ik wilde u over Dee Esser vertellen. Soms denk ik dat zij mijn moeder is, hoewel ik haar nog nooit heb ontmoet. Eerst was ik van plan haar te gaan zoeken. Misschien woont ze nog steeds hier in Tampa en zit ze te wachten tot er iemand belt. Iemand die net zo denkt als zij. Er zijn tegenwoordig niet zo veel mensen zoals wij, dus we zouden veel aan elkaar kunnen hebben.

Maar ik heb dat nooit gedaan.

Ik heb niet eens haar naam in het telefoonboek opgezocht. En nu is het te laat. Het was waarschijnlijk ook niet makkelijk geweest haar te vinden, want ze staat vast onder de naam van haar man in het telefoonboek, maar ik had natuurlijk alle mensen met *de naam Esser kunnen bellen en naar tante Dee kunnen vragen. Ze is vermoedelijk al heel oud, of misschien is ze al thuis bij God, maar ik had het kunnen proberen. Ik heb spijt dat ik dat niet heb gedaan. Dan was alles misschien anders gelopen.*

U vraagt zich vast af wie Dee Esser is?

Ze had ooit een boek dat nu van mij is. Ik heb het in de inspiratiekamer van de boekhandel gevonden. Dat is het andere boek dat ik bij me heb. Het heet 'Hoe maak ik mijn man gelukkig'. Het is een fantastisch boek, dat door Darien B. Cooper is geschreven. Op de achterflap van het boek staat een foto van Darien B. Cooper waarop ze een kapsel heeft dat me nogal tijdrovend lijkt, met veel krullen bovenop haar hoofd. Maar het boek is in 1977 geschreven en toen waren dit soort kapsels waarschijnlijk heel gebruikelijk. En Dee Esser, dat is dus de vrouw van wie het boek is geweest dat ik tweedehands op de inspiratieafdeling heb gekocht, heeft haar naam in het boek geschreven plus het jaartal 1981. Ze heeft veel onderstreept en veel commentaar in de kantlijn geschreven. Het lijkt net alsof ze zo met me praat.

Ik ben in 1981 geboren, in hetzelfde jaar dat Dee Esser het boek kocht, en ik geloof dat dat een teken van God is. Wat denkt u? Gelooft u dat God zulke tekens geeft?

Ik denk dat als mijn moeder het boek destijds had gelezen en ernaar had geleefd zoals Dee Esser deed, alles misschien heel anders was gegaan.

Op bladzijde 61, onder het hoofdstuk 'Volg de leider', staat bijvoorbeeld: 'De stabiliteit van het gezin en van het volk valt of staat met de erkenning van de man als gezinshoofd'. En de uitleg is te vinden in het boek Genesis 3:16: 'Naar uw man zal uw begeerte uitgaan en hij zal over u heersen'. Die zin heeft Dee Esser onderstreept en in de kantlijn heeft ze een uitroepteken gezet.

Ik zou willen dat mijn moeder dit had gelezen.

Lusaka, Zambia
3 februari 2004

Ellen checkt net voor de honderdste keer haar mobiele telefoon als de ober met haar *Chicken Tikka Masala* komt aanlopen. De Indische kip wordt geserveerd met rijst die met komijnzaad is gekruid – een spannende combinatie die wellicht de moeite van het proberen waard is – en met een salade van komkommer en tomaat die met citroen en een soort muntblad lijkt aangemaakt. Als de ober straks terugkomt zal ze het hem even vragen. Van alle gerechten op de menukaart zijn de Indische schotels verreweg het lekkerst en de kok heeft zijn ambities kennelijk nog wat opgeschroefd.

De fluwelen avondlucht streelt haar gloeiende schouders. Ze is wat rillerig en heeft een dunne sjaal om zich heengeslagen. Waarom laat Blessing niets van zich horen? Wat kan er in Chongwe zijn gebeurd?

Ellen had in haar kamer niets verdachts gevonden toen er van de massageafdeling werd gebeld met de vraag of ze nog van plan was te komen. Het moest een schoonmaakster of een controleur van de minibar zijn geweest die aan haar papieren had gezeten. Of ik ben er zelf met mijn handdoek tegenaan gelopen. En misschien heb ik onbewust aan de cijfercombinatie zitten peuteren. Tenslotte zat het hangslot er nog op en in de koffer zat alles nog precies op zijn plek.

Maar voor ze naar beneden was gegaan om gemasseerd te worden, had ze eerst een stuk plakband over de kier van de deur geplakt. Die aanpak leek haar niet bijster professioneel, maar het was beter dan niets. Hoe zouden detectives dat doen? Met een draad of een haar? Na de massage zat het stuk tape nog op zijn plek, maar voor ze naar beneden ging voor het diner, had ze een nieuw stuk op de deur geplakt.

Het is vroeg en op het terras zijn slechts enkele tafeltjes bezet, door Engelstalige blanken. Het komt wel eens voor dat er een groep Zweden zit, maar Ellen zoekt hun gezelschap nooit op en tegenwoordig geeft ze niet eens meer door aan de ambassade dat ze er is. Sinds ze met haar onderzoek is gestopt is alles zo lastig uit te leggen.

Ellen heeft in haar rugzak het vel papier gevonden – een uitdraai van een groepsmail – dat aan Blessings briefje zat vastgeniet. Ze was het helemaal vergeten en schuift het kleine olielampje dichterbij om gelijktijdig te kunnen eten en lezen. Zou de restauranteigenaar niet begrijpen dat er ook mensen zijn die niet romantisch in het donker willen eten?

Bij het lezen van de eerste zinnen verschijnt er een lach op Ellens gezicht. Blessing ergert zich groen en geel aan de christelijke televisieprogramma's, waarmee de Zambiaanse tv wordt overspoeld en die gesponsord worden door de Amerikaanse neo-christelijke beweging. Een van de tv-dominees noemt zich 'Dokter Laura'.

Geachte Dokter Laura,

Dank u wel voor de intensieve wijze waarop u Gods geboden aan de mensen onderwijst. Ik heb van uw tv-programma veel geleerd en probeer mijn kennis overal te verspreiden. Als iemand bijvoorbeeld homoseksualiteit probeert te verdedigen, hoef ik hem er alleen maar aan te herinneren dat dit in het derde Boek 18:22 kristalhelder als zonde wordt gedefinieerd.

Tot zover heb ik geen problemen.

Maar er zijn een paar specifieke regels waarvan ik niet goed weet hoe ik ze moet naleven:

A/ Als ik een os op mijn kookaltaar offer, weet ik dat de Heer die geur weet te waarderen (derde Boek 1:9). Maar mijn buren denken daar heel anders over. Ze klagen steen en been. Zal ik ze een pak slaag geven?

B/ Ik zou mijn dochter als slaaf willen verkopen, zoals wordt beschreven in het tweede Boek 21:8. Welke bedrag kun je tegenwoordig voor zo'n meisje vragen?

C/ Ik weet dat ik geen contact met een vrouw mag hebben die in haar onreine menstruatieperiode zit (derde Boek 15:19-24). Het probleem is – hoe kom ik dat te weten? Ik heb geprobeerd het te vragen, maar de meeste vrouwen reageren nogal verontwaardigd.

D/ Het derde Boek 25:44 zegt dat ik slaven mag hebben, zowel mannelijke als vrouwelijke, mits ze uit een buurland komen. Een van mijn vrienden beweert dat Mexicanen wel mogen, maar Canadezen niet. Kunt u me dat uitleggen? Waarom mag ik geen Canadese slaven hebben?

E/ Ik heb een buurman die consequent tijdens de Sabbat blijft werken. In het tweede Boek 35:2 staat heel duidelijk dat hij moet worden gedood. Ben ik degene die dat moet doen?

F/ Een van mijn andere vrienden zegt dat, ook al is het een zonde schaaldieren te eten (derde Boek 11:10), het een minder grote zonde is dan homoseksualiteit. Ik ben het daar niet mee eens. Kunt u zeggen wie van ons gelijk heeft?

G/ In het derde Boek 21:20 staat dat zij die een vlek op hun ogen hebben, het altaar van de Heer niet mogen betreden. Ik moet toegeven dat ik een leesbril heb. Moeten mijn ogen perfect zijn of valt hierover te onderhandelen?

H/ Ondanks dat het volgens het derde Boek 19:27 uitdrukkelijk is verboden, knippen de meeste van mijn mannelijke kennissen hun haar en zelfs hun bakkebaarden. Op welke manier moeten ze worden gedood?

I/ Ik weet uit het derde Boek 11:6-8 dat ik zondig als ik de huid van een dood varken aanraak, maar zou ik wel mogen voetballen als ik handschoenen draag?

J/ Mijn oom heeft een boerderij. Hij leeft in strijd met het derde Boek 19:19 door twee verschillende soorten zaad op eenzelfde akker te zaaien. Zelfs zijn vrouw zondigt door kleding te dragen van twee verschillende vezelsoorten (katoen/polyester). Het komt ook voor dat hij vloekt en scheldt. Is het werkelijk nodig dat we het hele dorp bijeenroepen om hen te stenigen? (derde Boek 24:1-16.) Kunnen we ze niet gewoon in de familiekring verbranden, net zoals we doen met degenen die met hun schoonmoeder slapen? (derde Boek 20:14.)

Ik weet dat u al deze vragen nauwkeurig hebt bestudeerd, dus ben ik er zeker van dat u me kunt helpen.

Nogmaals, zeer veel dank dat u ons eraan herinnert dat Gods woorden eeuwig en onveranderlijk zijn.

Met vriendelijke groeten,
Blessing.

De kip is lekker, het Indische knoflookbrood een tikkeltje klef en de aanval op Dokter Laura geniaal. Ellen voelt zich een stuk vrolijker en bestelt een Mosi-bier bij een van de alerte obers. – Ja, er is inderdaad een nieuwe Indische kok, zegt hij beleefd. Heeft u dat kunnen proeven?

Ellens gedachten gaan terug naar haar hotelkamer. Ze heeft zich vast alleen maar ingebeeld dat er iemand binnen is geweest. Als Blessing nu maar eens kwam zou alles goed komen. De zwoele avondlucht maakt haar een beetje slaperig en ze zou vanavond het liefst lekker vroeg in bed willen kruipen.

– Wil je het liefst met rust worden gelaten, of mag ik je even gezelschap houden?

Het is de Amerikaan uit de bus, die zijn driedelig kostuum voor een wit overhemd met een donkere stropdas heeft ingeruild. Hij is tegen de twee meter lang. Ellen vouwt de brief aan Dokter Laura dubbel en stopt hem in haar rugzak. Met een knikje geeft ze aan dat hij tegenover haar mag gaan zitten. Zijn schele oogopslag compenseert zijn saaie stropdas. Ze kan wel wat afleiding gebruiken, anders zit ze toch maar te piekeren. Als ze is uitgegeten, of als Blessing belt, kan ze altijd weglopen.

– Nee hoor, ga zitten.

Ze kan zich de naam van de loensende Amerikaan niet meer herinneren. Hij heeft zich vanmorgen voorgesteld, maar zijn visitekaartje zit nog in de zak van haar spijkerbroek die ze in de waszak heeft gestopt. Het voelt onbeleefd nog een keer naar zijn naam te vragen, omdat hij, zoals dat vaak bij Amerikanen het geval is, haar naam wel heeft onthouden.

– Elg? vraagt hij, waarna ze het verhaal van haar kleine opa vertelt die niet langer met die naam wilde worden gepest, maar ze erkent dat ze het zelf, als extreem lange tiener, waarschijnlijk ook vreselijk zou hebben gevonden als ze haar op het schoolplein 'de Eland' zouden hebben genoemd. Hij is het volledig met haar eens.

Hij bestelt een Indische lamstoofpot en vraagt zich net af of hij naanbrood met knoflook zal nemen, als Ellens mobiele telefoon overgaat. Ze verontschuldigt zich en loopt met het mobieltje de geurende tuin in. De contouren van de zwarte Jacarandabomen tekenen zich scherp af tegen het licht van de straatverlichting aan de andere kant van de muur. Het is Blessing, ze belt vanaf de begraafplaats en op de achtergrond klinken luide stemmen.

– Welkom in Afrika, honey! Ik hoop dat je een lekker rustig dagje hebt gehad.

– Ja, dank je. Ik heb een paar baantjes gezwommen en daarna een massage gehad.

– Het spijt me ontzettend, maar ik kom hier niet weg. Ze hebben mijn hulp nodig met het eten en zijn niet van plan me te laten gaan, zelfs niet nu mijn goede vriendin uit Zweden is aangekomen.

– Dat geeft niet. Maar weet je wat er in Chongwe is gebeurd?

– Nee, maar ik denk dat Beauty, de vroedvrouw, me heeft geprobeerd te bereiken. Ze heeft zelf geen telefoon, dus ik kan haar niet terugbellen en ze wilde kennelijk geen bericht achterlaten. Ik zal proberen of ik morgenochtend even bij haar langs kan rijden. Als ik tenminste genoeg benzine heb. Dan kom ik daarna naar jou. Rond tien uur, komt dat uit?

– Ja, dat is prima. Ik heb mijn spullen al gepakt!

– Trouwens, heb je de brief aan Dokter Laura gelezen?

– Ja, die was erg leuk.

– Ik heb geprobeerd hem in *The Post* te publiceren, maar ik geloof niet dat ze dat aandurven. Tegen de regering durven ze hun mond open te trekken, maar niet tegen de kerk, gniffelt Blessing, terwijl op de achtergrond te horen is dat ze door iemand wordt geroepen. Ze verontschuldigt zich en hangt op.

Als Ellen terugkomt staat de Amerikaan op om haar stoel aan te schuiven. Hij heeft ondertussen een nieuw biertje voor haar besteld.

– Toen de ober hier toch was, heb ik maar gelijk voor ons allebei een Mosi besteld – dat is toch het lokale biermerk? – want je weet maar nooit wanneer je een nieuwe kans krijgt iets te bestellen.

Ze begrijpt niet waarom hij dat zegt, want de oplettende ober loopt voordurend tussen de tafeltjes rond. Ze voelt zich er zelfs een beetje door gegeneerd, want ze zorgt liever voor zichzelf. Vooral hier in Afrika.

De Amerikaan heeft een gladgeschoren gezicht en ze ruikt de geur van zijn aftershave. Björn gebruikt nooit aftershave en ze was bijna vergeten dat ze daar eigenlijk erg van houdt.

– Houd je van de Indische keuken? vraagt ze, terwijl ze zich realiseert dat ze een afkeer heeft van de Amerikaanse eetcultuur.

– Ik houd van kruiden, maar soms vind ik het iets te vet en te klef.

– Dat ben ik met je eens, maar als je het zelf klaarmaakt kun je de grote hoeveelheden olie en boter achterwege laten. Ik houd eigenlijk het meest van de groentegerechten.

– Spinazie met geitenkaas is heerlijk. Hebben ze dat hier?

– Volgens mij wel. Ze hebben kennelijk een nieuwe Indische kok, dus je hebt zelfs kans dat je speciale bestellingen kunt doen.

– Dan doen we dat de volgende keer!

Ellens lichaam verstijft. Ze leunt achterover, terwijl ze haar bestek neerlegt. Hoezo 'de volgende keer?' Ze is absoluut niet van plan met deze man op te trekken.

Ze is klaar met eten en kijkt demonstratief op haar horloge.

– Ben je niet heel moe van de reis? Je moet wel erg lang onderweg zijn geweest?

– Nee hoor, dat valt reuze mee. Ik heb een tussenlanding in Rome gemaakt.

Ellen vraagt niets meer. Ze wil niet weten wat hij onderweg heeft gedaan of in Zambia gaat doen. Niet omdat het oninteressant zou zijn, maar omdat ze zelf geen zin heeft zulke vragen te beantwoorden. Maar zijn maaltijd wordt net geserveerd en het zou onbeleefd zijn gelijk op te stappen. Ze heeft het immers goed gevonden dat hij bij haar aan tafel kwam zitten en als ze dan toch ergens over moeten praten, dan liever over hem dan over haar.

– Hoe oud zei je ook alweer dat je was toen je hierheen verhuisde?

– Zes jaar.

– Waar woonden jullie precies?

– In de buurt van Siavonga, bij de *Zambezi*. Mijn vader was door de Evangelische Kerk in Iowa uitgezonden en mijn moeder en ik gingen met hem mee.

Voor hij van zijn lamschotel begint te eten, snijdt hij eerst het vlees in heel kleine stukjes.

Pietje precies, denkt Ellen, terwijl ze nog eens naar zijn keurig gestreken overhemd met de glimmende stropdas kijkt. Op haar eigen sjaal zit een kleine vetvlek, maar die zie je nauwelijks.

– We hebben hier ruim zeven jaar gewoond en gingen terug naar Amerika toen ik veertien was. Sindsdien ben ik niet meer in Zambia geweest en nu denk ik erover naar de Zambezi te rijden. De missiepost is inmiddels een kindertehuis geworden en daar wil ik een artikel over schrijven.

Zijn stem klinkt zachter als hij over zijn reisplannen vertelt. Hij heeft lange, smalle vingers met kortgeknipte nagels en donshaartjes op zijn handen. De ietwat verbeten klank in de woorden 'vader' en 'moeder' wekken haar nieuwsgierigheid.

– Leven je ouders nog?

– Mijn moeder niet meer. Ze is vijf jaar geleden gestorven.

Stilte. Nog een paar zorgvuldig samengestelde happen.

– Met mijn vader heb ik geen contact meer.

– Oh, dat spijt me.

– Dat is niet nodig.

Het korte antwoord geeft aan dat die deur gesloten is, of staat hij misschien op een kier? Ellen probeert het met een omweg.

– Was je moeder ziek?

– Dat zou je kunnen zeggen, ja.

Zijn stem klinkt scherp, terwijl hij met een ironische blik in zijn ogen zijn bierglas heft.

– Te veel jaren te veel drank, na te veel slechte ervaringen en te veel verkeerde beslissingen.

Hij spreekt het woord 'drank' op een eigenaardige manier uit. Met een gespannen gezicht leegt hij zijn bierglas, waarna hij het met een knal op tafel zet.

– Nee, zo moet ik niet over haar praten, zegt hij enigszins verontschuldigend. Ze heeft het niet gemakkelijk gehad.

De ober heeft Ellens bord meegenomen en komt met de dessertkaart. Ze bladert er verstrooid doorheen, maar weet dat ze het bij een kop koffie moet houden. Die overheerlijke Indische zoetigheden staan stijf van de calorieën.

Volgens alle conversatieregels zou het gesprek zich nu in haar richting moeten verplaatsen. Ze is van plan op alle vragen over haar werkzaamheden in Zambia een ontwijkend antwoord te geven. Maar de Amerikaan verrast haar:

– Waar ben jij geboren?

– In Lapland, het land van de Middernachtzon, zegt ze met een glimlach.

Hij lacht terug, terwijl zijn oog weer wegdraait.

– Koud en donker, stel ik me voor.

– Ja, koud en donker in de winter, maar licht en warm in de zomer. Toen ik dertien was logeerde ik een paar weken bij een correspondentievriendin in Zuid-Zweden, waar ik voor het eerst in mijn leven meemaakte dat het zowel warm als donker was. Gek genoeg had ik warmte altijd met licht geassocieerd.

De Amerikaan wijst lachend naar de donkere Afrikaanse hemel.

– Dan ben je nu wel een heel eind bij je wortels vandaan.

– Absoluut. Maar dat geldt dus niet voor jou.

Het is meer een constatering dan een vraag, waardoor de bal weer bij hem ligt.

– Nee dat is waar. Ik heb aan de tijd dat we hier woonden zowel goede als slechte herinneringen, maar het landschap, het licht en de dieren zijn werkelijk een geschenk van God, en ik ben zeer dankbaar dat ik dat alles heb mogen ervaren.

Ellen vindt de lichtelijk breedsprakige manier waarop hij zich uitdrukt wel charmant. Alsof hij uit een boek of uit een Bijbeltekst voordraagt: 'De Vader, De zoon en het Heilige Afrika'.

Zijn verhalen fascineren haar. Hij houdt van Afrika en heeft dingen meegemaakt waar zij als buitenstaander met haar Jeepkonvooien en haar tolken niet aan kan tippen. Hij heeft wekenlang in de savanne in een tent geslapen die door olifanten aan stukken was gescheurd. Zijn lievelingsvak op school was biologie en hij kan nog altijd een twintigtal verschillende vogelgeluiden onderscheiden. Terwijl hij met zijn vriendjes en hun vaders in de *Zambezi* viste, leerde hij Tonga spreken en verstaan. Hij mocht altijd meespelen, want hij had een voetbal.

– Vertel eens, wat zei je nou tegen die jongen in de laadbak? vraagt ze nieuwsgierig.

– Nee, dat bewaren we voor een andere keer, antwoordt hij met een glimlach.

Terwijl de koffie en het honingijs worden geserveerd, vertelt hij verder over het koedoe-jong met de gebroken poot, dat hij had mogen voeden en verzorgen. En hoe je slangenpoep kunt herkennen (kleine harde balletjes ontlasting vol konijnenhaar), zodat je een slang kunt opsporen of juist vermijden (hij probeerde ze vooral te vinden, maar dat lukte meestal niet). En over het agressieve nijlpaard dat in de *Zambezi* leefde en diverse dorpsbewoners had gedood, waarna zijn vader een bekende scherpschutter had ingehuurd die het beest neerschoot, zonder dat de overheid daarvan op de hoogte werd gesteld.

– Door het doden van dat nijlpaard werd de positie van mijn vader alleen nog maar sterker, zegt hij, zonder een spoor van trots in zijn stem.

–Was dat niet prettig?

Hij lijkt even over de vraag te moeten nadenken, alsof hem die vraag nooit eerder gesteld is.

– Hij was een geboren leider en Afrikanen accepteren sterke leiders. Als alles precies ging zoals hij wilde, kon hij soms de indruk wekken een redelijk mens te zijn.

– Soms?

De Amerikaan prikt wat met zijn lepel in zijn ijs en besluit dat hij genoeg heeft gehad. Om de bezorgde ober gerust te stellen, klapt hij glimlachend op zijn buik, waarmee hij aangeeft dat hij vol zit en tevreden is. Ellen herhaalt haar vraag, waarbij haar stem minder geïnteresseerd klinkt dan ze eigenlijk is.

– Als alles precies ging zoals hij wilde, kon hij soms de indruk wekken een redelijk mens te zijn?

– Ja, hij vond dat hij altijd gelijk had, en degene die het niet met hem eens was had het zwaar te verduren.

– Gold dat ook voor jou?

– Wat?

– Had jij het zwaar te verduren?

– Soms …

– En je moeder?

– Ja.

Er klinkt een duidelijke punt na zijn 'ja', gevolgd door een bedompte stilte. Tot haar eigen verbazing begint Ellen te vertellen over haar eigen teruggetrokken, zichzelf wegcijferende moeder, die na de dood van haar man de grootste moeite had haar leven weer op de rails te krijgen.

– Wat voor werk deed je vader?

– Van oorsprong was hij elektricien, maar voor mijn geboorte was hij al een paar jaar fulltime actief in de vakbeweging en de politiek.

– Een vakbondsbobo dus, net als Jimmy Hoffa?

Hij lacht verontschuldigend, alsof de vergelijking met de vermoorde Amerikaanse vakbondsleider die maffiacontacten had haar zou kwetsen. Ze schenkt hem een geruststellende glimlach. Ze is niet gekwetst en ziet geen overeenkomsten.

– Nee. Meer een soort combinatie van officieus burgemeester, zakenman, aannemer en huisbaas. Voor al die functies was hij overigens democratisch gekozen.

Hij begrijpt het niet en het uitleggen kost tijd. Niet omdat hij zich geen invloedrijk man kan voorstellen, maar omdat het een stuk lastiger is dan ze dacht een helder beeld van de Zweedse arbeidersbeweging met al die ingewikkelde machtsverhoudingen te geven. Hoe leg je in vredesnaam uit wat een sociaal-democratische bewonersvereniging is die deel uitmaakt van een coöperatief woningbedrijf dat op zijn beurt weer nauwe, bestuurlijke contacten met de vakbond heeft, waarvan alle leden hun boodschappen bij de *Konsum* halen? Veel van zijn vragen doen haar in lachen uitbarsten. Niet omdat het domme vragen zijn, maar omdat ze inziet hoe onbegrijpelijk het systeem in elkaar zit voor iemand die niet in Zweden is opgegroeid. En hoe bizar het eigenlijk is als je er goed over nadenkt.

Ze waardeert het dat hij geen poging doet haar maaltijd te betalen, maar nu vindt ze het welletjes. Ze wil helemaal geen nieuwe mensen leren kennen.

– Het was heel gezellig, maar nu moet ik echt gaan slapen. Ik heb een lange nacht en een lange dag achter de rug.

– Dat begrijp ik, maar zou ik je in de bar nog op een slaapmutsje mogen trakteren? Dan beloof ik je over mijn moeder te vertellen.

Dat aanbod kan ze eenvoudigweg niet weerstaan.

– Welterusten!

Voordat de deuren dichtgaan en de lift de Amerikaan naar de zevende etage meeneemt, draait Ellen zich om en zwaait nog even. Ze heeft nog steeds geen flauw idee hoe hij heet.

Ze checkt opnieuw haar mobiel, hoewel ze eigenlijk al weet dat hij het prima doet en dat Blessing niet meer belt. Dat heeft ze ook niet beloofd. Ze komt morgen. Het stukje plakband lijkt nog op zijn plek te zitten. Hoe zou James Bond dat hebben aangepakt?

Ze gniffelt om haar eigen paranoïde gedrag en realiseert zich dat ze behoorlijk teut is. Voor het de ober gelukt was een drankje te mixen dat in de verte op een Dry Martini leek, had ze al diverse mislukte combinaties achter haar kiezen.

De hotelkamer ziet er precies zo uit als ze hem heeft achtergelaten. Alle papieren liggen keurig geordend op hun plaats en beide koffers staan onaangeroerd in de hoek. Alleen haar bed is door het ijverige hotelpersoneel opgemaakt, dat ook nog een chocolaatje op haar kussen heeft gelegd.

Terwijl Ellen haar katoenen jurk uittrekt, overdenkt ze deze avond. Ze herkende zichzelf bijna niet, voelde zich buitengewoon op haar gemak, genoot van de complimentjes en had opeens de mogelijkheid openlijk over bepaalde onderwerpen te praten. De strenge, vermoedelijk agressieve vader van de man bleek wonderlijk genoeg minder belangrijk dan zijn moeder, die hij nauwelijks kon vergeven. Nadat ze naar Amerika waren terugverhuisd, gingen de ouders uit elkaar, waarna zijn vader verdween en de jongen bij zijn moeder achterbleef die, eenmaal terug in haar thuisland, haar draai nooit meer had kunnen vinden. Langzaam maar zeker had ze zich doodgedronken. Met zijn woorden zegt de Amerikaan begrip voor haar te hebben, maar uit zijn lichaamstaal spreekt verachting.

Ze hadden nog een drankje bij de charmante barman besteld.

Daarna had ze over opa en oma in Varmvattnet verteld, over Stig Olofsson en de hoge eisen die hij altijd aan zijn dochter stelde. Hoe goed ze haar best ook deed op school of op de universiteit, het telde eigenlijk nooit. Als je er goed over nadenkt is Ellen in feite ook een soort missionarisdochter. In plaats van Gods woord te verspreiden, moest ze de wereld veranderen.

Toen Ellen wat vragen over de christelijke beweging in Amerika stelde, ging hij daar niet op in. Hij gaf aan dat achter zich te hebben gelaten en die deur achter zich te hebben gesloten.

De Amerikaan – heette hij Robert? – was tot zijn spijt enig kind. Ellen had hem kunnen troosten door over haar gecompliceerde relatie met haar zussen te vertellen. Daar wilde hij alles over weten.

Er had in de bar nauwelijks een mens gezeten. Achter Ellen zat een man met heel kortgeknipt haar aan een tafeltje bij het raam een tijdschrift te lezen. Omdat hij urenlang aan hetzelfde biertje zat te nippen stortte de ijverige barman zich vol geestdrift op het gezellig pratende stel, zijn enige hoop om deze avond wat te verdienen. Zodra hun glazen leeg waren sprong hij enthousiast naar voren, waarbij hij ook voortdurend hun bakje pinda's bijvulde – terwijl Ellen weet dat ze geen pinda's moet eten. Ellen had de opdringerige ober vergeleken met zijn voorganger, die nooit iets zag of hoorde en voornamelijk achter de bar zat gehurkt, iets waaraan zij zich mateloos had geërgerd. Hij was kennelijk ontslagen en had zijn versleten, keurig gestreken jasje moeten achterlaten, dat nu iets te ruim om het magere lichaam van de jonge barman hing. De airco maakte de lucht in de bar kunstmatig koel en vochtig.

Op de vraag of ze een man en kinderen had, klonk haar korte antwoord bitser dan ze bedoelde. Ja, ze was getrouwd, met een collega. Nee, ze hadden geen kinderen. Daar waren ze nog niet aan toegekomen. In Zweden wacht men vaak tot alle opleidingen zijn voltooid en het einde van haar proefschrift kwam nu in zicht, dus binnenkort zou haar grootste wens – en die van Björn – misschien kunnen worden verwezenlijkt. Ja, misschien, had ze zuchtend gedacht, waarna ze nodig naar het toilet moest.

In de spiegel zag ze haar rode wangen en het uitgezakte knotje op haar hoofd. De vetvlek op haar sjaal prijkte midden op haar borst. Het was nu werkelijk bedtijd, ze moest alleen nog betalen.

Terwijl ze op de rekening stonden te wachten, vertelde de Amerikaan tussen neus en lippen door dat hij ook geen kinderen had. Hij was de ware nog niet tegengekomen, zei hij terwijl hij met zijn loensende oog knipoogde. Stond hij met haar te flirten? Ellen wist niet goed hoe ze dit moest interpreteren, aangezien het lang geleden was dat ze de paringsdans had gedaan, als ze die al ooit gedaan had.

Gek genoeg hadden ze nauwelijks over de reden van hun verblijf in Zambia gesproken. Dat was voor Ellen een hele opluchting, omdat ze gewend was rond dat onderwerp ontwijkende antwoorden te moeten geven. Misschien had ze daarom wel zulke persoonlijke dingen over haar familie verteld.

Tegen het eind van de avond, toen het inmiddels veel te laat was en de barman met de rekening kwam, waarvan Ellen pas na wat gekibbel de helft mocht betalen, wist ze nog een paar plichtmatige zinnen over haar gelukkige huwelijk uit haar mond te persen, om hem duidelijk te maken dat hij zich niets in zijn hoofd moest halen. Hij gaf haar een scheef lachje en knipoogde opnieuw met zijn loensende oog.

Daarna verdween hij achter de automatische liftdeuren.

Eigenlijk is ze moe en zou ze moeten gaan slapen, maar ze voelt zich eenzaam in de hotelkamer. Televisiekijken is ook geen optie, want bij de hopeloze Zambiaanse staatstelevisie hebben ze hun boeltje opgepakt en zijn ze naar huis gegaan, op het filmkanaal wordt dezelfde film als in het vliegtuig vertoond en op de *BBC* zenden ze geen recent nieuws meer uit. Alleen de christelijke Evangelische Omroep is nog in de lucht. Ellen zet de tv uit.

Opeens krijgt ze de ingeving dat haar gelukkige huwelijk een cadeautje heeft verdiend. Björn is zeker nog wakker en zal een kus door de telefoon van zijn aangeschoten vrouw vast weten te waarderen.

Als de telefoon vier keer is overgegaan, slaat het antwoordapparaat aan en legt ze neer. Mobiel bellen is al duur genoeg, ze heeft geen behoefte haar eigen gebabbel op het antwoordapparaat aan te horen. Björns mobiel dan? Maar die neemt hij ook niet op. Hij zal vergeten zijn hem aan te zetten, of hij heeft de muziek in zijn auto zo hard staan dat hij hem niet hoort. Of misschien zit hij nog op zijn werk.

Als ze niet zo'n keurig opgevoed meisje was, zou ze misschien met twee flesjes mousserende wijn uit de minibar naar de etage van die vriendelijke Amerikaan zijn geslopen. Ze gniffelt bij het idee zijn verbaasde gezicht te zien en de kans is groot dat hij zou zeggen dat hij te moe was en geen tijd of zin meer had om nog met haar om te gaan. Dat zou voor een welopgevoed Zweeds meisje vreselijk gênant zijn. Bovendien weet ze zijn kamernummer niet, en zelfs niet meer precies hoe hij heet.

Ze loopt het balkon op en kijkt omlaag naar het zwembad. Het is er donker en stil, maar een eindje verderop, bij de oprit naar het hotel, is de handel in volle gang. Twee auto's staan met koplampen aan te ronken, kennelijk heeft een van de twee een kapotte uitlaat. Meisjes in korte rokjes verdringen zich rond de auto's. De bewaker kijkt de andere kant op.

Ellen wurmt zich weer in haar jurk, pakt de sleutel van het hangslot, opent een van de koffers en pakt er een doosje condooms uit met het etiket *Groene Mamba*. Met de condooms onder haar arm en het pasje van haar kamerdeur in haar zak, neemt ze de lift omlaag en loopt ze via de hoofdingang naar buiten. De nacht is warm en aardedonker. Er is geen maanlicht. De nachtportier, die op zijn stoel onder de lamp is ingedommeld, staat haastig op en zegt:

– Een taxi, mevrouw?

– Nee, ik ga alleen een stukje lopen.

– Lopen? Op dit tijdstip? Dat lijkt me niet zo verstandig.

– Niets aan de hand. Ik ben zo weer terug.

De portier vraagt zich af of het bij zijn werk hoort idioten die iets stoms van plan zijn eventueel met harde hand tegen te houden, maar besluit dat dit waarschijnlijk niet het geval is. Maar mocht de vrouw de omgeving van het hotel verlaten en de straat op gaan, dan moet hij de receptie onmiddellijk waarschuwen.

Dapper loopt Ellen verder over het grintpad. De bewaker in het wachthuisje, druk bezig de activiteiten in de straat te negeren, krijgt opeens iets anders interessants in het oog. Een blanke vrouw die in volle vaart op hem komt aflopen.

– Een taxi mevrouw?

– Nee, bedankt.

Ellen loopt op de groep af, die onder een lantaarnpaal uit een pak bier van het aller-goedkoopste merk staat te drinken. Het jongste meisje, met nauwelijks zichtbare borsten in haar diepe decolleté, ziet haar het eerst. De andere meisjes kijken op en de drie jonge mannen in de roestbak zonder uitlaat fluiten uitdagend. Ze overstemmen bijna het ronken van de motor. De andere wagen, een goed onderhouden auto met vierwielaandrijving van een ontwikkelingswerker, gaat er als een haas vandoor. Het zal niet, denkt Ellen, terwijl ze zich afvraagt of het iemand was die ze kent.

– Wat wil je? vraagt een van de meisjes. Ze klinkt zowel stoer als angstig.

– Ik kom jullie alleen een cadeautje brengen, zegt Ellen, terwijl ze de doos condooms tevoorschijn haalt. Als jullie hier werkelijk willen rondhangen, gebruik deze dan in elk geval.

– Wat heb jij daarmee te maken? vraagt een van de oudere meisjes op agressieve toon. Ze heeft een kunstig opgestoken kapsel en draagt rode sandaaltjes met hoge, schuin aflopende hakken. Donder op naar je chique hotel en hou je 'cadeautjes' bij je.

De jongens in de auto lachen hard, de bestuurder toetert en de meisjes komen rond Ellen staan. Ze lijken niet erg dankbaar, denkt de portier in het wachthuisje, eerder geïrriteerd. Hij moet ingrijpen voor het mis gaat. In het wachthuisje hangt een geweer. Hij haalt het tevoorschijn en sjokt op de groep af. De meisjes gaan ervandoor en de gammele auto met een ronkende uitlaat scheurt weg.

Ellen kijkt verbaasd naar de bewaker met zijn wapen.

– Dat was helemaal niet nodig, zegt ze, terwijl ze zijn bedoeling wel snapt.

– Oké, zegt ze tegen de bewaker. Neem jij ze maar – ze geeft hem de kartonnen doos – en geef ze aan de meisjes als ze wat zijn gekalmeerd.

– Natuurlijk, liegt de bewaker.

Met kaarsrechte rug loopt Ellen terug naar het verlichte hotel en gaat door de draaideur naar binnen.

– Idioot mens, briest de portier.

De sterkste jeugdherinneringen heeft Ellen aan de zondagse lunches. Niet omdat de maaltijden zo uitzonderlijk gastronomisch waren – ze bestonden meestal uit ingeblikte haring met amandelvormige aardappeltjes – of omdat het altijd zo gezellig was, maar misschien omdat iedereen thuis was. Of beter gezegd, omdat haar vader thuis was.

Op andere dagen zaten er meestal alleen vrouwen aan tafel – mamma, Ellen, Kristina en Maria. In haar herinnering was haar vader zelfs op zaterdag nooit thuis. 'Bijeenkomst', of 'cursus', of 'vergadering', of 'zakelijk diner', werd er gezegd. Ellen heeft zich wel eens afgevraagd of er misschien iets heel anders aan de hand was, of haar vader misschien een dubbelleven leidde, maar dat gelooft ze uiteindelijk toch niet. Haar vaders minnares heette de Arbeidersbeweging.

Hij ontbeet weliswaar thuis, maar zat dan altijd weggedoken achter het *Västerbottens Folkblad*. Hij las, gaf commentaar, at zijn havermoutpap en slurpte. Als hij niet thuis was en hun moeder niet luisterde, imiteerden de meisjes hem. Op zijn analyserende uiteenzettingen over de situatie in de wereld en in zijn gemeente verwachtte hij een instemmend gehum, in ieder geval van zijn vrouw. Als hun moeder niet reageerde, liet hij zijn krant zakken en keek haar dwingend aan, waarna ze snel begon te hummen, zelfs als ze bij het fornuis met haar rug naar hem toe stond. Ook als ze niet bewust luisterde naar wat er om haar heen werd gezegd, stond haar antenne voor het opvangen van krantengeritsel op scherp. Als het geritsel op een bepaalde manier werd onderbroken, wist ze dat ze moest hummen. En dus humde ze.

Toen de meisjes ouder werden richtte hun vader zich soms tot hen, meestal tot Ellen, die de oudste was.

– Wat vind jij hiervan?

– Is het niet schandalig?

Daar had hij niet van terug!

Ook dan was hummen voldoende, een serieuze reactie verwachtte hij niet van zijn familie.

Tijdens de tienerjaren van de meisjes ontstond er aan de ontbijttafel af en toe een hevige ruzie. Het kon dan gebeuren – hoewel dat niet zo vaak voorkwam – dat Ellen of Kristina hun vaders commentaar op de krantenartikelen in twijfel trokken. Na wat felle argumenten heen en weer kon Stig dan plotseling driftig opstaan, waarbij de houten keukenstoel van het postorderbedrijf van Ikea tegen de radiator knalde. Hij stoof dan verbeten de gang in, rukte zijn jas van de kapstok waarbij de klerenhanger op de grond viel en sloeg de deur met een klap dicht. Zijn voetstappen galmden door het trappenhuis en in de keuken werd het doodstil.

Maar de zondagse lunches waren anders. Weliswaar moest Stig altijd later op de dag nog naar een vergadering, een stapel papieren doorwerken of nog even terug naar kantoor, maar de lunches waren voor hem heilig. Hij gunde zichzelf één of twee borrels – als hij daarna tenminste niet hoefde te rijden – waarbij hun moeder van zijn glaasje nipte.

Soms vertelde Stig een komisch verhaal over zijn zogenaamd arme kindertijd. 'Het enige wat we te eten kregen waren aardappelen met zout', waarbij zijn dochters altijd in lachen uitbarstten. Het was namelijk helemaal niet waar, in Varmvattnet was altijd voldoende voedsel geweest, maar zijn streng religieuze ouders hadden hoge eisen aan hun enige zoon gesteld. Zijn wraaklust was groot. Evenals zijn kracht en zijn succes.

Thuis bij haar moeder Marianne had haar opa – die Ellen nooit had ontmoet en wiens naam zelden viel – van het geld voor haar schoolreisjes brandewijn gekocht. Maar daar werd tijdens de zondagse lunches nooit over gesproken. De verhalen over de armoede in huize Olofsson moesten vooral heroïsch zijn, het liefst doorspekt met muzikale citaten uit *de Internationale*: 'Ontwaakt, verworpenen der aarde! Ontwaakt, verdoemd' in hongers sfeer!'

Pas nu Stig er niet meer is komen bij de moeder van de meisjes de herinneringen uit de diepte naar boven. Het meest vertelt ze aan dochter Kristina, de luisteraar. Dochter Ellen, de knappe kop, hoort de verhalen uit de tweede hand als Kristina ze haar wil vertellen en

Ellen zin heeft ernaar te luisteren. Dochter Maria, de problematische, krijgt niets te horen.

Maar de zondagen waren fijn. In Ellens herinnering was het altijd zonnig in de op het zuiden liggende keuken. Het tafelkleed had oranje bloemen en aan de rand van de borden zat een symmetrisch motief. Het servies was een huwelijksgeschenk geweest en was nog helemaal intact, iets waaraan Stig menigmaal memoreerde: 'Heb ik jullie wel eens verteld dat het hele servies nog compleet is, dat er geen bordje is waar een splintertje glazuur af is?' Ja, dat had hij al verteld. De koffiepot was van het merk *Don Pedro*, en was ouderwets, hoewel hij er zeer modern uitzag. De melkglazen waren van onbreekbaar duralexglas.

De rondbuikige Stig – 'Noem me maar Stick, omdat ik zo mager ben' – was uitermate populair bij Ellens vriendinnen, die hem erg grappig vonden. Hij praatte en lachte met ze, en was dol op woordgrapjes. Het waren weliswaar steeds dezelfde grapjes, die zijn dochters inmiddels vaak genoeg hadden gehoord, maar voor hun vriendinnen was 'Duister? Ik ben helemaal geen Duitser!' nieuw en veroorzaakte altijd gegiechel. Een keer toen Ellens hartsvriendin Lena op bezoek was, had Stig een duralexglas gepakt dat hij voor de grap keihard tegen de muur smeet uit protest tegen iets onrechtvaardigs. Lena werd lijkbleek, maar het glas bleef heel. Iedereen lachte en Lena lachte het hardst van allemaal. Laatst, toen Ellen haar oude vriendin op het postkantoor was tegengekomen, had Lena die herinnering weer opgerakeld. Onvergetelijk. Zoiets dols had niemand in haar familie ooit uitgehaald.

Het tafelblad was van gelamineerd plastic. Wat was er met die plastic tafelbladen gebeurd? Werden die tegenwoordig voor een hoop geld op retro-veilingen verkocht? Samen met de theedoeken met tulpmotief? Of de geknoopte kleedjes? Soms loopt Ellen in de stad een tweedehands winkel in, voornamelijk uit pure nostalgie. Ze koopt er nooit iets. Ze heeft al genoeg prullaria in huis. Kristina daarentegen is dol op spullen uit haar kindertijd en verandert graag van stijl. Toen Ellen laatst op bezoek was had haar zus de tafel gedekt met een splinternieuw servies, model jaren vijftig, en zelfs een – poepdure – vlinderstoel op de kop getikt, waarin ze oncomfortabel wijdbeens haar telefoongesprekken voert. Maar die geknoopte kleedjes gaan zelfs haar te ver. Alleen hun moeder heeft ze nog, maar die heeft ze dan ook zelf gemaakt.

Ellens ouders trouwden op jonge leeftijd, maar hadden laat kinde ren gekregen, dus had haar moeder ondertussen heel wat kleedjes kunnen knopen. De laatste jaren heeft Ellen zich dikwijls afgevraagd of die kinderloosheid destijds een bewuste keuze was of dat er de eerste achttien jaar gewoon geen kinderen waren gekomen. Marianne was achtendertig jaar toen Ellen werd geboren, daarna waren haar zussen gevolgd, met steeds een jaar ertussen. Het is nooit in Ellen opgekomen er eens naar te vragen, terwijl haar beroep en haar eigen ervaring van de laatste jaren haar daartoe alle recht geven. Typisch, denkt ze. Typisch wij.

Ellens zuster Kristina was een periode lid van een internationale jongerenorganisatie geweest. Dat was voor Stig nauwelijks te verteren, maar zijn argumenten raakten uitgeput, iets dat zelden voorkwam. 'Waarom zouden we een grens voor solidariteit bij Bottenviken trekken?' vroeg Kristina. Maar rijstvelden en uitbreiding van de woestijn was voor Stig een ver-van-mijn-bed-show. Hij begreep geen snars van de debatten over globalisering. De Amerikanen hadden Europa wel mooi uit Hitlers greep bevrijd.

Toch kan Ellen zich herinneren dat Kristina en Stig op nagenoeg gelijkwaardige manier met elkaar discussieerden. Niet dat alles wat werd gezegd even respectvol was, er vielen soms hardere woorden dan anders, maar toch. Stig worstelde met de problemen in de derde wereld, en als het Kristina lukte de vrijheidsstrijd in die landen te beschrijven in een terminologie waarmee Stig bekend was, zoals onderdrukking, menselijke waardigheid en zelfbeschikkingsrecht, schudde Stig zijn hoofd waarna hij opstond en in zijn papieren en protocollen wegdook, maar aarzelend en zonder luidruchtig zijn stoel om te gooien.

Ellen nam zelden deel aan deze discussies. Ze was niet politiek geïnteresseerd, ook al stopte ze wel eens wat muntjes in de collectebus waarmee Kristina voor de *Domus*-supermarkt stond. Ellen was de stille en de ijverige. Iemand die uit zichzelf opstond om de tafel af te ruimen, op discrete wijze de onaangeroerde borrelglaasjes van haar moeder leegde, de afwasteil liet vollopen en koffie zette terwijl de discussie verderging. Het had lang geduurd voor haar betrokkenheid was begonnen te groeien. Haar moeder zei nooit iets, maar vond het fijn de hele familie bij elkaar te hebben en was blij zelf niet te hoeven afwassen. En Maria? Ellen herinnert zich niet eens waar haar zus altijd zat.

Veel later, toen alle zussen het huis uit waren en de familie alleen nog met kerst of voor bijzondere verjaardagen bij elkaar kwam, kon Stig het onderwerp – de derde wereld – weer aansnijden. Hij had het bij het verkeerde eind gehad, zei hij. Het was op zich al bijzonder dat Stig Olofsson erkende dat hij het bij het verkeerde eind had gehad. Nu wist hij dat er iets moest gebeuren, ook al gebeurde het onrecht een heel eind verderop. Men moest zijn tijd niet in bibliotheken en onderzoeksruimtes verspillen.

– Dus, hoe is het meisjes, hebben jullie de laatste tijd nog iets van blijvende waarde gedaan!?

Chongwe-District, Zambia
4 februari 2004

Beauty trekt het versleten zeil opzij dat het dorpstoilet afbakent. Sinds de dood van Puni voelt ze zich niet lekker. Haar darmen zijn van slag en ze moet vaak van de steenfabriek naar de wc rennen. Ze is ongerust.

Ze loopt naar haar huis, werpt een blik op haar slapende jongste kind en haalt een kam door haar korte krullen. Op weg terug naar de steenfabriek ziet ze dat twee dorpsbewoners blijven staan en iets tegen elkaar zeggen dat ze niet kan verstaan.

Niemand praat er rechtstreeks met haar over, maar de geruchten over hekserij zijn weer opgelaaid. Veel dorpsbewoners komen tegenwoordig naar het plekje vlak achter haar huis, waar ze dan even in de bosjes rommelen en vervolgens weer weglopen. Beauty weet waarom.

Op die plek is ooit Mama Mooni begraven, een vrouw die in een naburig dorp tot heks was verklaard. Of liever gezegd – daar ligt een deel van Mama Mooni begraven. Ze was namelijk zo sterk dat geen enkel dorp het hele lichaam durfde te begraven uit angst voor haar energie. Ze geloofden dat haar hele wezen anders in haar geboortedorp zou blijven rondspoken en daar alles zou kunnen vernielen en vernietigen.

Dus werd haar lichaam in stukken gehakt en werden de diverse lichaamsdelen in vier verschillende nabijgelegen dorpen begraven. Een been, een arm en de helft van haar onderlijf werden in de bosjes achter Beauty's huis begraven. En dat alles uit angst dat ze weer zou kunnen langskomen. De bewoners van haar geboortedorp waren het meest ongerust, omdat daar het hoofd van Mama Mooni werd begraven, maar het was niet meer dan rechtvaardig dat haar geboortedorp, dat immers de hoofdverantwoordelijkheid had, haar hoofd zou nemen. Bovendien was er niemand, hoe sterk dan ook, die het waagde de schedel van Mama Mooni met een bijl in tweeën te hakken. Degene die dat zou hebben gedaan, zou de rest van zijn leven niet meer rustig kunnen slapen.

Het is lang geleden dat Mama Mooni werd begraven, Beauty was nog een klein kind, maar kan zich de ceremonie nog goed herinneren. Beide priesters van het naburige dorp kwamen samen met de heksendokter, ze hadden verschillende methodes, maar hetzelfde doel: Mama Mooni dwingen in het dodenrijk te blijven. Een klein hoopje stenen in de vorm van een piramide zou spokerij kunnen verhinderen en aangeven waar de heks lag begraven.

Na de begrafenis werd er veel over Mama Mooni gesproken. Als er 's nachts was van de waslijn was verdwenen, zei men dat Mama Mooni langs was geweest. Toen de derde zoon van Motele stierf, werd dat aan de verjaardag van Mama Mooni toegeschreven, hoewel eigenlijk niemand wist op welke dag ze jarig was. Als de maïsoogst goed was had Mama Mooni veel rustige nachten gehad. Stiekem controleerden de dorpelingen of de steenpiramide nog op zijn plaats lag.

Maar de tijd ging snel en voor de meeste dorpsbewoners was het verhaal over Mama Mooni alleen nog een legende waarmee ze hun ongehoorzame kinderen bang konden maken. En zelfs voor de kinderen werd de heks uiteindelijk steeds minder gevaarlijk. Spelende jongetjes maakten meisjes aan het schrikken door uit de bosjes te springen en 'Mama Mooni' te roepen. De meisjes schaterden het dan uit.

De begraafplaats raakte begroeid. De stenen verdwenen in de aarde of werden voor iets anders gebruikt. Niemand bekommerde zich langer om het graf. Als dat mens naar boven wil komen, moet ze zich wel eerst een weg door alle wortels graven, had Beauty's vader gegrinnikt.

Iedereen vergat Mama Mooni, behalve Beauty. In haar fantasie werd de heks achter het huis iedere nacht groter. Ze zag het in stukken gehakte lichaam door de wortels omhoog kruipen, op jacht naar haar. Als ze iets bij de bosjes zag bewegen, sloot ze zich in huis op en verstopte ze zich in een hoekje. Op moedige dagen liep ze ver het bos in waar ze de grootste stenen haalde die ze kon dragen, om ze in de vorm van een piramide op het graf te leggen of in elk geval op de plek waar ze dacht dat het graf was.

Hoewel ze tien jaar was, begon Beauty 's nachts in bed te plassen, omdat ze niet in het donker naar buiten durfde te gaan. Ze kon niet meer stoppen met huilen als jongetjes uit de bosjes sprongen en 'Mama Mooni' riepen, wat het voor hen alleen nog maar leuker maakte. Ze werd vaak door nachtmerries uit haar slaap gehaald en op het laatst moest haar moeder bij haar blijven als het donker werd.

De situatie werd onhoudbaar. Beauty's moeder had nog acht kinderen, waarvan de meesten jonger dan Beauty waren. Beauty moest werken en meehelpen, ook tijdens de avonden. Bovendien moest Beauty's moeder beschikbaar zijn voor haar werk als vroedvrouw, zelfs 's nachts.

Op een vroege ochtend pakte de moeder haar dochter bij de hand en begon te lopen. Tegen het middaguur rustten ze een poosje onder een acaciaboom, waar ze wat water dronken dat ze hadden meegenomen. Daarna liepen ze verder. Pas tegen de tijd dat de hemel rood begon te kleuren kwamen ze aan.

Beauty's moeder had een afspraak gemaakt met een van de wijste mensen die ze kende, de verpleegster van de kliniek.

De op blote voeten lopende vroedvrouw was al twee keer eerder in de kliniek geweest, maar nu had ze de verpleegster een bericht gestuurd waarin ze om hulp had gevraagd. Een van de oudere mannen uit het dorp, een uitzonderlijk gefortuneerde vent, die naar de kliniek ging voor zijn halfjaarlijkse dosis malariapillen, had haar bericht meegenomen:

– Mijn dochter is tien jaar en doet het heel goed op school. Ze kan voor haar familie, haar dorp en haar volk van grote waarde zijn. Maar dan moet ze ophouden in heksen te geloven. Kunt u me helpen?

De man kwam met een brief terug en Beauty's moeder moest de hulp van haar dochter inroepen om hem te kunnen lezen. Er stond:

– Ik help jullie graag. Neem haar mee hiernaartoe, dan zal ik zien wat ik kan doen. Ik heb een aantal boeken, jij weet zelf ook een heleboel en misschien helpt mijn witte uniform ook mee.

Dat deed het zeker.

Twee lange avonden, na sluitingstijd van de kliniek, zat Beauty met haar moeder en de verpleegster te praten.

Beauty vertelde over de verschrikkelijke verhalen die ze over Mama Mooni en andere heksen had gehoord. Haar moeder vulde de geschiedenis aan met andere mythes over hekserij. Met een aantal ideeën kon Beauty's moeder zelf korte metten maken door daar natuurlijke verklaringen voor te geven, terwijl de verpleegster andere, vooral aan ziekte gerelateerde ideeën aanpakte. Met behulp van plaatjes in boeken liet ze zien dat je buikklachten van smerig water krijgt en hoe malariamuggen koorts verspreiden. En ook hoe kinderen worden verwekt, in de buik van hun moeder groeien en dan worden geboren. Terwijl Beauty haar moeders hand vasthield, luisterde ze met grote ogen. Overdag, als de verpleegster in de kliniek werkte, mochten ze haar helpen. Ze desinfecteerden het gereedschap en waren onder de indruk van de schone doeken. De heksen waren ver weg.

Maar – en dat is wat Beauty zich het best kan herinneren – voor de eerste en enige keer in haar leven was Beauty alleen met haar moeder. 's Nachts sliep ze op een mat in de kamer van de verpleegster, op de arm van haar moeder, en al vanaf de tweede nacht had ze geen last meer van nachtmerries.

Sinds die tijd gelooft Beauty niet meer in heksen.

De laatste baksteen is klaar en Beauty spoelt haar handen af in het grijze kleiwater in de emmer bij de put. Haar rug doet pijn als ze haar lichaam strekt. Ze gaat naar huis en wil naar binnen lopen om de pan voor de pap te halen.

In het scherpe licht van de namiddagzon is het moeilijk alles duidelijk te zien. Ze knijpt met haar ogen.

Ja, ze heeft het goed gezien.

Op haar trap, bij de buitendeur, ligt een klein hoopje stenen, keurig opgestapeld in de vorm van een piramide.

– Wat is dat, mamma? vragen haar kinderen, die net uit school zijn gekomen.

Washington post, VS, 1 februari 2004

Dochter rechter McArthur vermoedt misdrijf
'Mijn vader werd bedreigd'

Op het lichaam van de rechter van het Hooggerechtshof, Vernon McArthur, die afgelopen woensdag in zijn huis is overleden, zal sectie worden verricht.

'De dochter van rechter McArthur heeft een volledig politieonderzoek naar de doodsoorzaak geëist, bevestigt hoofdcommissaris Stephen Chu van de politie van Washington. De achterliggende reden is dat de dochter tussen de erfenispapieren een dreigbrief heeft gevonden, die aan haar vader is gericht.

'Ik weet niet wie deze brief heeft geschreven, of wat er achter zit, maar mijn vader werd met de dood bedreigd', zegt dochter Jane McArthur tegen de *Washington Post*.

'De arts van mijn vader gelooft ook niet dat mijn vader opnieuw door een hartinfarct is getroffen. Ik eis een sectieonderzoek, zodat de politie de werkelijke doodsoorzaak kan vaststellen.'

Lusaka, Zambia
5 februari 2004

Ellen wordt wakker van een zonnestraal die midden op haar gezicht schijnt. Het laken zit als een zweterige prop rond haar benen gewikkeld. Met gesloten ogen probeert ze haar droom weer op te roepen, want ze heeft het gevoel dat die belangrijk is.

Het is winter en het is koud. Het is nacht of in ieder geval avond. Ze komt met hoge snelheid over een geveegde, maar ongepekelde winterweg aanstuiven. Langs de kanten liggen hoge hopen sneeuw. Zit ze op een stepslee? Of duwt ze een kinderwagen voort? Het moet een kinderwagen zijn, of anders een stepslee met een bakje, want plotseling kiept de wagen om en vallen er drie pakketjes in de sneeuw. Geschrokken zoekt ze ze bij elkaar, want het zijn drie kinderen, die zo stevig zijn ingebakerd dat het mummies lijken. Drie piepkleine pakketjes. Björn is er ook en helpt haar. De pakketjes zijn nog heel en de kinderen leven. Het kleinste pakketje past precies in haar hand.

Ze is wakker en beseft dat ze heeft gedroomd.

Achter haar gloeiende oogleden voelt ze nog de schrik zitten, omdat ze bijna – ja, wat eigenlijk? De kinderen heeft gedood? Ze heeft verloren? Slordig is geweest?

De zon moet bij haar voeten zijn begonnen en langzaam haar hele lichaam hebben opgewarmd voor hij door haar oogleden haar netvlies bereikte. Had ze vannacht de gordijnen niet goed dichtgedaan? Ze heeft dorst en pijn in haar hoofd. Waar is de fles mineraalwater? Hoe laat is het? Half acht. Ze moet Blessing bellen!

Ellen bladert door haar adressenboekje, terwijl ze haar derde glas sap leegt. De ober met zijn warme, brede lach, kijkt ongerust naar het koud geworden roerei op haar bord. Terwijl hij met een koffiekan in zijn hand op weg is naar een blanke man met zeer kort haar, die helemaal achter in de hoek van de ontbijtzaal zit, blijft hij bij Ellens tafeltje staan.

– Voelt mevrouw zich niet lekker?

Ellen knikt vaag. Nee, ze voelt zich niet lekker en nee, ze wil het daar niet over hebben.

– Maagklachten?

– Zal ik u thee brengen in plaats van koffie?

– En een hoofdpijntablet?

Het lukt Ellen niet een glimlach te onderdrukken. De ober heeft wel vaker iemand met een kater gezien.

– Nee, bedankt. Ik heb zelf pillen bij me. Maar graag nog een glas sap en misschien kunt u me er een glas melk bij geven.

Ze neemt haar malariatablet in – daar heeft ze in elk geval aan gedacht – en bladert verder in haar adressenboekje terwijl ze een voorzichtig slokje van haar koffie neemt. Die smaakt niet lekker.

Vreselijk stom dat ze gisteren zoveel wijn heeft gedronken. Toen ze naar de ontbijtzaal liep zag ze in de bar de Amerikaan zitten van wie ze nog steeds de naam niet weet.

Ze had gewoon niet zoveel wijn moeten drinken. En dan ook nog cognac bij de koffie! De pijn heeft zich op een plek boven haar rechteroog vastgezet en de pillen helpen niet, of misschien was het zonder pillen nog erger geweest. Nu is het zaak zich te concentreren. Ze heeft de e-mailadressen van alle *Junta*leden, dus als ze hun een mail stuurt, kunnen ze die vandaag overdag lezen en een plek afspreken om bijeen te komen waar zij ze kan bellen.

Tot nu toe is alles goed gegaan. Geen ontdekkingen, geen verdenkingen, geen gedoe. Ellen ziet in dat het zo niet eindeloos kan doorgaan. Hoe stressbestendig is de kleine groep eigenlijk?

Hoe gaan we vanaf hier verder? Wie zal het meest nerveus worden? Wie is, als het nodig mocht blijken, het meest daadkrachtig? Is er een risico dat iemand zijn mond voorbij praat? De stabiliteit van de *Junta* is nog nooit in een crisissituatie getest, ook al hebben ze geprobeerd zich erop voor te bereiden.

Agneta? Nee, zij is zo ervaren. Naast Ellen is zij de enige die Afrika echt goed kent. Ze is door met kapmessen bewapende tieners met de dood bedreigd en heeft de wonden van verkrachte jonge meisjes gehecht. De twee jaar als verpleegster bij Artsen zonder Grenzen in de burgeroorlog van Rwanda hebben haar een dikke huid en stalen zenuwen bezorgd, waarmee ze soms in het ziekenhuis van Huddinge de onzekere vrouwen, die voor de eerste keer zwanger zijn, kan afschrikken. Nee, op haar kun je vertrouwen.

Dat geldt ook voor Inga. Zij heeft dagelijks contact met de politie, maar veel van wat ze doet gebeurt buiten de wet om. Het opvanghuis voor vrouwen, waarvan ze woordvoerder is, werkt nauw samen met de politie, maar Ellen weet dat Inga een aantal keren asielzoekers die op de vlucht waren heeft helpen onderduiken. Inga's sterke drijfveer is ontstaan toen ze als tiener een verplichte illegale abortus heeft ondergaan die haar bijna het leven heeft gekost en waardoor ze voor altijd kinderloos is gebleven. Als ze wat brandstof voor haar woede nodig heeft, hoeft ze maar een kwartiertje in de keuken van het opvanghuis naar de verhalen van mishandelde vrouwen te luisteren. Bovendien is ze al vrij oud. Ze zegt vaak dat ze met de jaren steeds minder bang is geworden. Wie zou een zeventigjarige willen aanvallen? Vrijgezel en geen kinderen. Wat heeft zij te verliezen?

En dan Anne-Marie. Zij is de groep eigenlijk via de zijdeur binnengekomen en was vanwege haar contacten al snel erg welkom. Ze had Inga bij het opvanghuis ontmoet, waar ze bij de vrouwentelefoon werkte. Zij is voor de groep de link met de farmaceutische industrie. Ze werkt als secretaresse voor de marketingdirecteur van het bedrijf *Medici*, een functie die, sinds *Medici* zich meer met het project heeft ingelaten, steeds belangrijker is geworden. Dat Anne-Marie lesbisch is en met Åsa samenleeft, weet de hele groep.

Maar ze weten ook een heleboel niet.

De *Junta* is vaak onder de indruk van Anne-Marie's kennis van de Zweedse wetgeving. Zodra iemand zich ergens ongerust over maakt, zoekt Anne-Marie het uit en weet ze de situatie haarscherp uit te leggen en meestal de ongerustheid weg te nemen. Ze zegt dat dat komt omdat ze haar propedeuse rechten heeft, maar dat is niet de enige reden. Anne-Marie is ronduit ijzersterk in het plannen van zaken.

Juist nu de storm rond de groep begint aan te wakkeren, is Ellen blij dat ze op de hoogte is van Anne-Marie's criminele verleden. Anne-Marie kan weliswaar meedogenloos en onbevreesd zijn, maar ze is vooral extreem berekenend. Ze zouden haar wel eens hard nodig kunnen hebben.

Ellen doet haar adressenboekje dicht en stopt het potje malariapillen in haar rugzak. De ober komt haastig met een glas vruchtensap aanlopen, dat ze dorstig achterover slaat.

Voor één keer staat er eens geen rij bij de computer en is er zowaar ook een goede internetverbinding.

– Belangrijk! We moeten praten. Laat me per mail weten wanneer jullie morgen bij elkaar kunnen komen, en bel me dan op mijn mobiele nummer. Ik zorg ervoor dat ik op een plek ben waar we ongestoord kunnen praten. Ellen.

Chongwe-District, Zambia
5 februari 2004

De gloeilamp, vol dode vliegen, schommelt iedere keer als de deur wordt opengedaan heen en weer. En dat gebeurt nogal eens. Jongeren lopen naar binnen, staan een tijdje langs de kant te kijken, gaan weer naar buiten en komen terug met andere vrienden. Uit de bar aan de overkant van de straat klinkt swingende muziek en in de ruimte ernaast, niet meer dan een soort gat in de muur, staat een biljarttafel waar veel jongeren op afkomen.

Naast de lamp aan het plafond hangen boeketjes droogbloemen en op de bank naast Ellen liggen stapels stevige batikstof. Ellen weet dat de stof in de was verschrikkelijk afgeeft, want ze heeft thuis in Zweden zeker een lap of vijf in de kast liggen. Die heeft ze gekocht om de groep jongeren te steunen die het lokaal onderhouden, de bloemen plukken, de stof bedrukken en straattheatervoorstellingen over seks en aids spelen.

Vanavond heeft de groep Ellen en de vroedvrouw Beauty gevraagd informatie over condooms te geven.

Ellen, Beauty en Joseph zijn hier al vanaf vier uur en hadden gedacht dat ze klaar zouden zijn voor de schemering over het marktplein zou vallen, maar er komen steeds weer nieuwe jongeren binnendruppelen en Ellen wil dat iedereen haar boodschap meekrijgt, dus begint ze telkens opnieuw.

Buiten in de steeg is het geluidsniveau sterk toegenomen. Verschillende gettoblasters concurreren met elkaar en het harde geluid van de stemmen verraadt de toegenomen consumptie van 'shaky-shaky', het goedkope bier dat in kartonnen pakken wordt verkocht.

Ellen heeft haar houten penis bij zich, een statige fallus die altijd een golf van gegiechel teweegbrengt als ze hem tevoorschijn haalt.

– Weten jullie wat dit is? vraagt Ellen, terwijl ze een condoom van het merk 'Succes' maximaal uitrekt en over de houten piemel trekt. Verlegen gegiechel, vooral onder de meisjes.

Ja, dat weten ze. Velen knikken, maar niemand wil iets zeggen.

Het is sowieso nogal ongebruikelijk over seks te praten, en al helemaal met volwassenen. Bovendien is Ellen blank en de meeste moeders van de jongeren kennen Beauty. Ten slotte staat Charley van de theatergroep op en richt zich tot de groep jongeren.

– Natuurlijk weten jullie wat dit is. Maar weten jullie ook waar het voor dient?

– Om seksueel overdraagbare ziektes tegen te gaan, fluistert een jongeman met een bril.

– Klopt. En verder?

Ellen heeft voor groepen Zweedse jongeren gestaan, maar daar kreeg ze nooit het antwoord 'om seksueel overdraagbare ziektes tegen te gaan'. Hier is de werkelijkheid anders. Hier gaat het om wel andere risico's dan vruchtbare zaadcellen en gonorroe.

– Om niet zwanger te worden natuurlijk, piept een meisje op de achterste rij.

– Precies. Condooms leveren je een dubbele winst op. Ze voorkomen zowel bevruchting als besmetting. Gebruiken jullie condooms?

– Natuurlijk, bluffen een paar licht aangeschoten jonge mannen, die bij de deur staan. Elke dag! We kunnen de hele doos wel meenemen!

Beauty loopt rond en deelt pakjes condooms uit. Aanvankelijk willen de meeste meisjes er niets van weten – ze willen niet voor hoer worden uitgemaakt – maar als Beauty zegt dat ze ze ook als cadeautjes kunnen weggeven, frommelen ze snel een paar pakjes in hun handtas. Een aantal jongeren pakt de gift niet aan en neemt tijdens de hele presentatie een afstandelijke houding aan. Een meisje heeft demonstratief een bijbel op haar schoot gelegd. De luidruchtige jongens laten hun pakjes condooms vallen, maar rapen ze weer op en leggen ze in een binnenstebuiten gekeerde pet.

De jongens hebben een agressieve houding en Ellen is blij dat Beauty erop stond dat haar man, de stevig gebouwde Joseph, mee zou gaan. Hij staat buiten bij de ingang en kijkt af en toe naar binnen. Op zijn rug draagt hij de rugzak van het merk *Fjällräven*, die hij jaren geleden van Ellen heeft gekregen. In de rugzak zit een deel van de inhoud van Ellens afgesloten koffers uit haar hotelkamer. Doosjes medicijnen, vacuümpompen, rubberhandschoenen en ontsmettingsmiddel.

– Trouwens, zegt een van de stoerste van het clubje jongens. Ik vraag me iets anders af.

– Wat dan? vraagt Ellen.

– Ik vraag me af wat jij iemand aanraadt die heeft ontdekt dat het meisje toch zwanger is geworden. Als het condoom heeft gelekt of zo. Ik heb al vaak gehoord dat condooms onbetrouwbaar zijn.

– Dat is niet waar, zegt Ellen beslist. Als je voorzichtig met de condooms omgaat en ze niet met een scherpe nagel kapot scheurt, zijn ze volkomen veilig. Kijk maar – ze trekt met volle kracht aan het plastic condoom – denk jij dat je sterker bent dan dit?

De hele groep barst in lachen uit. Dat maakt de jongen er niet vrolijker op.

– Oké, maar als het meisje nou toch zwanger is geworden en het kind niet wil hebben. Wat moet ze dan volgens jou doen? Wat raad jij haar, als blanke dokter uit Europa, aan?

De stem van de jongen is nu zacht en vleiend, hij doet net of hij werkelijk in haar professionele raad is geïnteresseerd.

Beauty kucht vanaf de plek waar ze staat. De vraag is een val en dat weet Ellen maar al te goed. In de groep zijn verschillende jongeren die niets van condooms moeten hebben en die hun ouders zullen vertellen wat Beauty en de blanke dokter hebben gezegd. Abortus is een extreem gevoelig onderwerp.

Maar Ellen heeft deze vraag al vaker moeten beantwoorden.

– Heb je er iemand iets over horen vertellen? vraagt ze.

– Ja, ik heb gehoord dat ze proberen pinnen en breinaalden naar binnen te steken.

– Denk je dat dat een goede manier is?

– Nee, dat lijkt me vreselijk.

– Bovendien is het gevaarlijk, zowel voor de vrucht als voor de moeder. Zo moeten we het dus niet aanpakken.

Ze kijkt rond naar de meisjes in de zaal. Een van hen, een magere tiener met kunstig gevlochten haar en een geruite rok kijkt omlaag en plukt aan de knopen van haar vest. Ellen ziet angst, ja, paniek. Ze moet Beauty vragen om voor het eind van de avond een gesprek met dit meisje te hebben.

– Weten jullie wat de wet over abortus zegt? vervolgt ze.

Nee. Daar hebben ze geen idee van.

– Volgens de Zambiaanse wet is abortus toegestaan, vertelt Ellen, terwijl Beauty bevestigend knikt. Maar om toestemming voor de ingreep te krijgen moet je een doktersattest van drie verschillende artsen hebben. En zijn er in dit district wel drie artsen?

Beauty knikt en schudt daarna met haar hoofd. Voor zover ze weet is er in het hele district niet eens één afgestudeerde arts.

– Dat is dus moeilijk. Maar het is goed te weten dat het niet verboden is.

– Maar jij kunt als buitenlander toch niet een van die artsen zijn? De jongeman provoceert nu openlijk.

– Nee, ik kan hier niet als praktiserend arts werken, zegt Ellen. Ik kan alleen anderen instrueren en informatieve bijeenkomsten zoals deze organiseren. Eigenlijk ben ik hier als onderzoeker. Mijn proefschrift aan de universiteit gaat over Zambia.

De jongen is op ruzie uit, maar zijn vrienden grijpen in en kalmeren hem.

– Als jullie erover denken iets te doen dat gevaarlijk is, moeten jullie me beloven – Ellen houdt haar blik nu strak op het meisje met de geruite rok gericht – dat jullie eerst met Beauty praten. Zij kan jullie misschien helpen. Het beste is natuurlijk als jullie het kind op de wereld zetten en ervoor kunnen zorgen. Praat erover met Beauty!

De jongens sluipen met hun pet vol condooms naar buiten. Schreeuwend stormen ze bij de bar aan de overkant naar binnen. Misschien kunnen ze hun condooms daar voor een paar extra biertjes ruilen.

Langzaam loopt de zaal leeg en Beauty heeft net contact met het meisje met het rokje weten te maken als de deur wordt opengegooid. In de deuropening staat een man van middelbare leeftijd met bloeddoorlopen ogen. Zijn vieze hemd hangt uit zijn broek en zijn ene broekspijp zit vol opgedroogde modder. Hij moet op een glibberig paadje tussen de huizen in de modder zijn uitgegleden.

– Wat is hier aan de hand, lalt hij terwijl de luidruchtige jongens zich achter hem verdringen.

– Er zijn bij mij illegale praktijken gemeld.

Ellen heeft eerder dronken kerels ontmoet. Ze zet haar meest geduldige glimlach op, pakt een flinke berg condooms en loopt op de man af.

– Er is niets aan de hand. Niets strafbaars. Ik ben een Zweedse arts en werk aan het aids-vraagstuk. Ik houd hier een kleine informatiebijeenkomst. Het ministerie van Volksgezondheid is ervan op de hoogte.

Dat is niet helemaal waar, maar als ze dat zegt kalmeren de meeste ruziemakers vrij snel.

– Hier! Ze drukt de condooms in zijn handen. Wie bent u?

– Ik ben de hoofdcommissaris van politie.

De man waggelt en laat de condooms vallen, terwijl hij zijn legitimatie uit zijn borstzakje probeert te halen. Ellen werpt een blik op Beauty, die angstig staat te knikken. Hij is inderdaad hoofdcommissaris.

Beauty's man Joseph wringt zichzelf voorbij het groepje jongens en begint, in een taal die Ellen niet verstaat, op heel rustige toon tegen de politiechef te praten, alsof hij het tegen een kind heeft. Joseph probeert de man mee naar de bar te trekken, zodat Ellen en Beauty ruimte krijgen ervandoor te gaan. Maar niets helpt. De man staat erop dat de vrouwen mee naar het politiebureau gaan en de scheldende jongens in de steeg jutten hem op. De politieagent duwt de vrouwen naar buiten en het lijkt alsof alle mensen uit de bar zich daar hebben verzameld.

Opeens is het bezaaid met mensen. Midden in de mensenmassa worden Ellen en Beauty meegevoerd en komen voorbij allerlei winkels, waar mensen nieuwsgierig naar buiten kijken en zich vervolgens bij de menigte aansluiten.

– Maar we hebben niets strafbaars gedaan, protesteert Ellen met luide stem. De menigte trekt zich niets van haar geklaag aan en Beauty fluistert dat ze beter haar mond kan houden, zodat iedereen kan kalmeren.

Het politiebureau bestaat uit een kamertje met schilferige muren, versleten banken en een hoge balie waar aangiftes kunnen worden gedaan. Ervoor staat een krom vrouwtje. Ze staat breed gebarend tegen iemand te praten en komt nauwelijks boven de balie uit. Als ze de menigte hoort aankomen valt ze stil. Achter de balie is een cel met tralies. De hoofdcommissaris zegt dat Ellen en Beauty daar in moeten. In ieder geval voor de nacht.

– Maar wat hebben we dan gedaan!?

Ellen doet haar uiterste best haar stem rustig te laten klinken en de woede die ze omhoog voelt komen te verbergen. Beauty pakt haar arm beet om haar te kalmeren.

De jonge politiemannen achter de balie kijken verward. Ze begrijpen ook niet wat Ellen en Beauty hebben gedaan, en naar welke overtreding ze kunnen verwijzen om een blanke vrouw op te sluiten, maar de hoofdcommissaris is nu eenmaal de baas, ook al is hij dronken, en een agent steekt zijn nek nu eenmaal niet onnodig uit.

De mensen in de deuropening wringen zich naar binnen. Er hangt een indringende geur van zweet en zelfgebrouwen bier. Opeens voelt Ellen hoe iemand achter haar zich tegen haar aandrukt, een man met een keiharde erectie perst zich tegen haar achterwerk aan. Woedend probeert ze zich om te draaien, maar haar lichaam zit klem in de mensenmenigte. De jonge agenten bladeren in hun papieren, luisteren naar hun chef en proberen iets te vinden waardoor ze zijn opdracht kunnen rechtvaardigen. De hoofdcommissaris zwaait met een sleutelbos, terwijl hij naar de cel achter de balie wijst. De menigte juicht.

Ellen staat een eindje van Beauty af en probeert haar blik achter een groep bezwete tieners te vangen.

– Beauty, sist ze. Wat moeten we doen?

Beauty draait haar normaal zo ontspannen gezicht naar Ellen. Ze ziet er doodsbang uit. Haar lippen zijn strakgespannen en de donkerbruine ogen kijken nerveus in de rondte. Haar voorhoofd zit vol kleine zweetdruppeltjes.

– Ik weet het niet, zegt ze zacht. Maar blijf in hemelsnaam rustig. Maak ze niet bozer dan ze zijn. Als dit zo doorgaat is het voor ons straks veiliger in de cel dan erbuiten.

In één klap maakt Ellens Zweedse gevoel voor rechtvaardigheid plaats voor ijzige angst. Als Beauty in haar eigen omgeving al bang is, hoe bang zou zij dan wel niet moeten zijn? De agressie is de hele tijd vooral op haar gericht, de blanke indringster. Als de ambassade of de overheid zich ermee zouden bemoeien, zou haar veiligheid zijn gegarandeerd, maar hier zijn geen mensen van de ambassade. Zweden is extreem ver weg.

Plotseling maakt de bierlucht haar kotsmisselijk. Ze ademt door haar mond om de stank niet te ruiken.

Als de menigte, en de pik die tegen haar achterwerk drukt, naar voren schuiven belandt ze bijna vlak voor de balie. Een groepje met wat oudere kinderen heeft zich naar voren gewurmd en tussen Ellen en de aangiftebalie staat een tienjarig meisje met haar kleine zusje in een draagdoek op haar rug. Ellen geeft tegendruk naar achteren, zodat het kind niet tegen de balie wordt platgedrukt. Er is geen zuchtje frisse lucht. Iemand krabt in haar nek – proberen ze haar gouden kettinkje los te maken? Ze kan haar armen, die door het gedrang tegen haar lichaam worden gedrukt, niet bewegen. En waar is Beauty gebleven?

Ellens zicht vermindert en het gevlekte affiche achter de balie dat oproept tegen drugsmisbruik, begint voor haar ogen te bewegen. Het zweet loopt van haar voorhoofd en stroomt als tranen over haar wangen. Het zout prikt in haar ogen. Als de mensen om haar heen haar niet zouden ondersteunen zou ze omvallen. Haar benen kunnen haar niet meer dragen.

Dan opeens, midden in een tirade over onzedelijkheid en onwettigheid, zwijgt de hoofdcommissaris. Een jongen die zich door de meute naar voren heeft gewurmd, gaat op zijn tenen staan en fluistert iets in zijn oor. De hoofdcommissaris kijkt in de richting van het plein en beveelt de dorpelingen ruimte te maken, zodat hij naar buiten kan lopen. Ze gehoorzamen, met wat gekibbel, bang dat ze nu een spannend schouwspel zullen mislopen. Door de opening, die wordt gevormd, komt een beetje frisse lucht naar binnen. De mensenmassa rond Ellen maakt ruimte, de erectieman verdwijnt, en ze pakt de balie beet zodat ze niet omvalt. Langzaamaan stopt het affiche met ronddraaien. Met haar vrije hand houdt Ellen de kleverige balie zo stevig mogelijk vast. Haar vingers zijn glibberig van het koude zweet. Als het geduw achter haar is gestopt zoekt ze de blik van een van de politieagenten – mogen ze nu gaan?

Maar dan komt de hoofdcommissaris weer binnenstappen. Hij heeft een groen stapeltje briefjes in zijn hand en stopt het geld op een lompe manier in zijn broekzak.

– Het is in orde, zegt hij tegen de agenten. We laten het hierbij. Ze kunnen gaan.

Tegen alle mensen in het politiebureau en buiten op de stoep brult hij:

– Laat ze erdoor. Ze hadden toestemming. Ik heb het gecontroleerd. Het is in orde. Ga allemaal naar huis!

De menigte gromt ontevreden, maar het is heel wat anders deel uit te maken van een groep die door de politie wordt gesteund, dan tegen de orders van de politie in te gaan.

Verward lopen Ellen en Beauty het politiebureau uit. Op straat staat een Jeep met een draaiende motor. Er zit een blanke man achter het stuur, hij opent het portier aan de passagierskant en gebaart naar Ellen dat ze moet instappen.

– Wat doe jij hier?

– Vraag niet zoveel. Het is beter dat we nu gaan.

– Maar mijn vrienden? Ik kan ze hier niet achterlaten.

Ellen kijkt zoekend rond waar Beauty is, maar ze ziet alleen Joseph.

– Ga nu maar, zegt Joseph. De situatie wordt er niet beter op als jij hier blijft en we moeten dit toch zelf oplossen. Als we dat nu niet doen, krijgen we later opnieuw problemen. Het gaat waarschijnlijk gemakkelijker als jij weg bent. Wij wonen immers hier.

Beauty wordt opnieuw omringd door schreeuwende mensen. Joseph duwt Ellen bijna de Jeep in. Daarna doet hij zijn rugzak af en hangt hem op zijn buik. Met beide armen als bescherming om de *Fjällräven* heen, stapt hij naar voren in de richting van zijn vrouw, die midden in de mensenmassa staat.

Tampa, Florida, VS
17 februari 2004

Misschien moet ik iets meer over mijn moeder vertellen, hoewel ik niet zeker weet of ik dat wel wil. Ze geloofde bijvoorbeeld niet in God. Ze deed nooit een avondgebed met me toen ik klein was. Is dat niet vreselijk? Om je kind geen geloof mee te geven. Ik heb God uiteindelijk toch gevonden, maar stel dat mijn broers nu niet in de hemel komen? Dan is dat haar schuld!

Het is lang geleden dat ik haar zag, dus ik weet niet hoe het nu met haar gaat. Misschien leeft ze niet eens meer. Misschien heeft ze uiteindelijk toch zelfmoord gepleegd, zoals ze altijd zei van plan te zijn. Als mensen sterven zeg ik altijd dat ze terug naar God gaan, maar wat mijn moeder betreft weet ik niet waar zij terecht zal komen. God vergeeft niet alles, dat weet ik zeker. Zelfmoord bijvoorbeeld.

En als ze het niet heeft gedaan, zelfmoord gepleegd bedoel ik, ligt ze waarschijnlijk voornamelijk in bed, of maakt ze ruzie met pappa. Of ze ligt weer in het ziekenhuis. Dat is een stuk rustiger voor pappa, hoewel hij zich waarschijnlijk erg eenzaam zal voelen nu ik er niet meer ben.

Als mamma het boek zou hebben gelezen over hoe je je man gelukkig maakt, had ze er vast iets meer van begrepen. Dee Esser heeft de volgende passage onderstreept:

' In tijden dat er weinig geld is en jouw man vecht om inkomsten te vergaren kan jouw houding hem maken of breken. Mannen voelen zich vaak tekortschieten als ze hun gezin niet kunnen onderhouden. Zonder steun van hun vrouw is de kans groot dat mannen zich gaan vergrijpen aan drank of vrouwen of zelfs tot zelfmoord worden gedreven.'

Als ik zelf ga trouwen, en ik zal straks vertellen met wie ik ga trouwen, weet ik precies hoe ik het moet doen. Ik heb van alles wat in mijn leven is gebeurd en van het boek van Dee Esser heel veel geleerd.

Ik kan ook iets over mijn vader vertellen. Hij heeft zijn hele leven keihard gewerkt, maar heeft veel tegenslag gehad, met het weer, met sprinkhanenplagen en ziektes in zijn veestapel enzovoort. En daarna veroorzaakte de regering een hoop problemen voor hem. De regering bepaalt veel te veel in dit land, dat merkte ik al toen ik nog een klein meisje was. Al die instanties, zoals het Bureau voor Landmanagement BLM, het bureau voor Milieuzaken EPA, het bureau voor veiligheid en gezondheid OSHA en wat al niet meer, sturen hun hoge pieten op het gewone volk af en bemoeien zich met hun zaken.

Tegen de wil van God in.

We hadden een boerderij vlakbij Baker in Oost-Montana. Mijn vader had de boerderij van zijn vader geërfd, die hem weer van zijn vader had geërfd. Het land was al vier generaties in handen van onze familie en dat is in Montana een erg lange tijd.

Ik ben trots op mijn familie en op het gebied waar ik ben opgegroeid. Het was jammer dat ik daar weg moest.

Kunt u zich voorstellen – toen ik naar de middelbare school ging, werden de plannen van de regering bekendgemaakt – alle landbouw, alle akkers en alle omheiningen moesten verdwijnen, en alle boeren moesten naar de stad verhuizen, omdat het land aan de bizons zou worden teruggegeven. Denkt u zich eens in, alle energie die de boeren in hun akkers hadden gestopt, die nu weer moesten dichtgroeien, omdat het 'Buffelland' zou worden. Dat is toch niet te geloven, maar zo werkt de regering. Waar zijn ze in Washington eigenlijk mee bezig?

Toen ik klein was, zei mijn vader dat mijn oudste broer hem zou opvolgen, en dat onze familie hun boerderij dan het langst van iedereen in hun bezit had. Het was heel leuk om aan de keukentafel te zitten praten over hoe we de Jeffersons zouden verslaan, die altijd de 'oudste familie' van het gebied waren geweest, maar nu alleen een lelijke, dikke dochter hadden en geen zoons om het bedrijf te kunnen overnemen. Pappa zei dat het waarschijnlijk hun straf was, omdat de eerste eigenaar van de boerderij van de Jeffersons een vrouw was. Ze was een lerares uit Minnesota, die de grond mocht kopen, hoewel ze zelf helemaal geen familie had.

Dat was toen al zo'n merkwaardige actie van de regering.

Maar later erfden de broers van de lerares de boerderij en nog veel later verdwenen mijn broers en pakte de regering de boerderij van mijn vader af. Vanaf dat moment begon het mis te gaan.

Chongwe-District, Zambia
5 februari 2004

– Hoe kan het dat jij hier opeens opduikt?

– Ik had van iemand een tip gekregen, dat hier een uitzonderlijk goede houtsnijder zou zitten, antwoordt de Amerikaan. Maar toen ik eindelijk de markt had gevonden bleek dat de houtsnijder zijn winkeltje had gesloten en naar huis was gegaan, dus ik was net van plan naar het hotel terug te rijden, toen ik die mensenmenigte zag aankomen. Ik wilde snel wegrijden, omdat het een beetje onbehaaglijk voelde, maar opeens hoorde ik jouw stem. Daar heb je geluk mee gehad.

– Je hebt dus smeergeld voor ons betaald?

– Tja, zo zou je het kunnen noemen.

– Hoeveel?

Hij geeft geen antwoord, haalt alleen zijn schouders op.

– Maar waarom? We hebben niets strafbaars gedaan.

Ellens angst is verdwenen en ze praat honderduit, over hoe de Zambiaanse wetgeving is opgesteld, en dat haar informatiebijeenkomsten door alle denkbare instanties zijn goedgekeurd, en dat de hoofdcommissaris forse problemen met de Zweedse ambassade zou hebben gekregen als hij had geprobeerd haar op te sluiten, enzovoort, enzovoort.

Ze merkt dat hij niets terugzegt en zijn blik op de pikzwarte, hobbelige weg houdt. Hij rijdt hard.

En langzaam maar zeker, als de herinnering aan de mensenmassa en de bedreigende penis tegen haar achterwerk terugkomt, beseft Ellen dat ze door haar koppigheid best in de cel had kunnen belanden, in ieder geval voor een nacht. Of het had misschien ook nog veel erger kunnen aflopen.

– Dank je wel, bedoel ik. Ik heb geluk gehad dat je net voorbij kwam.

Hij knikt, maar geeft nog steeds geen antwoord.

Plotseling ziet ze haar eigen handen in haar schoot liggen. Ze heeft de houten penis nog steeds krampachtig vast. Ze barst in schaterlachen uit en zwaait de fallus voor het gezicht van de chauffeur heen en weer. Hij lijkt het niet grappig te vinden.

In zijn achteruitkijkspiegel ziet hij de twee koplampen van een auto die consequent dezelfde snelheid als de Jeep aanhoudt. De felle lampen staan hoog gericht en het licht verblindt hem. Het is geen Afrikaanse sloopwagen van een van de oproerkraaiers uit het dorp die hen achtervolgt. Terwijl Ellen vrolijk doorkletst, geeft hij plankgas.

Stockholm, Zweden
6 februari 2004

Met koud weer start de auto moeilijk. Je moet precies lang genoeg choken. Als de choke te lang uitgetrokken is slaat de auto bij ieder stoplicht af. Iedere winter opnieuw denkt Agneta dat ze ofwel een nieuwe auto moet kopen, of deze ellendige roestbak naar de sloop moet brengen en moet stoppen met autorijden. Het kost handenvol geld en met een betere planning zou ze zich met het openbaar vervoer uitstekend kunnen redden. Maar plannen en tijdsmarges zijn nooit Agneta's sterkste kant geweest. Nu is ze bijvoorbeeld ook weer aan de late kant. Ze parkeert haar auto in de parkeergarage van het winkelcentrum onder een knipperende tl-buis en hangt de zware sporttas over haar schouder. Ze hoopt dat de tl-buis er niet mee uitscheidt voor ze naar huis gaat, want ze houdt niet van donkere parkeergarages. Via een achteruitgang komt ze het flatgebouw binnen dat aan een bedrijvencomplex vastzit.

Een goed vrouwenopvanghuis is als een vossenhol, met diverse in- en uitgangen. Het appartement van de opvang bestaat uit twee samengevoegde vierkamerappartementen, waardoor er ook een vluchtmogelijkheid is. Als een agressieve echtgenoot via de ene deur probeert binnen te komen, kan de bedreigde vrouw via de andere deur naar buiten vluchten. Op de ene deur staat 'Johansson', op de andere 'Karlsson'. Alle post voor het opvanghuis gaat via een afdeling van het politiebureau naar een speciale postbus. Als een brief er verdacht uitziet, wordt deze eerst door de politie bekeken. Het telefoonnummer is uiteraard geheim.

Agneta belt aan en Inga doet de deur meteen open, hoewel Agneta weet dat ze eerst via het kijkgaatje in de deur is goedgekeurd. Inga draagt een ribbroek en een donkerbruine zelfgebreide trui. Inga breidt nog steeds, hoewel het uit de mode is. De patronen zijn vaak erg ingewikkeld en het is wel eens gebeurd dat ze een discussie onderbrak, omdat ze de tel was kwijtgeraakt met averecht. Het is altijd lastiger met averecht.

Agneta trekt haar laarzen uit en zoekt een hangertje voor haar

jas, terwijl Inga de sporttas aanpakt. De hal is volgepropt met don-
zen jacks, lange winterjassen, kinderlaarzen en plastic sleetjes.

Als een vrouw vanwege geweld samen met haar kinderen het huis
uitvlucht, gebeurt dat vaak in grote haast. Soms kan er helemaal
geen kleding worden meegenomen, Maar zelfs als de vlucht is voorbereid en de vrouw voor ze vertrekt flink wat bagage het huis heeft
weten uit te smokkelen, dan laat ze vaak het speelgoed achter dat
veel ruimte inneemt. De kleding van het kind wordt samen met zijn
lievelingsknuffel en met de meest intieme spullen van de vrouw,
zoals haar dagboeken en fotoalbums, in een tas gepropt, maar de
Lego, de schaatsen en de sleetjes laat ze achter. Daarom heeft het
opvanghuis een hele kast vol speelgoed en sportkleding in verschillende kindermaten. Maar aan de sleetjes is te zien dat ze niet vaak
worden gebruikt. Veel kinderen komen nooit buiten het opvanghuis.
Inga raapt een sjaal op, die om het touw van een slee zit gewikkeld.

– Weet jij waar het om gaat?

– Nee, ik heb in een mail doorgegeven wanneer we zouden bellen, maar ze heeft niet gereageerd. We zullen zien wat er gebeurt.
We kunnen zo bellen. Is Anne-Marie er al?

– Ja, die is er.

Agneta zegt Anne-Marie door de half geopende deur van het
kantoor gedag en loopt dan met Inga mee naar de keuken, waar ze
op een dienblad bekers, suiker en koffiemelk zetten. De drie vrouwen die aan de keukentafel zitten vallen stil als ze het onbekende
gezicht van Agneta zien. De balkondeur staat op een kier, en net
achter de deur staat een overvolle asbak op een versleten krukje.
Agneta kan zich niet herinneren dat ze ooit iemand op het balkon
heeft zien roken. Het balkon doet slechts dienst als afvoerkanaal
voor de rook die binnen in de keuken wordt geproduceerd. Mocht
er buiten op straat iemand staan te gluren, dan verraadt de rook
niet wie de roker is. Veel vrouwen zetten maandenlang geen voet
buiten de deur. Dat durven ze niet.

De keuken is keurig schoongemaakt, met een glanzend aanrecht
en een blinkend fornuis. Het plastic tafelzeil heeft een uitbundig
midzomers motief en de smetteloos witte gordijnen zijn gesteven
– ja, gesteven. Waar in Zweden vind je nog gesteven gordijnen?

Toen Agneta voor de eerste keer naar het opvanghuis kwam,

verbaasde ze zich over de piekfijn opgeruimde gezamenlijke ruimtes en dacht ze dat alle vrouwen in het opvanghuis perfecte huisvrouwen waren. Door de uitleg van Inga weet ze ondertussen wel beter.

Veel vrouwen zijn in hun huwelijk of relatie gedwongen tot perfectionisme door mannen die over elk vlekje klaagden of hen een hele berg overhemden opnieuw lieten strijken, omdat een vouw niet helemaal op de juiste plek zat. Voor de vrouw die zo handelt, wordt precisie een overlevingsstrategie, tot ze inziet dat zelfs dat niet helpt. Het komt voor dat ze wordt geslagen omdat de planten te weinig water hebben gehad – of juist te veel.

In het opvanghuis is ook een soort schoonmaakwedstrijd gaande, waaraan weliswaar niet alle vrouwen meedoen, maar waarbij kennis over de juiste toiletpotreiniger een bepaalde status kan geven die de behoefte aan waardering enigszins bevredigt. Als je niets anders doet dan je week in week uit verstoppen, kan het een zinvolle bezigheid zijn de gordijnen te bleken en te stijven. Daarbij dienen de keuken en de badkamer als een soort collectieve façade, een gemeenschappelijke ruimte waar orde en overzicht moet zijn in de verder zo chaotische wereld. Heel af en toe heeft Agneta door een half geopende deur een vluchtige blik op een slaapkamer van een van de vrouwen kunnen werpen. Die kan eruit zien als de slaapplaats van een verslaafde, althans zoals Agneta denkt dat de slaapplaats van een verslaafde eruit moet zien, aangezien ze zo'n plek nog nooit heeft gezien. Bergen kleding, onopgemaakte bedden, vieze handdoeken en rommelige tijdschriften op de grond, een muffe geur, gebrek aan ventilatie. Chaos. Maar in de keuken zijn de gordijnen gesteven.

In het kleine kantoor van Inga is het rommelig. Een grote poster van Karin Blixen en profil hangt boven het bureau dat volgestouwd is met papieren, brieven, kranten, een computer en drie gebruikte koffiebekers. Inga maakt stapels van de papieren en draagt de vieze bekers naar de keuken om plaats te maken voor vier schone koffiemokken, een suikerpotje en een pakje koffieroom. Ze haalt drie witte klapstoelen tevoorschijn, en schuift een paar dozen met het opschrift 'Medici, Medical equipment' opzij, om ruimte te creëren voor haar gasten. Zonder een woord te zeggen legt ze de inhoud van Agneta's tas in de kast naast het boekenrek.

Anne-Marie ruimt nog een sleetje op dat onder het boekenrek vandaan is gegleden en zoekt in haar schoudertas naar een zakdoek. Ze is 's winters vaak verkouden en roept steevast dat ze allergisch is voor kou. Als altijd is ze goed gekleed. Ze draagt een donkergroen pak met een coltrui in een bijpassende bruinrode kleur. Aan het eind van haar lange benen zitten platte zwarte schoenen – schoenen speciaal voor in huis! stelt Agneta vast die zich, zoals gewoonlijk, verbaast over de vooruitziende blik van Anne-Marie en kijkt naar haar eigen pluizige *Helly Hansen*-sokken.

Anne-Marie's grijze haar is kort geknipt en ze draagt een nieuwe rode bril.

– Mooie bril, zegt Agneta complimenteus, terwijl ze liever niet wil weten hoeveel de bril heeft gekost.

Inga doet de deur tussen de gang en het kantoor dicht. Ze toetst het nummer in op de telefoon die op de speaker staat, en zet het volume laag. Ze komen allemaal dichterbij zitten om te kunnen verstaan wat Ellen zegt, zonder dat het buiten het kantoor te horen is. Er zit veel ruis op de lijn en Ellen laat weten dat ze rond het zwembad loopt op zoek naar het beste signaal.

– Het zwembad! briesen de meiden van de *Junta*, jaloers vanuit hun winterse kou, maar Ellen negeert hun commentaar.

– Ik moet het kort houden, want de batterij van mijn telefoon is bijna leeg. We hebben een probleem.

– Wat voor probleem?

– Dat weet ik nog niet precies, maar in het ergste geval is het heel ernstig. Ik durf er nauwelijks aan te denken hoe ernstig.

– Hoezo?

– Er schijnen drie meisjes die wij hebben geholpen te zijn dood-gebloed. Het kan toeval zijn, of het kan met iets anders te maken hebben, maar onze vroedvrouwen zijn bang geworden en som-migen van hen willen niet doorgaan. Een priester is een of ander onderzoek begonnen en dreigt de politie erbij te halen. Ik had trouwens gisteravond zelf problemen met de politie, maar dat had waarschijnlijk een heel andere reden.

– Wat was er aan de hand?

– Laat maar zitten. Dat vertel ik later nog wel. Ik geloof niet dat het hier iets mee te maken heeft.

– Blessing zegt dat er met de meisjes niets aan de hand was en dat ik me niet zo druk moet maken, maar ik vertrouw de zaak niet. Ik wil alleen niet te veel de aandacht trekken door zelf op onderzoek uit te gaan. Het zou verschrikkelijk zijn als hun dood iets met ons te maken heeft.

– Het klinkt niet eenvoudig. Wat zouden wij van hieruit kunnen doen?

– Ik ga proberen wat van de medicijnen in handen te krijgen die we de meisjes hebben gegeven, en die wil ik aan iemand meegeven die richting Zweden gaat. Kennen jullie iemand die die medicijnen zou kunnen analyseren, zodat we weten wat er in zit en of er iets is misgegaan.

– Ik zou niet weten wie, maar …

– Anne-Marie, ken jij niet iemand op je werk die je vertrouwt?

– Bedoel je een chemicus?

– Ja, of iemand anders die een betrouwbaar onderzoek kan doen.

– Ik weet het niet. Ik moet er even over nadenken.

– Maar als de medicijnen van *Medici* komen, is het dan niet beter dat het onderzoek buiten het bedrijf wordt gedaan?

– Waarschijnlijk wel…

– Heeft nog iemand anders een idee?

– Maar hoe zit het met jouw man Björn? Zou hij ons niet kunnen helpen?

– Ik weet het niet … hij is niet op de hoogte van alles wat we doen …

– Dan is het misschien de hoogste tijd dat hij wordt geïnformeerd. Agneta's stem klinkt scherp.

– Maar dat zou ik hem dan wel zelf willen vertellen, stribbelt Ellen tegen, en dat is van hieruit nogal lastig.

– We zullen kijken of we iemand anders kunnen vinden. Wanneer denk je dat die medicijnen hier kunnen zijn?

– Dat weet ik niet, want de vluchten die de meeste Zweden nemen, gaan maar drie keer per week, dus dat moet ik nog uitzoeken. In ieder geval zo snel mogelijk. Ik stuur jullie een mail met informatie over de vlucht en wie de spullen bij zich heeft, zodat jullie elkaar op Arlanda kunnen ontmoeten. Is dat goed?

– Prima. Hoe is het verder gegaan?

– Goed. Ik heb de meeste spullen en medicijnen uitgedeeld en in de dorpen waar we een fatsoenlijke training hebben kunnen geven

gaat het op dit moment heel goed. Veel vroedvrouwen zijn echte na-
tuurtalenten. Sterk en moedig. In de ziekenhuizen is het een stuk
lastiger. Daar zijn ze allemaal doodsbang betrapt te worden. Artsen
hebben veel meer te verliezen – of misschien zijn ze gewoon laffer.

– Helemaal mee eens! briest vroedvrouw Agneta.

– Wanneer spreken we elkaar weer?

– Dat weet ik nog niet, maar ik laat van me horen. Nu is mijn
batterij leeg. Tot horens!

– Wees voorzichtig!

Voor de groep uit elkaar gaat geeft Inga een lijst aan Agneta:

Frankfurt: 15 dozen flexibele *Karman*-catheters, 50 dozen *Mifepristone.*

Lisa in Eskilstuna: 3 dozen rubber handschoenen, twee dozen
pijnstillers.

Ulla in Umeå: 10 vacuümpompen, 5 dozen dilatatoren in plastic.

Gudrun in Lund ????

– Ik zal met Gudrun contact opnemen, zegt Agneta terwijl ze haar
laarzen aantrekt.

Chongwe-District, Zambia
7 februari 2004

Beauty is voor haar gevoel pas net in slaap gevallen als er voorzichtig op de deur wordt geklopt. Zachtjes, nauwelijks hoorbaar, maar Beauty slaapt altijd licht. Een onbekende mannenstem fluistert iets over een zieke vrouw. Meestal weet Beauty wel ongeveer wanneer ze kan verwachten dat ze 's nachts op pad moet, maar nu is er blijkbaar iets onverwachts gebeurd. Ze trekt haar jurk over haar hoofd, sjort aan de rits, pakt haar tas en duwt de deur voorzichtig open.

Het is opgehouden met regenen, maar zware wolken bedekken de hemel, waardoor het buiten aardedonker is. Het laatste wat Beauty zich uiteindelijk zal kunnen herinneren is de sterke geur van vochtige planten.

Ze wankelt op de wiebelige en ietwat gladde trap.

Voor ze haar balans heeft teruggevonden voelt ze plotseling van achteren een sterke arm die om haar hals klemt terwijl de andere hand van de man haar mond afdekt. De sterke hand drukt zo hard dat haar bovenlip tegen haar neus wordt geduwd. Vieze vingers duwen tegen haar tanden. Ze probeert te schreeuwen, maar de man drukt nog iets harder, en knijpt nu ook haar neus dicht, zodat ze geen lucht meer krijgt. Hij buigt haar nek achterover, waarbij een halswervel kraakt. Het doet pijn.

Haar blote voeten glijden uit in de klei op het erf, maar ze wordt door diverse sterke handen overeind gehouden. Donkere schaduwen bewegen zich om haar heen, maar ze herkent niemand. Het ruikt naar vieze kleding en zweet. Ze voelt stoffig haar en er zijn veel sterke armen. Harde spieren houden haar stevig vast. De eeltige vingers die haar neus hebben losgelaten, maar hard tegen haar tanden drukken, dempen het geluid van haar geschreeuw. Ze laat haar tas vallen en probeert naar achteren te schoppen. Ze is nog steeds meer boos dan bang.

Opeens drukt de man zijn arm nog strakker om haar keel, waardoor ze moeilijk kan ademhalen. Maar ze kan nog steeds zien en schopt zo hard als ze kan tegen de schenen van de belager achter haar. Ze probeert zich los te wringen, maar de greep om haar nek is te stevig. Ze zwaait met haar hoofd heen en weer om beter te kunnen kijken. Herkent ze iemand? Wat zijn ze met haar van plan?

Andere handen pakken haar armen van achteren vast, terwijl er een stinkende lap rond haar ogen wordt geknoopt.

Niemand zegt iets, maar ze hoort voetstappen en hijgerig ademhalen. Volgens mij zijn ze met een grote groep, denkt ze. De sterke man duwt haar voor zich uit, terwijl de anderen in haar zij porren. Er is niemand die ze herkent, noch aan de fluisterende stemmen die sporadisch iets met elkaar uitwisselen, noch aan een geur.

– Nu zal je boeten, vuile kindermoordenaar, sist iemand, wiens stem ze niet herkent. De stem klinkt jong en misschien een tikkeltje angstig. Hij rukt aan de mouw van haar jurk, waardoor de dunne stof scheurt.

– En we weten waar die blanke vriendin van je woont, zegt een andere stem, harder en agressiever.

Beauty verzet zich zo hard ze kan terwijl ze over het hobbelige pad wordt voortgeduwd.

Chongwe- District, Zambia
8 februari 2004

Pater Abraham denkt na. De zon verdwijnt snel achter de bosrand en de avondwind, die door de bananenbladeren suist, is verkoelend. Hij zit op het witgeverfde bankje voor zijn kerk, en zijn toga is stoffig en bezweet. Hij zal zijn buurvrouw weer om hulp moeten vragen met de was. Aan zijn voeten draagt hij plastic sandalen, zodat hij zijn leren schoenen niet verslijt. Het kost hem steeds meer moeite zichzelf netjes te houden, zelfs voor de kerkdiensten. Net als de rest van de gemeente lijdt de priester honger.

Bij de hoek van de kerk scharrelt een haan. Hij heeft nog een aantal hennen over, die nauwelijks meer eieren leggen en met elkaar vechten om het schamele beetje voer. Misschien kan hij ze beter opeten nu ze nog wat vlees aan hun magere poten hebben.

De bijbel ligt ongeopend op de knie van de priester. Hij weet niet waar hij naar een antwoord kan zoeken.

Eigenlijk is dit de beste tijd van de dag, als de schemering nadert, de vogels duikvluchten maken tegen de gouduitgeslagen hemel en de cicaden zich opmaken voor hun nachtelijk concert. In de hutten rond de kerk wordt het vuur aangestoken, want voor degenen die voedsel hebben is het etenstijd. Achter het schoolgebouw blaft een hond. Normaal wordt pater Abraham rustig van de avondgeluiden, maar vandaag wil zijn onrust niet zakken.

Aanvankelijk kwam de blanke man als een geschenk uit de hemel.

Al meer dan een jaar kampte pater Abraham met gewetenswroeging over de informatie die hij had gekregen. Het was begonnen met een paar jongemannen uit het dorp die hem op een zondag na de kerkdienst hadden opgezocht. Hij had ze in zijn kleine huis uitgenodigd, omdat ze zich buiten niet op hun gemak leken te voelen. Een vertrouwenskwestie, dacht pater Abraham tevreden. Het geven van zielenhulp is het onderdeel van zijn werk waar hij het meest van houdt. Hij had slechts voor twee bezoekers een stoel en de jongste ging op de vloer van aangestampte aarde zitten.

– We gaan misschien niet zo vaak naar de kerk, begon de oudste jongen, waarop pater Abraham knikte. Hij had ze al een paar jaar niet meer in de kerk gezien.

– Maar we willen toch doen wat juist is, want wij weten wat God wil, dat hebben we in de Bijbel gelezen. (Oh ja? dacht pater Abraham niet geheel overtuigd.)

– En nu is er in dit dorp iets raars aan de hand, ging de jongen verder.

– Oh ja? Wat dan?

– Er is een heks aan het werk! zei de jongste van de drie beslist. En wij denken dat we weten wie dat is.

– Zo, zo. Waarom geloven jullie in hekserij?

– We zijn er alle drie – de oudste praatte terwijl de andere twee instemmend knikten – van overtuigd dat we onze vriendinnen zwanger hebben gemaakt.

– Jullie vriendinnen? Zwanger? Voor het huwelijk? Pater Abraham deed alsof hij ontdaan was.

– Maar zijn jullie wel van plan met de meisjes te gaan trouwen?

– Dat waren we misschien wel van plan, maar er is iets raars gebeurd. De meisjes kijken niet meer naar ons om en hun buik wordt helemaal niet dikker.

– Hoe kunnen jullie er eigenlijk zo zeker van zijn dat de meisjes werkelijk zwanger waren? vroeg pater Abraham, die zich onkundig voelde en niet goed wist of een man kon weten dat hij een vrouw had bevrucht.

Deels omdat de jongens vele keren, op verschillende momenten en op verschillende dagen van de maand het bed met de meisjes hadden gedeeld, en deels omdat de meisjes er na een poosje tussenuit knepen en geen belangstelling meer hadden. Dat is meestal een teken dat ze hebben ontdekt dat ze zwanger zijn. Daarna was er niets gebeurd. Dat wil zeggen, de meisjes wilden nog steeds niets van de jongens weten. Ze maakten een eind aan de relatie, kwamen daar niet op terug, en hun taille bleef even slank als ervoor. Dat was erg verdacht.

– Het moet hekserij zijn!

Of iets veel ergers, dacht pater Abraham, die niet in hekserij geloofde en absoluut niet wilde dat er iemand als heks zou worden aangewezen. In tegenstelling tot de meeste andere dorpspriesters was hij bij de bisschop in de stad geweest, waar hij was geïnformeerd over wat er mogelijk is als iemand zich niets van Gods wil aantrekt en bereid is de heiligste principes van het leven te negeren. Apparaten en medicijnen - werktuigen van de duivel.

Na het bezoek van de jongens was pater Abraham in het dorp navraag gaan doen, maar van de vrouwen kreeg hij voornamelijk ontwijkende antwoorden. Zelfs veel vrouwen die in de kerk kwamen wilden niet over de kwestie praten, terwijl zij toch zouden moeten weten wat de Bijbel hierover zegt. 'Er worden hier toch al zoveel kinderen geboren van wie een veel te groot deel geen enkele toekomst heeft.' Alsof dat een reden zou mogen zijn tegen Gods geboden in te gaan!

Een deel van de mannen was wat mededeelzamer.

Op een middag zat pater Abraham voor de kruidenierswinkel met Malcolm over ditjes en datjes te praten. Ze hadden het over de verschillen tussen de mensen van de Bemba-, Tonga- en Lozistam. Malcolm beweerde stellig dat de verschillen in de baarmoeder ontstonden, waarin de moedermelk die de kinderen krijgen in elke stam een andere samenstelling heeft. pater Abraham zei dat hij niet geloofde dat kinderen in de baarmoeder al melk dronken, maar toen zei Malcolm beslist:

– Hoe kan u dat nou weten, u hebt helemaal geen kinderen. Ik heb er vijf!

En toen begon Malcolm over zijn kinderen te vertellen. Sinds hij en zijn vrouw zeven jaar geleden waren getrouwd, was er ieder jaar een kind geboren. Maar nu kwamen er al twee jaar geen kinderen meer.

– En hier is niets mis mee, zei Malcolm, terwijl hij betekenisvol zijn benen spreidde.

– Of met mijn tempo tijdens de nacht. Weer een gebaar waardoor pater Abraham zich nog meer geneerde.

– Het lijkt net alsof het tegenwoordig niet meer blijft zitten.

De verklaring van Malcolms vrouw was dat ze na zoveel bevallingen onvruchtbaar kon zijn geworden, waar ze overigens heel blij mee was. Maar Malcolm had het gevoel dat het waarschijnlijk ook met hekserij te maken had. Die Beauty bijvoorbeeld, waar houdt die zich eigenlijk mee bezig?

En toen kwam de dood van Puni. Pater Abraham had geprobeerd

met Puni's moeder te praten, maar hij was van dat gesprek niet veel wijzer geworden. Misschien was haar dochter de laatste tijd ongewoon stil en zelfs misselijk geweest, maar dat had haar moeder aan examenvrees geweten. Als Puni haar examen niet zou halen, zou ze niet verder kunnen leren, en ook al zou ze met hoge cijfers slagen, haar toekomst was sowieso heel onzeker. Puni's vader was lang geleden naar de stad vertrokken en stuurde geen geld meer, en omdat er nog een heleboel kleine broertjes en zusjes waren wist haar moeder niet of ze Puni's studie zou kunnen betalen. Maar zonder topbeoordeling hoefde ze niet eens het geld te gaan tellen. Dat Puni zo dom zou zijn zwanger te worden – nee, dat ging er bij haar moeder niet in.

Opeens herinnerde hij zich een soortgelijk geval. Een meisje in een ander dorp was, zonder eerst ziek te zijn geweest, zonder duidelijke oorzaak, plotseling overleden. De situatie was door de familie doodgezwegen en de begrafenis had in stilte plaatsgevonden. Zou ook zij ergens in het gras zijn doodgebloed? Pater Abraham wist het niet en kwam met zijn speurwerk geen stap verder, maar er had wel iemand verteld dat Beauty daar ook naartoe was geroepen en onderzoek had gedaan. En waren er de laatste tijd in de meeste families niet veel minder kinderen geboren dan normaal?

'Hekserij', gonsde het steeds vaker en alle vingers wezen in de richting van Beauty. Dat vond pater Abraham niet prettig. Altijd zou hij zich de scène in de donkere kamer blijven herinneren met het vreselijk kleine armpje dat uit het vuurrode onderlichaam stak, en Beauty's krachtsinspanning om zowel het leven van het kind als dat van de moeder te redden. Nee, hij wist dat Beauty geen heks was, want hij geloofde niet in hekserij. Maar misschien was ze schuldig aan iets anders.

Hij wilde de verantwoordelijkheid niet aan de bijgelovige dorpsbewoners overlaten en was daarom met de politie gaan praten, maar daar had hij geen hoge verwachtingen van. De enige manier om bij de politie iets voor elkaar te krijgen, was ze flink te betalen en daar had pater Abraham geen geld voor.

En nu was dus enkele dagen geleden opeens de westerse blanke man opgedoken. Het regende en hij was in een modderige Jeep zelf naar het kleine huisje van pater Abraham naast de kerk komen rijden. Hij was nogal onpraktisch gekleed in een lichtblauw overhemd met een donkere broek, maar hij was een bijzondere man. God had hem gestuurd.

Toen het was opgehouden met regenen waren ze naar buiten gegaan en op het bankje van pater Abraham gaan zitten. De man zei dat de geur van eucalyptus hem bedwelmde. Hij wilde een hele poos alleen maar zwijgend zitten luisteren, hoewel het af en toe opnieuw begon te regenen. Pater Abraham haalde zijn grote paraplu waar ze samen onder pasten. Terwijl de man een geurig blad van een struik tussen zijn handen wreef, zakten zijn schoenen in de modder. Hij hield van Afrika, zei hij. En de bisschop had hem aangeraden contact met pater Abraham op te nemen.

De priester ging rechtop op het bankje zitten. De bisschop zelf liet nooit iets van zich horen, hoewel pater Abraham na het bezoek aan de stad diverse keren had gebeld, maar misschien kwam dat omdat de bisschop een volle agenda had. Natuurlijk hebben bisschoppen een volle agenda.

– Ik ben vooral in abortus geïnteresseerd, zei hij. U heeft misschien gehoord dat kindermoord ook in mijn land een belangrijke kwestie is. Na vele jaren strijd hebben de oprechte christenen de president eindelijk zo ver gekregen dat hij de demonen uit het westen, die door de Duivel zelf zijn gezonden om kleine zwarte kinderen te vermoorden, gaat aanpakken.

Ja, daar had pater Abraham inderdaad iets over gehoord. Hij kon het alleen maar met de Amerikaan eens zijn en knikte hevig. Het is een zeer belangrijke kwestie.

De pater wist wat er in de Bijbel stond en de kersverse, diepgelovige vrienden wisselden vele gedenkwaardige Bijbelcitaten uit, maar de Amerikaan had ook andere sterke argumenten. En foto's! Hij haalde een tas uit de auto en liet een boek zien met de meest afschuwelijke foto's van piepkleine kinderen met lichaampjes vol messteken. Ze lagen in een grote plas bloed en pasten in één hand – ze waren allemaal vermoord. Helaas hadden bijna alle kinderen in het boek een blanke huid en omdat pater Abraham vermoedde dat de foto's daarom op zijn gemeente minder indruk zouden maken, sloeg hij het aanbod het boek te mogen lenen vriendelijk af.

De Amerikaan wilde in Afrika graag een bijdrage leveren aan de christelijke strijd voor het ongeboren kind en had van de bisschop begrepen dat pater Abraham daar iets over had te vertellen.

Toen, op dat moment, had pater Abraham gedacht dat de Amerikaan een geschenk uit de hemel was. Nu was hij daar niet meer zo zeker van. Vannacht was een groep gemaskerde jonge mannen naar Beauty's huis gegaan, hadden haar naar het bos gesleurd en haar daar zo geslagen dat ze bewusteloos was geraakt. Tegen de ochtend had ze zich met een gebroken arm en een paar gekneusde ribben terug naar het dorp weten te slepen.

Pater Abraham had haar opgezocht, gekweld door een slecht geweten. Ze was verschrikkelijk toegetakeld, maar bij bewustzijn en kon vertellen wat er was gebeurd.

'Dit is wat je verdient, vuile kindermoordenaar!' hadden de daders steeds opnieuw geschreeuwd, zodat de boodschap haar niet zou ontgaan, maar erg overtuigend had het niet geklonken. Beauty had niemand herkend en dacht niet dat de mannen uit de buurt kwamen of haar uit eigen overtuiging hadden geslagen.

– Ze waren op de een of andere manier niet echt kwaad. Volgens mij hadden ze er geld voor gekregen en deden ze het alleen omdat ze ervoor waren betaald.

Dan is het uitgesloten dat het heksenjagers waren, denkt pater Abraham. Wie kon het zich veroorloven een hele bende in te huren om een eenvoudige vroedvrouw af te ranselen? Hij wist niet wat hij moest doen. Onhandig sloeg hij zijn bijbel open om een antwoord te vinden. Maar de zon ging onder en het antwoord verdween in de duisternis.

Washington Post, VS, 5 februari 2005

Rechter McArthur vergiftigd
Onderzoek naar moord begonnen

Op verzoek van de politie heeft op het lichaam van de vorige week overleden rechter van het Hooggerechtshof, Vernon McArthur, sectie plaatsgevonden.

Aanvankelijk werd aangenomen dat de doodsoorzaak een hartinfarct was, aangezien de rechter onlangs een bypassoperatie had ondergaan, maar volgens het sectierapport is de rechter door verstikking om het leven gekomen. In het bloed van de rechter werden sporen van een smaak- en geurloos gif gevonden dat de ademhalingsorganen verlamt.

'We zijn geïnteresseerd in iedereen die ons enige informatie over de zaak kan verschaffen', zegt inspecteur Stephen Chu van de politie van Washington.

'We denken dat de rechter niet zo lang geleden een nieuwe schoonmaakster had aangenomen die we tot nu toe nog niet hebben kunnen identificeren. Schoonmaakbedrijven of privépersonen die hierover contact met de rechter hebben gehad, worden verzocht zich bij de politie van Washington te melden.'

Lusaka, Zambia
9 februari 2004

Bij het stoplicht heeft de taxi opnieuw motorpech. Ellen kan het niet opbrengen kwaad te worden en draait het raampje omlaag voor een beetje koele lucht, terwijl de chauffeur uitstapt en onder de motorkap gaat staan wroeten. Het waait een beetje, maar de lucht is allesbehalve fris. De smog van uitlaatgassen ligt als een deken over de stad en wordt elke maand erger. Door de stijgende armoede wordt er steeds meer op benzine met een laag octaangehalte gereden en auto's zonder katalysator mogen, zolang ze überhaupt vooruit komen, hoestend door de stad blijven rijden. Dikke zwarte rook wordt de uitlaat uitgeblazen. Het is een wonder dat de rook nog kan opstijgen en niet als een zwarte brij aan de weg blijft kleven.

Voorbijrijdende auto's toeteren naar Ellens taxi waarbij bemoedigend of juist onbeschoft wordt geschreeuwd. De taxichauffeur schreeuwt terug. De drie meisjes, die in krijtwitte schooluniformen voorbij lopen, giechelen om de lelijke woorden. Opnieuw kijkt Ellen in haar rugzak.

Ze heeft nog niet bepaald hoe ze haar opdracht zal aanpakken en wil dat laten afhangen van wie ze straks tegenkomt. Het moet lijken of ze spontaan langskomt. In haar rugzak zit een enveloppe met daarin twee dunne, aan elkaar vastgeplakte stukjes karton waartussen drie witte pillen zitten. Vreemd genoeg zat er op het doosje dat ze van Blessing kreeg geen etiket en was het merk er met de hand opgeschreven.

Op de enveloppe staat het huisadres van Agneta. Bij nader inzien leek het haar beter net te doen alsof het om een gewone brief gaat die ze voor de zekerheid niet met de Zambiaanse posterijen wil versturen. Misschien zou de brief zelfs met de ambassadepost kunnen worden verstuurd. Maar dat Agneta of iemand anders naar vliegveld Arlanda zou komen om de brief in ontvangst te nemen maakt de opdracht zo gewichtig, dat het verdacht zou kunnen lijken. En hier moet alles alledaags zijn, zó alledaags.

De taxichauffeur begint breeduit te lachen, zodat al zijn witte tanden zichtbaar worden en de auto rijdt weer verder.

Ellen meldt zich bij de bewaker van de Zweedse ambassade, ze wil Martin Lindström spreken, ambtenaar ontwikkelingshulp voor gezondheidsvraagstukken. Een bezoek aan de Zweedse ambassade is altijd lastig, want alle deuren zitten op slot, zelfs die van de keuken, zodat er bij elke verplaatsing binnen het gebouw steeds iemand van het personeel nodig is die de deur met een kaart en een code moet openen. Ellen krijgt koffie met melk, ze pakt het kopje aan en gaat op een van de tuinstoelen op de binnenplaats zitten wachten – voor alle zekerheid in de schaduw. Na een kwartier komt Martin Lindström haastig aanlopen. Hij is op weg naar een volgende vergadering en bovenop de stapel papieren die hij draagt balanceert een fles mineraalwater. Hij gaat niet zitten.

– Hoi Ellen, wat leuk je te zien, dat is lang geleden.

– Ja, ik ben de laatste tijd niet zo vaak in Lusaka geweest. (Leugen.)

– Hoe gaat het met je proefschrift?

– Aardig dat je dat vraagt, maar ik heb het de laatste tijd zo druk op mijn werk gehad, dat ik me niet goed heb kunnen concentreren, dus het tempo ligt wat aan de lage kant. (Leugen of misschien juist helemaal waar?)

– We moeten elkaar snel eens wat uitgebreider spreken. Misschien kunnen we op een avond samen een hapje gaan eten? (Beleefd en voor de hand liggend, maar een leugen. Martin heeft geen tijd voor iedere willekeurige Zweed die voorbijkomt en wil zijn kostbare representatieloze uurtjes gebruiken om zijn vrouw en kinderen te knuffelen.)

– Goed idee. Bel me als je tijd hebt. Ik logeer in het Pamodzi.

– Hoelang blijf je?

– Nog bijna twee weken. (Hopelijk waar.)

Martin Lindström is nog steeds niet gaan zitten en houdt de stapel papieren met de fles water op zo'n onhandige manier vast dat het duidelijk is dat hij er weer snel vandoor wil. Hij heeft geen tijd voor kletspraatjes.

– Kwam je met een speciale reden …? (Met een blik op zijn horloge.)

– Ja, eigenlijk wel. (You bet!) Ik heb een brief die ik met spoed naar huis moet zien te krijgen en ik hoorde dat jij binnenkort naar Zweden gaat.

Ellen staat op om hem aan te kunnen kijken, zo zelfverzekerd als ze kan. Alledaags, zó alledaags.

– Ja, dat klopt, ik ga naar een vergadering in Zweden. Ik vlieg morgen.

– Perfect!

– Waar gaat het precies om? ('Heeft u uw koffer zelf ingepakt?' zoals ze altijd op het vliegveld vragen.)

– Het gaat om deze brief.

Ellen haalt de stevige, nauwkeurig dichtgetapete enveloppe met Agneta's naam en adres tevoorschijn. Ze heeft in haar portemonnee zelfs een paar Zweedse postzegels gevonden en die op de brief geplakt.

– Ik heb in opdracht van een vriendin een gouden kettinkje gekocht dat ze iemand voor haar veertigste verjaardag cadeau wil doen. Nu blijkt mijn vriendin zich in de datum van het verjaardagsfeestje – dat aanstaande vrijdag al wordt gevierd – te hebben vergist, waardoor ik het niet zelf kan meenemen nu er dus plotseling haast bij is. Zelfs al zou ik vertrouwen in de Zambiaanse post hebben, wat ik niet heb, dan nog komt de brief niet op tijd aan. Je hoeft hem op Arlanda alleen maar op de bus te doen.

– Geen probleem. Dat regel ik voor je. Was er verder nog iets?

– Nee, maar ik hoop dat we snel wat kunnen afspreken. Dat zou gezellig zijn. (Leugen.)

– Ik bel je! (Leugen.)

Martin legt zijn stapel papieren met de fles water neer, pakt de enveloppe aan met de drie witte tabletten, doet hem in zijn binnenzak en pakt zijn spullen weer op.

Ellens hand trilt een beetje als ze haar rugzak oppakt en Martin volgt naar de beveiligde uitgang, waar hij haar, na een stevige handdruk, naar buiten laat. Het ergste dat kan gebeuren is dat hij vergeet de enveloppe uit zijn binnenzak te halen. Hij zal hem zeker niet openmaken.

Ellen zucht diep als ze zich bij de bewaker van de ambassade uitschrijft. Ze zou hier nooit naartoe zijn gegaan als het geen pure noodzaak was geweest. Het heeft haar al heel wat energie gekost haar oude collega Margoth met man en kinderen uit de weg te gaan die – uiteraard – na hun safari Hotel Pamodzi kwamen binnenstampen. Ellen had een paar keer gegroet, en zelfs een keer met hen aan dezelfde ontbijttafel gezeten, maar had zich er steevast uitgekletst als er werd voorgesteld samen uit eten te gaan of te gaan winkelen. 'Ik heb echt geen tijd', 'Vanavond kan ik helaas niet', 'Ik geloof dat ik dan naar de Copperbelt ga'.

Wonderlijk genoeg verdraagt ze het gezelschap van Josh wel. Zo heet hij, de Amerikaanse freelance journalist, Josh Smith uit Florida. Ze zijn samen naar het winkelcentrum Manda Hill geweest om wat nieuwe, meer praktische kleding voor hem te kopen. Hij rijdt in een huurauto, een grote Jeep Cherokee, waarmee hij haar graag rondrijdt. Ellen plaagt hem steeds dat hij het zo belangrijk vindt dat de auto Amerikaans is. Hij is in een aantal opzichten een echte chauvinist, maar zijn niet alle Amerikanen dat?

Ze kochten een kakikleurige broek, die in een korte broek kan worden omgetoverd door de pijp onder de knie af te ritsen, en een paar geruite overhemden met korte mouwen. Een wat meer Afrikaanse outfit zag hij absoluut niet zitten, hoewel hij voor de grap een tuniek met felle patronen aanpaste en ze helemaal in een deuk lagen toen hij daarin door de winkel paradeerde. Als dank voor haar hulp bij het winkelen kocht hij voor haar in de exclusieve souvenirwinkel een slanke, houten leeuwin.

– Ze lijkt op jou, zei hij. Sterk en besluitvaardig.

Ze voelde dat ze bloosde.

Ze moest eraan denken Björn vanavond te mailen.

Tampa, Florida, VS
17 februari 2004

Ik heb drie oudere broers, Bill, Joe en Mitch. Ze zijn veel ouder dan ik en gingen al het huis uit toen ik nog klein was. Meestal was ik alleen met mijn vader, want mijn moeder lag voornamelijk in bed en mijn vader moest dus overal alleen voor zorgen. Ik ging met de schoolbus naar school, maar soms, als er in de winter zoveel sneeuw lag dat we niet bij de hoofdweg konden komen, mocht ik thuisblijven. Dat ging ook zo bij andere kinderen uit de klas, maar die hadden wel een moeder die hen met hun huiswerk hielp. Ik niet. Ik had alleen mijn vader.

Toch vond mijn vader dat we het goed hadden. Hij vertelde vaak over vroeger toen hij klein was en zijn ouders tijdens een paar strenge winters het huis niet warm konden krijgen, waardoor ze hun eigen houten hekken hadden moeten opstoken. Ik begreep dat zoiets het ergste was wat je kon overkomen, want dan kon je het vee niet meer op je eigen akkers houden, en dan kon er van alles gebeuren. Hekken waren van levensbelang. Het eerst wat mijn vader deed toen hij de boerderij overnam, was het huis isoleren, zodat de warmte binnenbleef. Godzijdank hadden we het zelden koud. Mijn vader was erg aan zijn hekken gehecht.

We wisten al lang dat de regering van mensen zoals wij niets moest hebben. Eigenlijk was heel Montana één grote volksverlakkerij. De meeste mensen, die hier in het begin naartoe verhuisden, verkeerden in de veronderstelling dat zowel het klimaat als de kwaliteit van de grond veel beter was dan in werkelijkheid. Mijn vader had nog een oude brochure, die mensen naar Montana moest lokken, maar wij herkenden helemaal niets van wat er in de tekst beschreven stond. Baker zou er als een grote stad uitzien en de velden zouden bezaaid zijn met de meest uiteenlopende bloemensoorten. Dat had ik nog nooit gezien.

Onze familie had geluk, want ze bestond uit zeer bekwame landbouwers, althans dat denk ik, omdat wij als een van de weinige families nog over waren. Toen ik nog klein was waren bijna alle boerderijen om ons heen alweer in het bezit van de regering of van een bank, omdat de mensen het geld voor de woning niet langer konden opbrengen. De banken gaven een hoop geld aan politici en kregen later hun geld weer terug doordat de regering de boerderijen van mensen afpakte en ze aan de banken gaf. Maar al die huizen bleven leegstaan, omdat natuurlijk niemand van de banken hiernaartoe wilde verhuizen. Die wilden allemaal in de stad wonen, het liefst in Washington. Daar begrijp ik niets van, Gods schepping was veel zichtbaarder bij ons, dat realiseer ik me, nu ik ver weg ben en af en toe naar huis verlang.

We reden altijd met de tractor naar de oude verlaten boerderijen, bijvoorbeeld als mijn vader een raamkozijn, een lading bakstenen of iets anders nodig had. Die spullen haalden we dan weg uit de huizen die nog over waren, hoewel ze bijna op instorten stonden omdat ze door niemand werden onderhouden. We hoefden die spullen dan dus niet te kopen, wat een hoop geld scheelde. Dat was fijn. Ik zocht altijd naar schatten, zoals glazen potjes of porseleinen schaaltjes. Het meeste was kapot, maar soms vond ik iets moois.

Als we daar aan het zoeken waren, vertelde mijn vader altijd over de families die waren verhuisd en wie daarna het huis had overgenomen. Dat was meestal de regering en het ging vaak om belastinggeld. De regering vroeg zulke hoge bedragen, dat de mensen hun boerderij moesten verlaten, waarna de akkers weer dichtgroeiden. Is dat nou normaal, dat een regering geld afpakt dat mensen nodig hebben om te kunnen overleven?

Ik snap niet dat een regering zo zijn gang kan gaan. In de Bijbel staat toch overduidelijk dat God beslist en niet de vorsten of de bazen. Als we volgens de Bijbel zouden leven en niet de wetten en regels zouden volgen die mensen hebben bedacht zonder zich om Gods wil te bekommeren, zou alles anders zijn. Dan zou ik me bijvoorbeeld niet hoeven te verbergen.

Het was, geloof ik, in de zomer toen ik in groep zes begon, dat mijn moeder naar de kamer van mijn broers verhuisde. Die waren toch het huis uit. Mijn vader voelde zich erg eenzaam en begon naar mijn kamer te komen, waar hij naast me in het smalle bed kroop. Maar dat was erg krap en onpraktisch, daar had hij wel

gelijk in, en dus verhuisden we naar het grote bed in de slaapkamer. Ik begreep best dat hij zich eenzaam voelde en dat het de
schuld van mijn moeder was, omdat ze zich in de kamer van de
jongens had opgesloten, maar toch vond ik het niet fijn. Mijn vader was lief, het was niet zo dat hij me sloeg of zoiets. De jongens
sloeg hij af en toe, maar mij nooit. Maar er waren andere dingen
die ik niet prettig vond.

Als mijn moeder dat met het gehoorzamen en begeren van je
echtgenoot maar had begrepen, dan was alles anders geweest.

Nadat ik in de winter in de slaapkamer van mijn ouders was
gaan slapen, kocht mijn vader de grote John Deere-tractor. We
hadden dat jaar een goede oogst gehad, maar de winter zette
vroeg in. Ik was bang dat ik niet zo vaak naar school zou kunnen
gaan, omdat alles weer dicht zou sneeuwen, en mijn moeder lag
al sinds de herfst in het ziekenhuis. Toen beloofde mijn vader dat
hij me iedere ochtend met de mooie nieuwe tractor naar de grote
weg zou rijden, zodat ik geen enkele schooldag zou missen. Dat
maakte me erg blij en ik dacht dat pappa toch wel heel veel om me
gaf. Dat hij echt van me hield.

Toch miste ik flink wat schooldagen omdat de schoolbus, soms
vanwege de sneeuwhopen en soms omdat het gewoon te koud was
voor alle auto's, zelfs niet de grote weg op kon. Maar het was fijn
boven in de warme cabine van de tractor te zitten en daar te blijven wachten tot de koplampen van de schoolbus bij het kruispunt
zichtbaar werden. Dan gaf mijn vader me een kus, waarna ik naar
beneden klom en naar de bus liep.

Ik had geen echt goede vrienden op school. Ik woonde ook zo af-
gelegen en ik mocht na school niet in de stad blijven. Er kwam ook
bijna nooit iemand bij mij thuis. Als ik jarig was kreeg ik meestal
één mooi cadeau van mijn vader, een pop of een jurk en zelfs een
keer een fiets, en als mijn moeder thuis was bakte ze een taart.

Mijn tante uit Minnesota stuurde me met kerst en met mijn verjaardag altijd een paar boeken. Die gingen over zoete kinderen
die goede daden verrichtten en de hele tijd aan Jezus dachten.
Soms waren de boeken een beetje saai, maar het was ook wel weer
leuk om over kinderen te lezen die naast elkaar in huizen woonden

waar alleen een heg tussen zat en die elkaar ophaalden om samen naar school te gaan. Ze logeerden bij elkaar en maakten soms ruzie, maar altijd kwam alles goed voor het boek uit was.

Bij mij mocht nooit iemand komen logeren.

Eigenlijk hield ik veel meer van de Bijbel dan van boeken over schattige kinderen. Ik herkende veel in de verhalen over Jezus die aan het kruis werd genageld en over het Israëlische volk dat door sprinkhanen werd geteisterd. Wij hadden ook last van sprinkhanen gehad.

Precies in mijn eindexamenjaar van de middelbare school gebeurde er iets verschrikkelijks, we verloren de boerderij. Ik had allang gemerkt dat we veel minder geld hadden en dat mijn vader steeds vaker over de bank en de chef van de bank en over de regering en de belastingen praatte. Mijn moeder lag weer in het ziekenhuis. Misschien kwam dat omdat we geen geld voor haar dure medicijnen hadden, maar mijn vader zei altijd dat ze haar dure sieraden beter kon verkopen dan te klagen. Ik weet niet waarom ze dat niet wilde. Ze wilde helemaal niets. Behalve zich in haar kamer opsluiten en slapen.

Hoewel, ik herinner me één keer dat ze de keuken inkwam om met me te praten. Mijn vader was ergens buiten en ik was vrij van school. De school was gesloten, omdat er een meisje uit mijn parallelklas dood op het toilet was gevonden. Het was een groot en dik meisje dat niemand eigenlijk goed kende en niemand had zich er iets van aangetrokken dat ze na de lunch niet in de klas was teruggekomen. Als er al iemand was geweest die daar bij stil had gestaan, dan had die waarschijnlijk gedacht dat ze wel naar huis zou zijn gegaan. Pas tegen de avond, toen de conciërge bezig was overal de lichten uit te doen en de deuren af te sluiten, ontdekte hij dat een van de deuren van de meisjestoiletten op slot zat. Het was zo'n grote ruimte zoals een toilet voor gehandicapten, dat er niet eens een been van die grote, dikke Sharon onder de deur had uitgestoken, zodat niemand haar had kunnen zien. Ze lag daar midden in een grote plas bloed en naast haar lag een pasgeboren baby. Het was een meisje. Het kind was ook dood. Naderhand werd er gezegd dat het kind waarschijnlijk dood geboren was, maar dat vraag ik me af.

Niemand had aan Sharon gezien dat ze een kind zou krijgen, om-
dat ze zo dik was en ik vraag me af of ze het zelf wel wist. Ik denk
dat het kind er als een volslagen verrassing opeens uit floepte, en
dat ze haar hand op het mondje van de baby heeft gehouden toen
ze begon te schreeuwen, en dat het kind toen is gestikt waardoor
Sharon niet van het toilet af durfde te komen terwijl het bloed
maar uit haar lijf bleef stromen en dat ze toen voelde dat het zo
misschien maar beter was.

Ik heb het zelf niet gezien, maar de zoon van de conciërge, die
bij me in de klas zat, vertelde dat zijn vader had gezegd dat het
leek alsof Sharon in een vijver vol bloed lag. Ik dacht toen dat ze
in een vijver vol bloed was verdronken.

Ik vroeg me vooral af waar God die dag was, of hoe Hij dacht.
Want God is altijd bij je, dat heb ik ondertussen begrepen. Sharon
moet iets verschrikkelijks hebben gedaan dat ze zo werd gestraft.
Ik heb veel in de Bijbel over straf en de Dag des Oordeels gelezen
en dat het het lot van de vrouw is kinderen op de wereld te zetten,
dus dacht ik dat als Sharon werkelijk haar kind had vermoord het
niet meer dan fair was dat ze door Gods zwaard getroffen was.
Dat er van Gods zwaard zulke grote plassen bloed kunnen komen!
Toen mijn moeder die dag de keuken inkwam, begreep ik dat ze
over Sharon wilde praten. Ik wist dat het voor ons allebei een
pijnlijk gesprek zou worden en dat wist zij ook, want ze had alle-
maal rode vlekken in haar nek.

Ze begon over de bijen te praten die we in de bijenkast achter
het huis hadden. En over bloemen, bijen, pollen en bevruchting en
meer van zulke dingen waar we op school al eindeloos over hadden
gesproken en wat vreselijk saai was geweest. Ik vond het gênant,
maar niet half zo gênant als zij het vond, dat kon ik duidelijk aan
haar zien. Daarna zei ze dat als een jongen iets met me wilde doen
waarvan ik voelde dat het niet goed was, ik nee moest zeggen en
moest zeggen dat God dat zo had gezegd en dat het zo in de Bijbel
stond. Normaal praatte ze nooit over God, maar nu kwam haar dat
goed uit. Ze zei dat je sommige dingen alleen in het 'huwelijksbed'
deed, en ze vroeg of ik snapte wat ze bedoelde. Ik zei dat ik dat
goed begreep en dat ze zich geen zorgen hoefde te maken.

Ik sliep al in het huwelijksbed, alleen zei ik dat niet. Dat wist ze
natuurlijk wel.

Daarna moest mijn moeder weer naar het ziekenhuis, en de bank pakte de boerderij af en toen moesten we naar de stad verhuizen. Het ging daarna niet beter.

Chongwe-District, Zambia
10 februari 2004

Beauty ademt zwaar als ze haar jongste zoon optilt om hem te troosten. Hij heeft zijn knie geschaafd toen zijn van staaldraad gemaakte trapautootje weggleed en de wond moet worden schoongemaakt. Vanwege de pijn in haar ribben kost het haar erg veel moeite om de jongen neer te zetten, de jerrycan uit het huis te pakken en water in de wasbak te gieten, maar haar kaak is nog het meest gevoelig. Haar lichaam is nog erg gezwollen en ze slaapt 's nachts nauwelijks vanwege die zeurende pijn. Een paar wonden op haar been zijn aan het etteren en hoewel ze ze goed schoonhoudt, zou ze er misschien toch medicijnen voor moeten hebben. Maar toen Blessing langskwam om de ingegraven voorraad op te halen, had Beauty het aanbod om dokter Ellen te gaan halen vriendelijk doch resoluut van de hand gewezen.

Ze heeft al genoeg aan haar hoofd.

Na de ruzie bij het politiebureau en de mishandeling heeft het dorp zich in twee kampen gesplitst: de ene helft staat volledig achter Beauty en kan niet begrijpen waarom iemand haar kwaad zou willen doen, de andere helft kan wel begrijpen waarom ...

Vele malen heeft ze 's ochtends nieuwe piramiden van steen op haar trap gevonden. Ze praat er met niemand over, zelfs niet met Joseph, maar schopt de stenen de bosjes in.

Voor haar baan in de steenfabriek heeft ze nu te veel pijn, maar het werk als vroedvrouw is niet iets waarvoor je je ziek kunt melden. Op dit moment staan er geen bevallingen aan te komen en dat is fijn. Ze vindt het nu zwaar om op huisbezoek te gaan, maar Felipe, de trotse vader van Miracle, is langs geweest om zijn zoon te laten zien en die zag er gezond en sterk uit. Milly ligt zelf nog voornamelijk in bed.

Af en toe komt Puni's moeder langs, maar dan doet Beauty net alsof ze het heel druk heeft. De vrouwen hebben een paar keer over het drama gesproken, maar het is Beauty niet duidelijk geworden of de familie enig bewijs heeft gevonden. Waarschijnlijk niet, want dan had ze het wel gehoord.

Beauty wordt door angst gekweld. Sommige nachten is ze ervan overtuigd dat het allemaal de straf van God is en dat haar nog veel vreselijker dingen te wachten staan. Misschien wordt ze door de bliksem getroffen of gedood door een andere ingreep van God waarover ze in de Bijbel gelezen heeft. Maar als het ochtend wordt is ze banger voor de nieuwe steenpiramiden, want die zijn zonder twijfel het werk van mensen. Er broeit iets van agressie, sterker dan hiervoor.

Maar ze vindt het het moeilijkst om aan Puni te denken. Want wat als het nu echt Beauty's schuld is dat het meisje is gestorven. Wat als er iets mis was met de medicijnen, of met de instructies die Beauty het meisje heeft gegeven over hoe je de pillen moet innemen. Maar ze heeft precies gedaan wat haar is verteld en vroeger is het ook altijd goed gegaan. Dat is de enige reden waarom ze dokter Ellen weer zou willen zien, om te horen of ze zelf iets verkeerds heeft gedaan. Maar nu zijn de pillen weg, Blessing heeft ze opgehaald, en de andere methodes zijn veiliger. Hoewel ze niet weet of ze er nog mee wil doorgaan. Er gaan geruchten in het dorp en een heleboel mensen houden haar scherp in de gaten.

Haar goede naam dankte ze aan de tijd dat haar moeder als vroedvrouw werkte en toen dokter Ellen met nieuwe kennis en medicijnen kwam, werd het vertrouwen in haar nog groter. Niet onmiddellijk, maar geleidelijk aan. Aanvankelijk werd de nieuwsgierige blanke vrouw eerder als een bedreiging gezien, zodat Beauty al haar diplomatieke tact in de strijd had moeten gooien om de mensen zo ver te krijgen dat ze met de dokter wilden praten. Maar toen Beauty eenmaal medicijnen tegen aarsmaden kon uitdelen en alle kinderen gezond werden, veranderde de stemming. Er was altijd gedacht dat aarsmaden door hekserij werden veroorzaakt, maar toen de dokter en Beauty met hun was-je-handen-als-je-hebt-gekrabd-advies kwamen – wat bleek te werken – werd ook de blanke vrouw geaccepteerd.

Hoewel de meesten eigenlijk geloven dat Beauty's behandeling tegen aarsmaden werkt omdat ze een goede heks is, dit in tegenstelling tot de slechte heksen die eerder de maden bij de kinderen hadden veroorzaakt. En een heks is en blijft altijd een heks. Net als Mama Mooni.

Hoewel ze pijn heeft en het zwaar is en eindeloos veel tijd kost, heeft Beauty nog steeds de puf haar huisapotheek aan te vullen. Ze plukt het kruid dat eetlustopwekkend is – hoewel ze dat niet zo vaak nodig heeft, nu er nauwelijks eten genoeg is – het blad dat een pijnstillende werking heeft en een bloemensoort tegen misselijkheid. Ze hakt de kruiden fijn in verschillende plastic kommetjes en mengt ze met bananensap, waarna ze de mengsels op het vuur laat koken. Daarna giet ze de brouwsels in glazen en plastic medicijnpotjes, die ze van Blessing heeft gekregen.

Als ze klaar is moet ze even gaan liggen, met een kompres van het pijnstillende kruidenmengsel op haar wang. Ze kan het niet eens meer opbrengen de kip, die het huis in is gefladderd en maïskorrels van de grond pikt, het huis uit te jagen.

Lusaka, Zambia
10 februari 2004

De lichtgevende cijfers van de wekkerradio geven half twee aan, en dat is geen normale tijd voor een telefoongesprek. Ellen tast in het donker naar de telefoon op het nachtkastje, maar het geluid blijkt van haar mobiele telefoon te komen en waar ligt die? En hoe ging dat bedlampje ook alweer aan? Terwijl ze in het donker haar jaszak, de tafel en haar rugzak doorzoekt stopt het geluid en alle mogelijke gedachten flitsen door haar hoofd.

Was het Björn misschien? Maar waarom zou hij midden in de nacht bellen. Er is niet veel tijdsverschil tussen Zambia en Zweden, en dat weet hij. De enige reden zou kunnen zijn dat er iets is gebeurd, iets ernstigs. Mamma!?

Als Ellen tenslotte haar telefoon vindt – waarom ligt die in hemelsnaam in de badkamer? – ziet ze aan de nummerherkenning dat Blessing heeft gebeld. Voor ze het nummer van Blessing heeft ingetoetst gaat de telefoon op het nachtkastje over. Een slaapdronken telefonist vraagt of het goed is dat ze een gesprek van ene mevrouw Blessing doorschakelt.

– Ja, dat is goed.

Blessings stem klinkt opgewonden, maar ze weigert door de telefoon te vertellen waarom. Ze vertrouwt de telefoniste niet. Ze vertrouwt in principe niemand die de mogelijkheid heeft informatie op te pikken die geld kan opleveren, dus moet Ellen haar mobiel terugbellen.

– Hoi, met mij. Wat is er?

– Het spijt me dat ik je midden in de nacht bel, maar er is iets vreselijks gebeurd.

– Wat dan?

– Ik ben in Kamanga, het dorp op weg naar Chongwe, als je de zuidelijke afrit neemt – weet je nog?

– Ja.

– De oude kliniek die afgelopen herfst is gesloten toen de verpleegster naar Zuid-Afrika verhuisde – weet je welke ik bedoel?

– Ja, ik weet welke je bedoelt.

– Zou je die kunnen vinden?

– Ja, dat denk ik wel.

– Kun je een auto regelen – dus geen taxi?

– Mm, dat weet ik niet, daar moet ik even over nadenken. Waar vind ik midden in de nacht een auto? En daarbij rijd ik liever niet zelf. Maar waarom wil je dat ik dat doe, wat is er gebeurd?

– Het nonnenklooster in het dorp is overvallen. Ik heb hier drie zwaargewonde nonnen en een schoonmaakster die was blijven overnachten. De schoonmaakster is acht maanden zwanger en ik geloof dat het kind dood is.

– Maar jij hebt toch een auto? Waarom rijd je niet met ze naar het ziekenhuis en naar het politiebureau om aangifte te doen!

– De moederoverste weigert dat pertinent en de andere nonnen, van wie er een paar aanspreekbaar zijn, zijn het met haar eens. Ze hebben de kliniek gebeld en Paul, die voor het huis zorgt en hier woont, nam op en bracht ze hiernaartoe. Daarna belde hij mij. Als we ze hier niet in het geheim kunnen helpen, lossen ze het liever zelf op. En dat kunnen ze niet. Het zelf oplossen, bedoel ik.

– Oké. Welke spullen heb je daar?

– Ik heb niet zoveel kunnen vinden. Alcohol om mee te ontsmetten, wat kompressen en watten, naald en draad, en wat pijnstillers. Misschien zit er nog iets in een afgesloten kast. Dat zoek ik uit en ik bel je straks terug. Trouwens - Ellen!

– Ja.

Ik vrees dat je moet proberen iemand mee te nemen die je kan helpen. Een verpleegster of een andere arts. Die vrouwen moeten met spoed behandeld worden en dat lukt je nooit allemaal in je eentje.

– Maar wie denk je dat ik zou kunnen vragen?

– Zuster Monica van de kliniek op het marktplein of dokter Ilunga van het ziekenhuis zijn de enige twee die ik zo snel kan bedenken.

– Kun jij ze niet bellen? Of heb je hun privénummer voor me?

– Nee, ik ben het huis uitgestoven en heb er niet aan gedacht iets mee te nemen. Het enige telefoonnummer dat ik uit mijn hoofd weet is dat van jou en hier is geen telefoonboek. Jij zult het zelf moeten regelen. Ik ga nu voor die vrouwen zorgen. Ik bel je later.

Op de achtergrond hoort Ellen iemand hartverscheurend gillen terwijl een andere vrouwenstem een psalm zingt. Als troost.

De zachte vloerbedekking dempt de stappen van Ellens blote voeten.

De receptionist was verbaasd geweest dat de ene Zweedse vrouw, die hier vaak te gast is en net een ongewoon kort telefoongesprek had gevoerd, was komen aansluipen en naar het kamernummer van de andere Zweedse vrouw had gevraagd, maar de receptionist had de twee vrouwen met elkaar zien praten en het had eruit gezien of ze vrienden waren, dus zou het vast geen kwaad kunnen midden in de nacht een kamernummer door te geven.

Noch de verpleegster van de kliniek, noch de arts van het ziekenhuis stonden in het telefoonboek van Lusaka, en Ellen heeft geen idee waar ze wonen. Het telefoonnummer voor inlichtingen werkt tijdens kantooruren al nauwelijks en andere betrouwbare collega's die niet al te veraf wonen kan ze zo snel niet bedenken. Er zit dus weinig anders op dan alleen te gaan. Maar hoe komt ze aan een auto? Ze zou een taxi naar een ander adres kunnen nemen en de rest gaan lopen, maar ze weet niet hoeveel spullen ze moet meenemen en ze weet ook niet zeker of ze het wel kan vinden.

Dat is waarom ze nu, op haar blote voeten met de mobiele telefoon in haar zak en een bezwete nek, voor de deur van kamer 821 staat. Ze heeft geen idee of Margoth enigszins bereid is haar te helpen, want eerlijk gezegd kent Ellen haar oude collega niet meer zo goed en weet ze niet in hoeverre ze hetzelfde is gebleven. Maar ze weet wel dat ze bij de Margoth die ze ooit kende en met wie ze in de vrouwenkliniek van Örnsköldsvik heeft gewerkt, zou kunnen aankloppen.

Ze gokt er ook op dat moeders zelden diep slapen en gemakkelijker zijn te wekken dan vaders.

En ze heeft gezien dat de familie Oxenstierna een auto heeft gehuurd, een grote Volvo combi.

– Wat is er gebeurd? Waarom zou ik niets tegen Peter zeggen?

Je kunt van Margoth Oxenstierna zeggen wat je wilt, maar ze is makkelijk te wekken en snel van begrip. Als ze, nadat Ellen drie keer zachtjes heeft geklopt, de deur met de veiligheidsketting op een kier doet en hoort wat Ellen fluistert, haalt ze de ketting van de deur, pakt haar hotelsleutel, knoopt de ceintuur van haar zijden ochtendjas vast en loopt op blote voeten met Ellen mee. Pas als ze in Ellens kamer zijn beginnen ze te praten.

De situatie zelf begrijpt Margoth direct. Acuut traumatische ervaring ten gevolge van geweld, zo heet dat in ziekenhuistaal.

– Ik snap niet waarom ze niet naar het ziekenhuis kunnen gaan.

Ellen geeft geen antwoord en zit met haar mobiele telefoon te klooien die vanzelf is uitgegaan.

– Maar er is wel meer dat ik niet begrijp, gaat Margoth verder. Natuurlijk kan ik helpen. Het is weliswaar lang geleden dat ik op de eerste hulp bij gynaecologie werkte, maar dat lukt vast wel. Als we tenminste niet te laat komen.

– Kunnen we jouw auto nemen?

– Dat denk ik wel … Peter heeft alleen de hele tijd gereden, dus misschien kun jij rijden?

– Ik denk dat ik het wel kan vinden, en volgens mij zijn de wegen die kant op redelijk goed.

Dan gaat Ellens mobiel.

– Hoe gaat het? vraagt Blessing.

– Ja goed. Ik geloof dat ik zowel een collega als een auto heb gevonden.

– Is het zuster Monica of dokter Ilunga?

– Geen van tweeën, maar zo lukt het waarschijnlijk ook.

– Wie is het dan?

– Laat nou maar zitten! We komen en we komen met zijn tweeën.

– Is het veilig?

– Absoluut!

– Mooi, want er is haast bij.

– Welke spullen heb je nog gevonden?

– Je moet een vacuümpomp meenemen, meer pijnstillers en morning-afterpillen. Verder ook rubberhandschoenen en medicijnen tegen HIV-besmetting, daar heb je toch nog wel wat van over?

– Ja.

– De rest is er geloof ik nog wel, maar neem voor alle zekerheid alles mee wat je denkt nodig te hebben, want misschien zie ik iets over het hoofd. Denk je dat je de weg hiernaartoe kunt vinden?

– Ik herinner me dat ik naar het marktplein moet rijden, maar ik weet niet zeker of ik dat in het donker herken. Weet je misschien een herkenningspunt?'

– Een groot reclamebord van Coca-Cola aan de rechterkant. Meteen daarna sla je links af en dan zie je de kliniek vanzelf. Alleen in dit gebouw brandt licht en je zult het zeker herkennen. Hoe snel kunnen jullie wegrijden?

Ellen werpt een blik op Margoth, die het begrijpt en fluistert:

– Ik ben over vijf minuten klaar.

– We rijden op zijn laatst over een kwartier weg, zegt Ellen in de hoorn. Ik heb mijn mobiele telefoon bij me voor het geval we het niet kunnen vinden of voor het geval jou nog iets te binnen schiet.

Ellen beëindigt het gesprek en draait zich langzaam naar Margoth.

– Zou je gewoon mee kunnen gaan, zonder je man van alles uit te leggen? In het gunstigste geval zijn we terug voor hij wakker wordt. Ik zal je onderweg wat meer vertellen, het is nogal gecompliceerd.

Margoths blik blijft een hele tijd op Ellen rusten en dan knikt ze langzaam. Haar zijden ochtendjas ritselt als ze de deur uitglipt.

De nachtportier hoort de bel van de lift en staat op van zijn bank om te zien wat er aan de hand is. Hij ziet twee blanke vrouwen, gekleed in spijkerbroek, gymschoenen en T-shirt, die haastig naar de deur lopen en nonchalant naar de receptie zwaaien. De jongere vrouw, met het lange haar, draagt een tas over haar schouder. Die ziet er zwaar uit. Terwijl ze in de richting van het parkeerterrein verdwijnen, rammelt de oudste met haar sleutels en kijkt ze bezorgd naar haar vriendin.

Ellen steekt de autosleutel in het contact en er klinkt een vijfvoudige 'klik' als alle deuren automatisch in het slot vallen. De auto start in één keer, maar ze is niet gewend in een automaat te rijden, waardoor de grote Volvo bij de eerste kruising een paar keer schokt. Ellen houdt niet van autorijden, maar ze snapt dat ze geen keus heeft. Dat ze zowel Margoth als de auto bij zich heeft, is meer dan ze had durven hopen. Rijden zal ze zelf moeten doen.

Ellen heeft moeite zich in het donker te oriënteren, haar richtingsgevoel was al nooit haar sterkste kant en straatverlichting vind je hier alleen in de buurt van grote hotels en regeringsgebouwen. Margoth, die geen idee heeft waar de zuidelijke afrit is, grist een kaart uit het dashboardkastje van de huurauto. Nadat ze drie keer fout zijn gereden, waarvan de derde keer hen naar de rotonde bij het hotel heeft teruggebracht, stoppen ze om het licht in de auto aan te doen en op de kaart te kijken.

Net op het moment dat Margoth bijna denkt te weten hoe ze moeten rijden, kijkt Ellen in haar achteruitkijkspiegel en ziet twee koplampen naderen. Als de auto op zo'n vijftig meter afstand is, gaan plotseling de lichten uit, terwijl hij langzaam dichterbij komt. Ellen grijpt naar de versnellingspook, weet hem in 'drive' te zetten en geeft plankgas.

– Wat doe je nu? vraagt Margoth geïrriteerd. Weet je nu opeens wel hoe we moeten rijden?

– Nee, maar er zit een auto achter ons.

Margoth draait zich om, maar ziet helemaal niets.

– Hij heeft zijn koplampen uitgedaan. Daar houd ik niet van. Doe het licht in de auto uit.

Margoth zoekt naar het knopje en doet het licht uit.

– Denk je dat het gevaarlijk is?

– Je weet maar nooit. Ik ben 's nachts nooit buiten. We rijden terug naar het hotel.

– Terug naar het hotel? Maar dan komen we nooit bij de kliniek.

– Jawel, en waarschijnlijk sneller en veiliger. We doen net alsof we naar het hotel moeten, en we stoppen voor de ingang om uit te laden. Dan verdwijnt hij vanzelf.

De verbaasde portier ziet de blanke vrouwen terugkomen, de auto voor de ingang parkeren, en hun tas een aantal keren in en uitladen, waarna ze opnieuw in de auto stappen en wegrijden. Merkwaardig! En dat midden in de nacht!

– Nu wil ik dat je me het een en ander vertelt!

Margoths stem klinkt dwingend. Ze zijn Lusaka uitgereden en de autoweg ligt er verlaten bij. Geen wandelende mensen langs de kant van de weg. Voor zover Ellen zich kan herinneren is de weg goed, althans op een paar gaten bij de afrit naar Lili Lodge na. Daarna zal ze het rustiger aan moeten doen.

– Wat wil je weten?

Ellen concentreert zich volledig op de weg, zodat ze niet naar haar geïrriteerde vriendin hoeft te kijken.

– Ik wil alles weten!

– Waarom bellen verkrachte nonnen midden in de nacht naar jou, een Zweeds wetenschappelijk onderzoekster?

– Wat zit er in de tas die we bij ons hebben?

– Waarom mag ik niets tegen Peter zeggen?

– Waarom stoppen er auto's achter ons en doen ze daarna hun koplampen uit?

De laatste vraag is het gemakkelijkst, dus daar begint Ellen mee.

– Dat die auto achter ons stopte was niet per se voor mij bedoeld, maar iedereen die hier 's nachts in een dure auto rondrijdt is nu eenmaal een prooi voor hongerige roofdieren. Net als een vette antilope. Misschien waren deze roofdieren juist deze nacht niet extreem hongerig, of gedroegen ze zich een tikkeltje anders dan roofdieren normaliter doen, maar het komt op hetzelfde neer. Wij zijn voor hen nu eenmaal wandelende portemonnees met mooie auto's die veel waard zijn en we hebben pasjes waarmee je een bankrekening kunt plunderen nog voor het woord 'blokkeren' is uitgesproken. Vooral als ze tijdens de overval flink wat klappen uitdelen geeft dat ze extra tijd. Misschien hadden ze bovendien in de gaten dat we twee vrouwen waren en dat verhoogt de waarde van hun prooi. Zo moet je dat volgens mij bekijken, en het vooral niet persoonlijk opvatten. Je moet zo voorzichtig mogelijk zijn, net als een waakzame antilope. 'Streetwise' heet dat toch in New York?

– Oké, maar de rest dan?

De kale gloeilamp van minstens honderd watt aan het plafond moet de versleten kamer van operatielicht voorzien. Op een paar matrassen zitten drie vrouwen in elkaar gedoken onder grijze dekens. De oudste en grootste vrouw rilt van de kou, terwijl de andere twee zich nauwelijks bewegen. Op de ruwe betonnen vloer liggen grote opgedroogde plassen bloed. Een van de vrouwen zit zo stil in een hoek dat, als ze niet af en toe met haar ogen zou knipperen, je bijna zou denken dat ze versteend is. Plotseling begint ze te trillen, alsof ze vreselijk hoge koorts heeft. Terwijl Ellen haar bloeddruk controleert, begint Blessing te vertellen.

Een groep jonge mannen, die dronken waren van zelfgebrouwen bier, had op de deur geklopt toen de nonnen net naar bed waren gegaan. Ze zeiden dat ze honger hadden en eten wilden hebben, maar toen moederoverste met haar allerstrengste stem van lerares zei dat ze de volgende dag, als ze weer nuchter waren, maar moesten terugkomen, was de groep naar binnen gedrongen. Eerst in het huis en daarna in de lichamen van de door schrik verlamde vrouwen. Ze waren met moederoverste begonnen, een magere vrouw van zesenzestig in een geborduurd nachthemd, en hadden daarna de andere vrouwen gegrepen. Ze hadden ieder elke vrouw verkracht. De mannen hadden messen bij zich, althans dat dacht de zwangere schoonmaakster, die nog het meest aanspreekbaar was, maar niemand wist het helemaal zeker. Het was donker geweest en het waren veel mannen geweest, hoewel onduidelijk was hoeveel precies.

Waarom? Dat weet niemand.

– De vrouwen weigeren naar het ziekenhuis te gaan, en ik heb moeten beloven niemand iets te vertellen, zegt Blessing. Als dit verhaal zich verspreidt kun je volgende week een nieuwe groep verwachten. Op een bekend geworden verkrachting volgen er meestal meer, het is net alsof het vergrijp een vrijbrief is voor nieuwe aanvallen.

Ellen werpt een blik op Margoth, die bleek maar geconcentreerd een paar rubberen handschoenen aantrekt.

Door het vage ochtendlicht weten ze de weg door het dorp gemakkelijker te vinden dan op de heenreis. Blessing is bij de uitgeputte nonnen gebleven, maar Ellen heeft straks zo'n druk programma dat ze moet proberen een paar uur te slapen. Bovendien wil ze het liefst in het hotel terug zijn voor Peter Oxenstierna wakker wordt en zich afvraagt waar zijn vrouw is. Plankgas dus, zodra de grintweg ophoudt. Margoth, die geen woord heeft gezegd sinds ze de kliniek hebben verlaten, controleert of de veiligheidsriemen vastzitten:

– Ik herinner me dat toen ik in Ö-vik woonde er werd gezegd dat de gevaarlijkste tijd om auto te rijden tijdens de ochtendschemering is. Vooral omdat de chauffeur dan vaak moe is, maar ook omdat er dan het meeste gevaar is voor wild op de weg. Elanden en zo. Is dat hier niet net zo? Hier heb je toch heel veel wilde dieren?

– Hier? Ellen kijkt verbaasd naar haar vriendin en richt haar blik dan weer op de weg.

– Hier is geen arme aap meer te bekennen.

– Hoezo niet?

– Die zijn allemaal opgegeten! Waarom denk je dat de safari-parken allemaal omheind zijn en waarom de auto's die in en uit rijden worden gecontroleerd? In deze gebieden leeft er in het wild niets meer dat groter is dan een miereneter. Het risico een dier op de weg aan te rijden is duizend maal groter op de Zweedse auto-weg naar Norrtälje dan hier.

– Dacht daar niet aan …

Margoth imiteert de stem van de acteur, die 'hij uit Sundbyberg' in het Zweeds satirische programma 'Lorry' speelt en Ellen lacht uitbundig. Misschien iets te uitbundig. De spanning begint lang-zaam wat af te nemen.

De weg is kaarsrecht, maar gaat als een achtbaan stijl omhoog en naar beneden. In de verte ligt de mist nog over de met bos be-dekte bergtoppen, maar in het dal wordt Afrika wakker. Hier en daar staan ronde hutten die door planten zijn overwoekerd. Als het erf er smerig bij ligt en het onkruid zijn gang heeft kunnen gaan kan dat betekenen dat de inwoners door ziekte zijn getroffen. Hutten zijn namelijk zelden onbewoond. Zo dicht bij de stad is er altijd wel iemand die graag in een verlaten huis wil wonen.

Langs de kant van de weg verschijnen wat mensen – kinderen in hun schooluniformen op weg naar school en volwassenen, be-pakt en bezakt. De kleine winkeltjes langs de kant van de weg gaan weer open, wiebelige kraampjes met lauwe frisdrank en droge koeken, houtskool in dunne zakken, tomaten, bezems of de Afrikaanse snack: gegrilde maïskolven.

In de berm liggen de piepkleine hoopjes takken, met een bord-je 'brandhout te koop', er verlaten bij, alsof iemand ze is vergeten, maar Ellen weet dat als ze daar stopt, of als iemand anders voorbij komt, er een hoopvolle verkoper uit de bosjes opduikt.

– Als ik mijn vader die houtstapeltjes had laten zien, had hij zich doodgelachen, zegt Ellen, die een neutraal onderwerp probeert te zoeken. Hij besteedde al zijn vakantiedagen aan het omzagen, splij-ten en opstapelen van hout, en dan praat ik over kubieke meters.

Margoth geeft geen antwoord. Het is halfzeven en opmerkelijk stil in de grote huurauto, die monotoon over de betonplaten dendert.

Stockholm, Zweden
13 februari 2004

– En het boeket moet strak gebonden zijn, zeg maar rond, met enorm veel rode rozen … en lathyrus … ja, dat zei ze, roze lathyrus … daarna vroeg ze wat voor bloemen we op de tafels zouden zetten en toen heb ik tafeldecoraties voorgesteld … uiteraard roze … maar op onze tafel is het bruidsboeket genoeg denk ik … maar dan moeten we wel een mooie, lage vaas hebben … heb jij een kristallen vaas?

– Daarna hebben we het over de logistiek gehad … en hebben we besloten dat ze op donderdagavond naar ons toekomt met de bloemen die ik in mijn haar zal steken … en de tafeldecoraties zitten in een grote doos die ze op vrijdagochtend bij jullie langs zal brengen … dan kunnen jullie die naar de receptieruimte meenemen en ze daar neerzetten … dat lukt toch wel?

– En verder moeten we met de kerk regelen dat we van tevoren naar binnen kunnen en dat er geen andere bruiloft voor ons is … maar daar ga ik wel even achteraan …

– Weet je, ze doet het zo goed … ik geloof dat de bloemen tussen de honderdvijftig en tweehonderd euro kosten, maar dat is het helemaal waard … en ik ga hartvormige snoepjes kopen, je weet wel, die met suiker erop, en die strooi ik dan over de tafels … en we hebben roze servetten in verschillende kleurnuances …

Agneta probeert niet te luisteren, maar de stem van de jonge moeder met paardenstaart en kinderwagen schalt dominant door de metrowagon, die deze namiddag zo goed als leeg is. Ze praat met een oudere vrouw die de kinderwagen geduldig heen en weer wiegt en zwijgend antwoord geeft. Een schoonmoeder die vanzelfsprekend een lage kristallen vaas in huis heeft, denkt Agneta, terwijl ze zichzelf in een soortgelijk gesprek met de vriendin van haar zoon probeert voor te stellen. Deze vriendin werkt bij het postkantoor, heeft schattig zwart haar, overal veiligheidsspelden, en doet mee aan *Reclaim the city* - demonstraties, tot nu toe zonder daarvoor in de gevangenis te belanden. Over zo'n leven kan Agneta zich soms ongerust maken, maar als het alternatief een schoondochter is die het normaal vindt tweehonderd euro aan bruidsbloemen uit te geven?

De rest van de bruiloftsplanning loopt Agneta mis, omdat ze er bij het metrostation Odenplan uit moet. Het is koud en winderig en Agneta loopt snel de bussen voorbij en steekt *Odengatan* over. Ze stopt bij de pinautomaat en gaat in de rij staan om haar laatste vijftig kronen te pinnen, waarna ze haar muts strak over haar oren trekt en *Norrtullsgatan* inloopt. Dat het midden in de stad zo hard kan waaien!

'Een klein sushitentje tussen *Odengatan* en *Observatatoriegatan*', had Björn gezegd. Hij zei dat hij daar af en toe, op weg naar huis, als Ellen op reis was, ging eten. Zijn stem had een beetje zielig geklonken en Agneta weet dat hij vindt dat Ellen te vaak weg is, maar daar wil ze het niet over hebben. Er zijn nu andere, grotere problemen te bespreken.

In Agneta's veel te grote, maar altijd propvolle schoudertas, tussen een pocket en haar agenda, ligt Ellens brief met de kleine witte tabletjes. Onderweg heeft Agneta al een paar keer zenuwachtig gecontroleerd of ze de enveloppe wel echt bij zich heeft.

Gisteren, op dezelfde dag dat de brief was aangekomen, had Björn haar uit zichzelf gebeld en hadden ze een afspraak gemaakt. Hij klonk een beetje ongerust. Ellen had hem vanuit Lusaka gebeld, maar de verbinding was zo slecht geweest dat hij haar verhaal niet had begrepen, zei hij. Wat wilden ze precies van hem?

Zelf heeft Agneta al diverse keren naar Ellen gebeld, maar krijgt steeds geen gehoor en haar mailtjes worden ook niet beantwoord. Waarom legt Ellen de situatie niet zelf aan haar man uit? Agneta is geïrriteerd. Ze wil niet meer vertellen dan Ellen zou hebben gedaan, maar ze zou niet weten hoe ze het belangrijkste onderwerp zou moeten vermijden. Diep van binnen verdenkt ze Ellen ervan haar mobiele telefoon te hebben uitgezet en niet op de mail te hebben gereageerd om zich niet te hoeven verantwoorden. Laf, om de verantwoordelijkheid bij haar te leggen. Maar ze zal het erover moeten hebben, wat Ellen er achteraf ook over zal zeggen. Want waarom zou Björn anders meewerken?

Voor ze naar binnen gaat schudt ze de sneeuw van haar muts.

Stockholm, Zweden
15 februari 2004

Om vijf voor zeven steekt Agneta de sleutel in het slot. Er is niemand thuis. Het is benauwd in de keuken en er hangt een bedompte geur – Leo schijnt niet door te hebben dat ze kan ruiken dat hij stiekem heeft gerookt. Ze zet het raam open en laat de frisse winterlucht binnen. Dan houdt ze haar muts boven het bad en schudt de sneeuw ervan af, waarna ze haar jas aan een haakje achter de hangertjes ophangt. Ze moet wat ruimte voor de winterjassen van haar gasten overhouden.

De hele weg naar huis gierde de angst door haar lijf. Hoe kan dit gebeurd zijn? Het moet een fout zijn. Maar wiens fout? Die van haar?

Eerst zullen de eenvoudige vragen aan bod komen: 'Thee of koffie?' Allebei. Ze zal de waterkoker een paar keer moeten vullen. Nu moet ze plassen. Op weg naar het toilet doet ze de deur van haar slaapkamer met het onopgemaakte bed dicht.

Deze keer voelt zelfs het kantoor bij het vrouwenopvanghuis niet veilig genoeg, dus heeft Agneta de *Junta* bij zich thuis laten komen. De groep spreekt zelden bij elkaar thuis af, om de familieleden niet ongerust te maken, maar ook omdat het professioneler voelt elkaar op een neutrale plek te ontmoeten. Het kantoor in het vrouwenopvanghuis is altijd een goede vergaderplek geweest, maar een van de nieuwe bewoonsters is nogal opvliegend en veeleisend, en kan ieder moment een vergadering verstoren, dus heeft Inga hen afgeraden daar af te spreken.

Voor het eerst werpt Agneta vandaag een blik in de spiegel. Haar vette haar zit in de war en de grijs wordende uitgroei onder het kastanjebruin is weer nodig aan een verfbad toe – wanneer heeft ze tijd en geld voor de kapper? De uitgelopen mascara zit als een zwarte schaduw onder haar wimpers en de wallen onder haar ogen worden steeds dieper. Kritisch strekt ze haar nek uit en constateert dat haar nichtje gelijk had toen ze zei 'je hebt een oude nek gekregen'. Agneta pakt een haarborstel en hoewel de deurbel gaat blijft ze doorkammen. Anne-Marie, denkt ze, terwijl ze snel de smoeze-lige wastafel schoonspoelt en de tandpastaspetters van de spiegel poetst. Anne-Marie is altijd zo stipt.

– Hoi!

– Hoi! Alles goed?

Anne-Marie draagt een getailleerde, gewatteerde jas waarvan de capuchon nauwelijks vochtig is. Zeker van die uitstekende water-afstotende stof, denkt Agneta jaloers.

– Ja, ik mag niet klagen. Hoewel ik erg nieuwsgierig ben naar wat jij te vertellen hebt.

– Daar hebben we het wel over als de anderen er ook zijn, zegt Agneta, en geeft Anne-Marie een hangertje voor haar jas.

– Zijn we vanavond compleet? vraagt Anne-Marie terwijl ze op een krukje gaat zitten om haar laarzen uit te doen.

– Ja, volgens mij wel, hoewel het vrij kort dag was om ons alle-maal bij elkaar te krijgen.

Als Agneta naar de keuken loopt ziet ze vanuit haar ooghoeken dat Anne-Marie een stoffen zakje uit haar schoudertas pakt, waar aparte schoenen voor binnenshuis in zitten.

– Kan ik je met iets helpen?

– Ja, als je wilt kun je thee zetten. Ik heb al water gekookt en de thee staat hierboven in het kastje. De theepot staat vast nog binnen bij de tv.

Anne-Marie haalt de theepot en de vieze kopjes van de vorige avond uit de woonkamer. Met een dweiltje in de aanslag loopt ze te-rug naar de salontafel en Agneta vervloekt haar late thuiskomst. Ze had op zijn minst zelf even een doekje over de tafel kunnen halen!

– Hoe gaat het met de jongens? vraagt Anne-Marie.

– Goed, geloof ik. Ik zie ze namelijk niet zo vaak. In het gun-stigste geval ontbijten we samen, maar dat gebeurt alleen als ik niet hoef te werken, want anders ben ik dan allang de deur uit. En als ik 's avonds thuiskom zijn ze, na een bord macaroni naar binnen te hebben gewerkt, meestal alweer de hort op. De pinpas van de ICA-supermarkt maakt overuren en ik schrik me elke keer dood als ik de maandafrekening zie. Maar ik vraag overal bonnetjes van, zodat ik zeker weet dat mijn zuurverdiende centen niet aan sigaretten en bier opgaan. Leo rookt stiekem en denkt dat ik dat niet in de gaten heb. Ik geloof dat hij zei dat hij vanavond in de sporthal zaalhockey speelt.

Agneta haalt snel een doekje over het aanrecht en het fornuis en doet de vaatwasser open om daar de vieze kopjes in te zetten. De machine is vol en ze probeert het servies ergens tussen te duwen. De vragen malen rond in haar hoofd, ze voelt zich angstig maar ook geïrriteerd. Dat die jongens verdorie niet eens de afwasmachine aan kunnen zetten! Maar dan babbelt ze verder:

– En Jens werkt, hij heeft een baan bij de videotheek en dat was precies waar hij van droomde. Maar hij is meestal bij zijn vriendin. Nee, mijn leven als moeder heeft tegenwoordig vrij weinig te betekenen. Dat moet door wijn, mannen en gezang worden opgevuld! (Erg grappig, denkt ze verbitterd.)

– En bij jou? gaat Agneta verder. Hoewel ze er met haar gedachten helemaal niet bij is, lukt het haar over koetjes en kalfjes te kletsen. Hoe is het met Åsa?

– Goed. Ze vindt haar werk een beetje saai, wat ik best kan begrijpen, maar ze is begonnen met tangodansen en dat vindt ze geweldig.

– Dat kan ik me voorstellen. Waarom doe jij dat ook niet?

Agneta ziet dat ze te weinig schone kopjes heeft en moet de zoemende vaatwasser open maken om er een paar blauwe mokken uit te pakken, die ze vervolgens afspoelt.

– Nee, ik ben zo onmuzikaal, zegt Anne-Marie.

– Denk je dat je muzikaal moet zijn om te kunnen dansen?

– Je moet wel gevoel voor ritme in je bloed hebben.

– Zoals de negers in Afrika, bedoel je?

– Ja precies.

Dan gaat de deurbel opnieuw.

– Dat is Inga. Zou jij even willen opendoen?

De lage hakken van Anne-Marie's modieuze schoenen klikklakken over de plavuizen vloer in de gang, het enige deel van de inrichting waar Agneta trots op is. Inga's winterjack maakt een krakend geluid als ze Anne-Marie omhelst, en ze roept richting de keuken:

– Hoi Agneta. Hoe is het met je?

– Rotweer, maar verder gaat het goed. Ik heb echt zo'n bloedhekel aan de winter.

– Ik ben verkouden aan het worden, zegt Anne-Marie na een flinke niesbui.

– En hoe is het met jou?

– Tja, zegt Inga, terwijl ze op de keukenstoel gaat zitten om haar winterlaarzen uit te trekken. Het plasje water op de grond haalt ze weg met een stuk keukenpapier uit de houder die op het aanrecht staat.

– Het is erg onrustig in het opvanghuis. We hebben een groepje nieuwe vrouwen van wie een aantal door de immigratiepolitie wordt gezocht. Maar er zit één vrouw tussen die vreselijk is. Ik vrees dat jullie de volgende week kennis met haar moeten maken. Ze is zo saai, zo verschrikkelijk saai.

Inga zet haar laarzen in de gang en laat zich dan weer zwaar op de keukenstoel ploffen. Ze draagt zwarte, handgebreide sokken met een geel randje.

– Ik lieg niet als ik zeg dat de klok gewoon stilstaat als die vrouw de kamer binnenkomt. En ik kan niet eens precies zeggen wat ze verkeerd doet. Ze praat over mensen die ze heeft gekend en over reizen die ze heeft gemaakt. Maar het gaat allemaal nergens over. En iedereen loopt altijd zo snel mogelijk de kamer uit. Ik schaam me dood. Dat is toch zielig, ze is net als alle andere mishandelde vrouwen op de vlucht, en ik moet daar toch mijn werk doen.

– Dat was misschien de reden dat hij haar sloeg, zegt Anne-Marie provocerend.

Niemand lijkt haar opmerking grappig te vinden.

– Maar serieus, zegt Inga met een stuurse blik naar Anne-Marie. Hebben jullie ooit zo iemand ontmoet?

– Ik had vorig jaar in ons ziekenhuis ook zo'n type, een arts in opleiding, zegt Agneta. Ik heb erover nagedacht en denk dat het probleem met haar was dat ze zo afgrijselijk pretentieus was. Een verwaand nest, zouden mijn zoons zeggen.

De waterkoker klikt en Anne-Marie giet het water over de theebladeren in de theepot. Agneta pakt een stevig dichtgeknoopte plastic zak uit de kast en geeft die aan Inga, die hem in haar tas stopt.

– Alleen rubberhandschoenen en pijnstillers, zegt ze zachtjes. Inga knikt.

– Ik heb ook een nieuwe lading voor je, zegt Anne-Marie, maar de dozen namen zoveel plaats in, dat ik ze op kantoor heb laten staan. Ik kan ze morgenavond bij je langsbrengen. Komt dat uit?

– Ja, als we een tijd afspreken, zorg ik dat ik in het opvanghuis ben.

Thee en koffie met melk, maar geen koekjes. Agneta eet nooit koekjes, dus waarom zou ze die in huis halen? Ze biedt aan voor degenen die nog niet hebben gegeten een boterham te maken, maar dat blijkt niet nodig te zijn. Zelf voelt Agneta zich vooral misselijk. Dit is niet bepaald een theekransje.

– Vertel nu eens Agneta, begint Inga. Wat zei Björn?

– Aanvankelijk wilde hij absoluut niet meewerken. Hij vond dat we de zaak aan een overheidsinstantie of aan een officieel laboratorium moesten overdragen. Mocht er met het medicijn dat wij in ons project hebben uitgedeeld iets mis blijken te zijn, dan moet dat volgens hem uiteraard worden onderzocht. De vergissing moet dan worden rechtgezet, waarbij de hele affaire zou moeten worden gemeld bij de *Swedish International Development Coöperation Agency*, *Sida*, bij de *Swedish Association for Sexual Education*, bij God en bij de hele wereld.

– Tjonge, en wat zei jij toen?

Alle ogen zijn op Agneta gericht als ze suiker in Inga's kopje doet.

– Uiteindelijk begon ik te begrijpen dat hij nog minder wist dan ik dacht. Dus moest ik bij het begin beginnen. Maar hij had een heel klein café uitgekozen met een afhaalbalie, waardoor er steeds mensen voorbij liepen die hun eten kwamen ophalen. We konden dus niet ongestoord praten. Ik geloof niet dat de ernst van de situatie tot hem doordrong. Maar ten slotte begreep hij dat zijn voorstel overheidsinstanties in te schakelen geen optie was. Als hij ons daar zou aangeven, zoals hij dreigde te doen toen hij de situatie begon te begrijpen, zou dat niet alleen ons treffen, maar vooral Ellen en het hele project dat we in Afrika hebben opgebouwd.

– Wat zei hij toen?

– Eerst helemaal niets. Hij was razend en probeerde met zijn mobiele telefoon Ellen zowel op haar mobiel als in het hotel te bereiken, maar ze nam natuurlijk niet op.

– Waarom denk je dat ze niet opneemt?

– Ik denk dat ze bang voor de ontmaskering is, voor Björns reactie als hij achter de waarheid komt. Ik denk dat we, of in elk geval ik, een iets te rooskleurig beeld van hun huwelijk hebben gehad. Er blijken veel zaken te zijn waar ze niet over praten.

– En dat mocht jij even opknappen!

– Ja, ik voelde me eerlijk gezegd behoorlijk gebruikt.

– Heb je Ellen al te pakken gekregen?

– Nee, ik heb op haar voicemail ingesproken, maar bij het hotel zeggen ze dat ze drie dagen voor een onderzoek op reis is. Ze is dus vertrokken nadat ze Björn had gebeld.

– Geloof je dat?

– Ik weet het niet. Hoewel we op de uitslag van het onderzoek wachten zal ze toch moeten doorwerken. Maar ik heb wel het idee dat ze zich letterlijk en figuurlijk in de wildernis verstopt.

– Maar goed, heb je Björn zover gekregen dat hij het onderzoek gaat doen?

– Ja, uiteindelijk wel.

– En nu heeft hij jou gebeld?

– Ja, en het is zoals we vermoedden. De pillen bestaan niet uit gewone *Mifepristone*, maar bevatten een vergelijkbare stof die volgens Björn nog nooit op mensen is getest.

– Wat is dat voor stof en wat is de werking?

– Kennelijk veroorzaakt deze stof een veel groter risico op bloedingen. Ik ben geen farmaceut en noch Björn, noch ik weet welke andere risico's die stof met zich meebrengt, maar hij zegt wel dat er iets goed mis is.

– Van wie hebben we deze pillen eigenlijk gekregen?

– Ik weet het niet. Laten we hopen dat het om een vergissing gaat, dat het een verkeerde levering is of dat er verkeerde etiketten zijn gebruikt of iets dergelijks. Ik kan me niet voorstellen dat dit opzettelijk is gebeurd. Het belangrijkste is dat we zo snel mogelijk alle pillen die verdacht zijn verzamelen en vernietigen. En we moeten zorgen dat we dit soort pillen niet meer aannemen.

– Weet Ellen uit welke verpakking ze kwamen?

– Nee, niet precies. Ze vond het al een beetje gek dat de doosjes niet het gebruikelijke etiket hadden. De spullen hadden een tijdje bij Blessing gelegen, dus het kon zijn dat zij ze in een andere verpakking had gedaan, maar dat ligt niet voor de hand. Ellen zegt dat Blessing niet over de zaak wil praten en stug volhoudt dat de bloedingen een andere oorzaak hebben, maar nu staat het zwart op wit en mag ze ermee aan de slag.

– Heb ik het nu goed begrepen? zegt Inga, terwijl ze de andere vrouwen één voor één ernstig aankijkt. Haar blik staat stil bij Agneta.

– Betekent dit dat we medicijnen hebben uitgedeeld die letterlijk levensgevaarlijk zijn?

– Daar lijkt het wel op.

– Mijn God!

Nu komen de vragen van alle kanten:

– Hoe is dat mogelijk?

– Wie z'n fout is dat?

– Waar komen die medicijnen vandaan?

– Ik weet het niet, zegt Agneta. Dat is precies wat me moeten onderzoeken. De spullen komen immers uit verschillende hoeken.

– Maar kan het opzet zijn? Dat zal toch niet!?

– Dat denk ik niet, maar op dit moment heb ik er een raar gevoel over. We moeten uitzoeken hoe het zit. Ik heb een SPOED-bericht gemaild en naar het hotel gefaxt, dus nu moet Ellen bellen zodra ze in het hotel terug is.

– Wat kunnen we hier doen?

– Ons gedeisd houden en rustig blijven, zegt Agneta.

– Ellen zal Björn heel wat moeten uitleggen.

– Wil er nog iemand koffie?

Niemand heeft nog trek.

Chongwe-District, Zambia
15 februari 2004

Vlak voor pater Abraham bij het marktplein komt houdt hij stil en gaat op een omgevallen boom zitten. Hij doet zijn tas open en pakt er een paar leren schoenen uit. Hij slaat de zolen van zijn versleten plastic sandalen, waarop hij vanuit het dorp is komen lopen, tegen elkaar zodat de modder eraf valt en stopt ze in zijn aktetas. Nu wil hij er representatief uitzien.

Hij heeft dag en nacht zitten nadenken. De Bijbel heeft hem niet veel hulp kunnen bieden, ja, alles wat hij in zijn leven heeft geleerd lijkt nu onzeker. Zijn zus is verkracht. Zijn lieve kleine zusje, die hij altijd heeft beschermd en op wie hij altijd zo trots is geweest, vooral toen ze besloot non te worden, heeft met grof geweld te maken gehad. God heeft haar niet kunnen beschermen, zelfs haar niet, de kleinste van allemaal. Waar heeft ze dat aan verdiend? Wat heeft zij verkeerd gedaan?

Dagenlang heeft ze zwijgend op zijn bed gelegen. Ze bloedde en huilde, maar weigerde eerst te vertellen wat er was gebeurd. Langzaam maar zeker kwam het verhaal eruit. Wie de daders waren weet ze niet. Ze heeft ze nooit eerder gezien. Maar de engelen, de blanke vrouwen die haar midden in de nacht kwamen helpen, zal ze nooit vergeten.

Ze dankt God voor al het bloed dat uit haar stroomt. Ze hoopt dat al het kwaad, alle infecties en sperma en al het andere dat de duivels in haar lichaam hebben achtergelaten, samen met het bloed haar lichaam zal uitstromen. Beauty is haar diverse keren komen opzoeken, en heeft haar bloedstelpende en pijnstillende medicijnen gegeven. Ze komt er weer helemaal bovenop, zegt Beauty, die keer op keer heeft moeten beloven er met niemand over te praten.

Maar pater Abraham weet het en hij zal het nooit vergeten. Zijn slapeloze nachten hebben de angst alleen maar groter gemaakt. Bidden helpt niet. Er komt geen antwoord van Hem. Alleen stilte.

Pater Abraham zoekt hulp voor zijn zielennood.

Er staat een rij voor de enige openbare telefoon bij het postkantoor, maar pater Abraham wacht graag. Laat zelfs een paar mensen voorgaan, want hij wil niet dat iemand kan meeluisteren. Hij kent het nummer uit zijn hoofd. De munten vallen in de automaat en aan de andere kant van de lijn klinkt een bekende stem:

– Met bisschop Paul.

– Dag bisschop, u spreekt met pater Abraham, het spijt me dat ik u stoor, maar ik zou graag even met u willen praten.

– Ja natuurlijk, wanneer u maar wilt. Ik heb begrepen dat er in uw gemeente het een en ander is gebeurd.

– Ja.

– Beste pater. Op dit moment heb ik geen tijd. Ik zit midden in een belangrijke vergadering. Kunt u me morgen rond deze tijd bellen?

– Ja, maar …

– Het spijt me, maar ik heb nu belangrijk bezoek.

Pater Abraham hoort dat de bisschop zijn hand op de hoorn legt, terwijl hij tegen iemand in de kamer sist: 'Ja, ik kom over twee seconden.'

– Kunt u alstublieft morgen even terugbellen? vraagt de bisschop, nu licht geïrriteerd.

– Ja, dat zal wel lukken.

– Bedankt. Tot morgen dan.

Bisschop Paul legt de hoorn op de haak en trekt de deur achter zich dicht voor hij haastig naar buiten loopt. Op de parkeerplaats ontmoet hij de jongeman met verf op zijn sandalen. Het gouden kruis hangt blinkend op zijn borst. Hij komt verslag uitbrengen, maar ook hij moet wachten.

Stockholm, Zweden
16 februari 2004

Anne-Marie kiest de bruine schoenen uit de rij onder de boekenkast. De mappen daarboven hebben allemaal dezelfde beige-bruine tint en de bijpassende gordijnen voor het zwarte raam zijn kopieën van de ontwerpen van Josef Frank. Het is pas kwart voor acht, maar ze komt graag wat eerder, zodat ze eerst rustig haar mail van het Indische kantoor kan lezen voor de telefoon begint te rinkelen. Haar baas is al op kantoor, dat kan ze aan de besneeuwde jas in de hal zien. Ze klopt zachtjes op zijn deur en kijkt naar binnen.

– Goedemorgen Gunnar. Vroeg opgestaan? Kopje koffie? Gunnar kijkt snel op van de telefoon met een vreemde uitdrukking op zijn gezicht. Alsof ze hem op iets betrapt, of misschien met iemand betrapt.

Anne-Marie zou niet gek opkijken als hij haar op een dag zou vragen voor hem te liegen om zijn ontrouw te verdoezelen, ze is er van overtuigd dat de meeste hoge bazen niet trouw zijn, maar tot nu toe lijkt hier alles eerlijk te gaan. Ze heeft zelfs bossen bloemen moeten kopen die hij op vrijdag voor zijn vrouw meenam en waarvoor zijn vrouw haar op maandag telefonisch bedankte. Maar nu?

Hij legt zijn hand over de hoorn en knikt naar Anne-Marie. – Ja, koffie graag.

Als ze de mok koffie – beetje melk, geen suiker – op zijn bureau zet heeft hij opgehangen en staat op het grote whiteboard een vergadering voor te bereiden. Pijlen en cirkels in verschillende kleuren. Zoals gewoonlijk.

Op het bureau staat een kopje met op de bodem een laagje oude koffiedrab en als Anne-Marie het wil oppakken ziet ze een blaadje liggen waarop een telefoonnummer is gekrabbeld. Ze herkent de eerste vijf cijfers: 00260 voor Zambia.

Een uur later staat ze bij het kopieerapparaat. Er moet een stapel papieren worden gekopieerd en in nieuwe mappen worden gedaan. Ze heeft over het telefoonnummer op Gunnars bureau nagedacht.

Wat zou de reden kunnen zijn dat haar chef naar Zambia belt?

Normaal gesproken zouden de papieren van het internationale reisbureau, die iemand in het kopieerapparaat heeft laten zitten, haar niet eens zijn opgevallen, maar nu staat ze op scherp. De derde bestelling springt in het oog:

'David Robinson – Boston-Lusaka, vertrek 1 februari, open ticket. Visum vereist.'

David Robinson is hoofd van de internationale veiligheidsdienst van het concern, een Amerikaan die de laatste tijd opvallend vaak bij Gunnar op bezoek is geweest. Dat is eigenlijk merkwaardig, wat heeft het hoofd van de veiligheidsdienst bij een eenvoudige Zweedse chef marketing te zoeken?

Anne-Marie vindt het geen prettige man. Zijn stevige handen knijpen als hij haar groet en 's morgens stinkt hij naar aftershave. Maar zijn kappersrekening zal niet hoog zijn, want zijn kapsel is goed bij te houden met een scheerapparaat en hij kan er per slot van rekening ook niets aan doen dat hij er zo uitziet. Hij is altijd aardig tegen Anne-Marie. Misschien komt het alleen maar omdat ze niet van die opdringerige politiegeur houdt?

Washington Post, VS, 5 februari 2004

Brand kantorencomplex vermoedelijk aangestoken
Politie zoekt getuigen

Bij een uitslaande brand in het kantorencomplex op Brentwood Road in Washington is vanmorgen vroeg het korps van de brandweer ingeschakeld. Een voorbijrijdende automobilist zag uit een van de ramen op de vierde verdieping van het complex vlammen slaan en heeft onmiddellijk de politie en de brandweer gealarmeerd.

Toen de hulpdiensten ter plaatse kwamen stonden grote delen van de verdieping in brand. Aan het eind van de ochtend was de brand onder controle. Er zijn geen slachtoffers gevallen, maar de materiële schade is aanzienlijk.

De brand is ontstaan in het gecombineerde kantoor en archief van schoonmaakbedrijf *Clean Enterprise*. In een prullenbak werd brandbaar materiaal gevonden en toen de politie in het trappenhuis een jerrycan benzine ontdekte, sterkte dit hun vermoeden dat de brand was aangestoken.

'We zoeken daarom getuigen die hebben gezien dat er één of meerdere personen op donderdagochtend tussen twee en drie het pand hebben verlaten', zegt politie-inspecteur Steve Brown. De *Washington Post* heeft vernomen dat de deuren van het complex van buitenaf waren afgesloten.

'Het moet iemand met een sleutel zijn geweest', zegt de beheerder van het complex, Philip Miller. 'We hebben op alle verdiepingen stalen deuren met dubbele sloten. Ik kan u dus verzekeren dat het pand volledig tegen inbraak is beveiligd.'

Lusaka, Zambia
16 februari 2004

Ze neemt een slokje van haar derde gin-tonic en zou zichzelf eigenlijk een halt moeten toeroepen, maar voorlopig is er nog tonic in de minibar en de lucht op het balkon is donker en zwoel. Maar het uitzicht is weg. De buitenkant van haar kamer is aan de beurt voor renovatie en de werklieden hebben over de hele breedte van het balkon plastic gespannen. Dat is jammer, en hoewel haar is aangeboden van kamer te wisselen, is ze daar nog niet aan toegekomen. Ze is de laatste dagen nauwelijks in het hotel geweest. Ze likt haar wijsvinger af die ze als lepeltje voor haar drankje heeft gebruikt. Het waait zachtjes en het plastic klappert. De lucht voelt een beetje klam aan, net als een half opgewarmde sauna. Zweterig en benauwd.

Ellen staat op om haar trui uit te trekken en moet heel wat lichtschakelaars uitproberen voor ze de schakelaar heeft gevonden waarmee ze de lamp in de kamer kan uitdoen. Hotelverlichting zit gecompliceerd in elkaar, denkt ze terwijl ze met weemoed aan de goedkope pensionkamer in Londen terugdenkt waar Björn en zij in hun arme studententijd hun huwelijksreis doorbrachten en waar het hun niet was gelukt erachter te komen hoe je het licht in de badkamer uitdeed. Alles was toen veel eenvoudiger.

Bij de receptie lagen flink wat boodschappen van Agneta en Björn en het aantal mails was nog groter. Björns mailtjes waren niet bepaald vriendelijk, maar gelukkig was het Agneta kennelijk gelukt hem uit te leggen dat je in de mail niet in detail moet treden, dus werd er in de berichten vooral op aangedrongen dat ze moest bellen.

Ja, ze zal hen allebei bellen. Snel. Morgen.

Het geluid van pulserend bloed gonst in haar oren en Ellen kan zichzelf horen ademhalen. Ze voelt een brandende pijn in haar maag en realiseert zich dat ze sinds het ontbijt niets meer heeft gegeten, maar de misselijkheid maakt het haar onmogelijk aan eten te denken.

Dagen achtereen heeft Ellen keihard gewerkt, rondgereden in Blessings roestige auto, cursussen gegeven, mensen geïnstrueerd, materiaal uitgedeeld, gepraat, gepraat en nog eens gepraat. Maar ten slotte kon ze niet meer. Toen Blessing haar bij het hotel afzette konden de koortsachtige activiteiten haar niet langer beschermen. In de eenzame hotelkamer kwamen de herinneringen en de schuldgevoelens boven.

Ze had een warme douche genomen en was onder de sprei op bed gaan liggen, ineengekropen in de foetushouding met haar armen om haar knieën, in de hoop dat ze in slaap zou vallen. Dat lukte niet en ze voelde zich misselijk worden en snakte naar frisse lucht.

Ze kon de beelden van de jonge non op de vieze vloer niet uit haar hoofd krijgen. Fysiek was ze niet ernstig beschadigd. Dat minstens vier mannen bij haar naar binnen waren gedrongen was aan de buitenkant nauwelijks te zien. De andere vrouwen zeiden dat de jonge vrouw geen weerstand had geboden en in haar doodsangst zichzelf had uitgekleed. In een hoek van de kamer, gewikkeld in een deken, had ze naar het geweld om haar heen gestaard. De vrouwen spraken over haar alsof ze er niet bij was. Ze rilde van de kou, hoewel het in de kamer vijfentwintig graden was.

Op het balkon in de warme lucht begint Ellen plotseling ook te rillen. Ze pakt de opgevouwen sprei van het bed en wikkelt die om zich heen. Op de plastic stoel kan ze haar benen niet onder zich vouwen, dus gaat ze in de hoek zitten met haar knieën tegen haar borst, haar rug tegen de muur en een aantal lagen van de dikke sprei tussen haar lichaam en de koude betonnen vloer.

Ze herinnert zich een andere hoek in een andere warme kamer op een heldere zomerse nacht, toen de vogels om het hardst aan het zingen waren. Haar bloes zat onder de rode wijnvlekken, de tranen stroomden geruisloos over haar wangen, ze rilde en had een pluizige sprei om zich heen. Die had ze niet zelf om zich heen geslagen, dat had iemand anders gedaan. Ze had niet tegengestribbeld. Hij stond over haar heen gebogen en zei op een zachte maar zelfverzekerde toon:

– Je wilde het toch zelf?

Tampa, Florida, VS
17 februari 2004

Na de middelbare school ben ik niet verder gaan studeren en dat vond ik prima. Ik hield toch al niet van leren en omdat we de boerderij waren kwijtgeraakt en de medicijnen van mijn moeder altijd heel veel geld kostten, had mijn vader het collegegeld nauwelijks kunnen opbrengen.

Het gaf me een goed gevoel geld te kunnen verdienen en mee te kunnen helpen, dus nam ik een baantje bij Kentucky Fried Chicken. Dat was lekker dichtbij en mijn vader kon me ernaartoe brengen, want hij had geen vast werk en we waren ondertussen naar de stad verhuisd, had ik dat al niet verteld?

Als ik vrij was zat ik meestal thuis, thuis of in de kerk. Ik heb nooit zo'n behoefte aan vrienden gehad, maar in de kerk hielp ik met koffiezetten en iedere maandag maakte ik de sacristie schoon, waarvoor velen me bedankten.

Het zou in de kerk natuurlijk niet goed gaan als niemand wat hulp zou aanbieden.

Ik denk dat het schoonmaken van de kerk mijn eerste opdracht was als soldaat van God. En ik luisterde altijd heel zorgvuldig als de dominee preekte. In die tijd begon ik de Bijbel op een serieuze manier te lezen en begreep ik dat het niet vanzelfsprekend is dat je in de hemel komt. Je moet de verlossing verdienen. God kan ook straffen, zoals Hij met Sharon heeft gedaan.

Mijn vader begreep niet waarom ik het in de kerk zo fijn vond, maar hij kon me moeilijk verbieden erheen te gaan, want zelf was hij ook met de Bijbel grootgebracht en wist dat we allemaal kinderen van God zijn, ook al kwam hij zelf niet zo vaak in de kerk. Ik probeerde hem uit te leggen dat het eeuwige leven in gevaar kon zijn, maar hij wilde niet luisteren. Hij vond dit leven meer dan genoeg, zei hij.

En mijn moeder? Ik geloof niet dat het haar iets kon schelen.

Toen ik misselijk begon te worden begreep ik eerst niet wat er aan de hand was. Voor ik van huis ging moest ik al een paar keer overgeven en mijn vader vroeg zich af hoe dat kwam. Daarna ging dat op mijn werk de hele ochtend zo door, en dat kreeg een collegaatje van me, Marion, die bij de friteuse stond, in de gaten. Ik probeerde heel zachtjes te doen, maar het personeelstoilet had maar een heel dun wandje van kunststof en er zat geen slot op de deur. Ze begon vragen te stellen, bleef erover zeuren en ten slotte kwam ze met een klein doosje waarmee je met een urineproef kon zien of je zwanger was.

Ik had nooit gedacht dat ik zwanger zou kunnen zijn. Mijn vader had gezegd dat dat niet kon en dat ik alleen voor jongens van mijn eigen leeftijd moest oppassen. Maar ik was nog nooit met een jongen van mijn eigen leeftijd samen geweest, ik ontmoette bijna niemand. In de kerk waren vooral oudere mensen. Daar zeurde mijn vader vaak over, dat ik naar de kerk zou gaan om jongens te ontmoeten, maar dat was helemaal niet zo. In onze gemeente zaten bijna geen jongens van mijn leeftijd.

Ik zei tegen Marion dat er niets aan de hand was, dat ik de test had gedaan en dat alles goed was, maar volgens mij geloofde ze me niet, want ze bleef maar vragen stellen. Toen het haar niet lukte me te laten toegeven dat ik zwanger was en te vertellen wie mijn vriendje was, kwam ze met een folder over abortus. Eerst begreep ik er niets van en glipte ik er tussenuit om naar de stadsbibliotheek te gaan, waar ik het woord in een woordenboek opzocht. Dat was vreselijk, want ik had nog nooit gehoord dat je zoiets verschrikkelijks kon doen. Hoe komt iemand op zo'n afschuwelijke gedachte?

Op een zaterdagavond nam ik een besluit. Ik had lang nagedacht over wat ik zou doen, en ik herinner me precies dat ik op die avond de knoop doorhakte. Marion had de hele dag, nog erger dan normaal, lopen zeuren en nadat ik thuis was gekomen nam ik een douche. Toen ik na het douchen de slaapkamer inliep was mijn vader weg om pizza te gaan halen en had een briefje op mijn pak maandverband gelegd. Ik herinner me dat ik net op het punt stond de stekker van de haardroger in het stopcontact te steken en dat ik een roze handdoek om me heen had. Op het briefje had mijn vader geschreven: 'Ik zie dat je deze al een tijdje niet meer hebt gebruikt. Misschien kunnen we samen een eigen kleine familie vormen.'

Op dat moment nam ik een besluit.

Ik denk dat u in mijn situatie hetzelfde zou hebben gedaan.

Ik opende de deur van mijn moeders slaapkamer en liep zo zacht mogelijk om de houten vloer rond het bed niet te laten kraken. Het was snikheet in de kamer, want ze had de verwarming altijd op de hoogste stand staan en lag onder een stapel dekens te snurken. Dat ze zich niet dood zweette!

Het kwam goed uit dat ze snurkte, want dan wist ik tenminste zeker dat ze sliep en hoefde ik haar niet de hele tijd in de gaten te houden. Ik wist waar ik moest zoeken, want ze had het me een keer laten zien. In de la met de groezelige onderbroeken en bh's, onder het kastpapier op de bodem van de la, in de rechterhoek, lag een zakje van een soort zacht leer. Ik controleerde of dit het juiste zakje was en stopte het toen bij me.

Ik propte snel een spijkerbroek, een paar T-shirts, een tandenborstel en wat ondergoed in een tas. Maandverband had ik natuurlijk niet nodig en ik vergat de bijbel mee te nemen, maar ik had ook zo veel haast, dus dat was misschien niet zo verwonderlijk, of vindt u van wel?

Ik heb me afgevraagd of het beter zou zijn gegaan als ik wel aan de Bijbel had gedacht. Misschien dat God dan dichter bij me zou zijn gebleven. Nu vond Hij me waarschijnlijk een sloddervos.

Het was koud buiten, maar ik trok toch alleen mijn gympen aan, omdat ik wist dat het bij mijn aankomst warmer zou zijn. Ik was precies op tijd het huis uit en wachtte om de hoek tot mijn vader de oprit was opgereden en met de pizzadozen uitstapte. Ik geloof niet dat hij hoorde dat ik de auto pakte waarmee ik naar het busstation reed. Bij de pinautomaat haalde ik al het geld van mijn rekening, dat was negenhonderd dollar, waarna ik de sleutel van de auto, zoals we altijd deden, op het rechtervoorwiel legde, zodat mijn vader hem zou vinden. Toen kwam de bus.

Lusaka, Zambia
17 februari 2004

Langzaam, als een film die in slow motion wordt afgespeeld, loopt Ellen van de ontbijtzaal naar het businesscenter. Buiten bij de ingang klettert de regen op het asfalt. De portier staat onder het afdak te schuilen en in de verte balkt een ezel. Zoals gewoonlijk zit de Amerikaan met het tondeusekapsel op een van de banken in een motortijdschrift te lezen. Heeft hij niets anders te doen, denkt ze afwezig.

De receptioniste begroet haar vrolijk, maar de lach die op Ellens gezicht verschijnt is mechanisch, alsof iemand met geweld haar mondhoeken omhoog trekt. Het moet eruit zien als een grimas, maar de receptioniste concentreert zich alweer op een rinkelende telefoon. Gelukkig. Ellen heeft absoluut geen puf voor een kletspraatje.

Ze heeft slecht geslapen, pijn in haar hoofd en is nog steeds misselijk – of zou dat door de gin van gisteravond komen? Bij het ontbijt heeft ze alleen drie glazen sap en een geroosterde boterham genomen.

Haar hoofdpijn zou heel goed met het onweer te maken kunnen hebben. Ze moet naar Björn mailen om hem uit te leggen waarom ze er niet was en zien uit te vinden wanneer ze kan bellen en ongestoord met hem kan praten, het liefst thuis. Ze wil hem niet bellen als hij in de metro of midden in een vergadering zit, want het wordt een zwaar gesprek en dan moeten de omstandigheden wel meewerken.

De computer is vrij en lijkt er op vooruit te zijn gegaan, want de verbinding werkt meteen.

Ellen typt met haar wijsvingers.

'Hoi maatje. Het spijt me dat ik niet heb teruggebeld, maar ik was een paar dagen voor het project op het platteland en daar had ik geen ontvangst. Wanneer ben je thuis of op een andere rustige plek? Ik wil je bellen om te praten. Kus en knuffel/ Ellen'

Ze stuurt een paar geruststellende zinnen naar de *Junta* ('Ik beloof dat ik uitgebreid met Björn zal praten'), een paar oppervlakkige naar haar zus ('Het onderzoek gaat goed. Gisteren tweeëndertig graden in de schaduw. Bel mamma even en zeg dat alles goed is'), en checkt dan haar mail opnieuw. Björn heeft geantwoord.

'Ik zit nu bij de computer. Waar ben jij in godsnaam mee bezig?/ b.'

Onder de indruk van de snelheid van het web antwoordt Ellen: 'Waar zit je?/ e'

'Op mijn werk, waar zou ik anders zijn om deze tijd?/ b.'

Zeurpiet, denkt Ellen, maar besluit zich van de snauw niets aan te trekken.

'Kan ik je nu bellen?/ e.'

'Alleen via de centrale, want mijn mobiel is stuk./ b'

'Dat lijkt me geen goed idee. Hoe laat denk je dat je vanavond thuis bent, dan bel ik je daar?/ e.'

Verzenden.

Druppeltjes koud zweet rollen langs haar nek en ze gluurt naar de receptioniste die nu haar nagels zit te lakken.

'Wat is er zo verschrikkelijk geheimzinnig aan wat je te vertellen hebt???????!!!!!!!' vraagt Björn vanaf de andere kant van de wereld.

'Ik kan daar zo geen antwoord op geven. Je moet me vertrouwen. Wanneer kan ik je thuis bellen?'

– Shit!

De lakkende receptioniste is niet te zien maar wel te horen. In het raamloze businesscenter is het opeens pikdonker. Als de receptioniste struikelend op de deur af komt lopen begrijpt Ellen dat in het hele hotel de stroom is uitgevallen. Het enige licht in de gang komt door het raam van de hotellobby.

– Het spijt me, maar in het hele gebouw is de stroom uitgevallen, legt ze aan Ellen uit. Het kan door de renovatiewerkzaamheden komen, of door het onweer, of misschien wel door allebei.

– Hoelang kan het duren voor er weer verbinding is?

Ellen denkt aan Björn die in een volgestouwd kantoor naar een leeg scherm zit te staren.

Ze ziet in het donker dat de receptioniste met wat papier en een enveloppe het glanzende bureaublad probeert te redden, waar een plasje nagellak op drijft. Ze moet het flesje hebben omgestoten toen het donker werd.

– Dat weet ik niet, antwoordt de receptioniste, die haar irritatie slecht kan verbergen. Hoe zou ik dat kunnen weten?

Rot op, straalt ze uit, ik moet hier opruimen voor mijn chef komt.

– De generator slaat direct aan, dus we hebben zo weer licht, maar ik heb geen idee in hoeverre de server of de computers zijn beschadigd. U moet over een paar uur maar terugkomen. Ik reken in elk geval niets voor wat u tot nu toe heeft gedaan.

– Bedankt, zegt Ellen.

Dat is wel het minste dat je kunt doen! denkt ze, terwijl ze natuurlijk wel weet dat de receptioniste er ook niets aan kan doen dat de stroom is uitgevallen. De vrouw loopt met Ellen de lobby uit om een kaars te halen en hangt een bordje 'gesloten' op de deur van het businesscenter.

Ik heb nagellakremover op mijn kamer, denkt Ellen, maar ze schat in dat de receptioniste dat liever zelf regelt en daar komt nog bij dat de lift het niet doet en ze heeft geen zin om op de tast door een inktzwart trappenhuis te dwalen om uiteindelijk misschien niet eens met het plastic kaartje haar kamer te kunnen openmaken.

Haar hoofdpijn is verergerd, maar Björns pinnige mailtje heeft de misselijkheid verjaagd. Ze loopt voorbij de serveersters, schoonmakers en kantoormedewerkers die haastig heen en weer rennen om hun werkzaamheden zo aan te passen dat ze een poosje zonder stroom kunnen werken zonder dat de gasten daar al te veel van merken. Een monteur loopt met een zaklamp in de aanslag naar het trappenhuis en laat de deur achter zich dichtknallen. Er zitten natuurlijk mensen vast in de lift.

De koffie in de kan van de ontbijtzaal is nog steeds warm. Ze warmt haar ijskoude handen aan een grote kop en gaat aan een tafeltje achter in de zaal zitten, zover mogelijk weg van de regen die op de bestrating klettert. Ze zal met haar mailtje naar Björn moeten wachten tot het businesscenter weer opengaat.

– Verdomme! roept ze plotseling uit, en de ober die de ontbijttafels afruimt kijkt verbaasd op.

– Sorry, er schoot me net iets te binnen, legt Ellen uit, terwijl ze opgelucht merkt dat het licht in de ontbijtzaal weer aangaat en de oude koelkast voor frisdranken als vanouds begint te brommen. Waarschijnlijk werkt het slot op haar deur nu ook weer, zodat ze de laatste dozen rubberhandschoenen kan gaan pakken die

Blessing over tien minuten komt ophalen. Blessing heeft ongetwijfeld haast, dat heeft ze meestal.

Maar in de gang merkt ze dat de lift niet werkt. Het grote inklapbare waarschuwingsbord met 'Pas op. Natte vloer', dat wordt neergezet zodra iemand de vloer heeft gedweild – omdat het hotel zo geen kans loopt door een Amerikaan te worden aangeklaagd? – heeft een nieuwe tekst gekregen: 'Alle liften buiten werking wegens reparatiewerkzaamheden'. Voorzichtig duwt Ellen de deur naar het trappenhuis open. Het is er vochtig met kale betonnen muren, maar de verlichting werkt. En Blessing wordt chagrijnig als ze moet wachten of, in het ergste geval, moet parkeren, want dat kost geld. De deur valt achter Ellen dicht.

De traptreden zijn hoog en op de zware stalen deuren van de verschillende verdiepingen staan geen etagenummers aangegeven. Ellen weet niet meer hoeveel trappen ze is opgelopen. Lichtelijk buiten adem doet ze een deur open die van de derde etage blijkt te zijn. Nog een paar trappen. Als ze het trappenhuis weer inloopt en de deur achter haar dichtvalt, gaat opeens het licht uit. Het is aardedonker. Op de tast vindt ze een koude, stalen trapleuning.

Zal ze naar de derde verdieping teruggaan? Maar dan zit ze daar in het donker en kan ze niet naar de receptie bellen om te vragen of ze Blessing even vasthouden. Als de telefoon het überhaupt doet. Nee, het is beter om door te lopen, het licht gaat zo vast weer aan, en anders kan ze in de gang voor haar deur gaan zitten wachten. Als Blessing haar niet kan vinden komt ze wel naar boven. Terwijl ze de koude trapleuning stevig vasthoudt klimt ze zo snel ze durft de trap op.

Dan opeens hoort ze iets. Op een verdieping onder haar gaat de deur open en weer dicht. Voorzichtig, niet met zo'n knal als toen Ellen de deur liet dichtvallen. Iemand doet zijn best geen lawaai te maken. Waarom? Als je het trappenhuis inkijkt en ziet dat het er aardedonker is, loop je er toch niet in? En waarom zou je je best doen de deur zo voorzichtig en zacht mogelijk dicht te doen? Of zou het net andersom zijn? Dat iemand juist het donkere trappenhuis in wil zonder dat iemand dat hoort?

Met bonkend hart staat Ellen doodstil en luistert. Er is niets te horen. De dikke betonnen muren houden al het geluid van buiten tegen en ze is alleen in het trappenhuis. Ze moet zich niet zo aanstellen.

Ze is nooit bang geweest in het donker. Dus ze moet zichzelf nu geen onzin aanpraten!

Met hakken die een klikkend geluid maken klautert ze verder. Haar hand op de trapleuning is een beetje klam en ze neemt halve sprongen naar boven. Als het goed is zou de volgende verdieping de zevende etage moeten zijn, waar haar kamer is. Buiten adem tast ze naar de deur en terwijl haar hand naar de deurklink zoekt hoort ze weer iets. Zachte, sluipende voetstappen! Rubberzolen en aarzelende voeten die stoppen als ze haar adem inhoudt om beter te kunnen luisteren.

Die voeten moeten minstens twee etages lager zijn. Ellen veegt met beide handen over de koude stalen deur op zoek naar de deurklink. Waar zit die? Is er soms geen deurklink!? Tenslotte vindt ze hem. De klink zit aan de andere kant, niet links zoals op de derde verdieping, en beweegt stroef. Met beide handen drukt Ellen de klink naar beneden en duwt met haar schouder de deur open. Ze tuimelt de foyer van de lift in op de haar bekende zevende etage, laat de deur achter zich dichtvallen en rent over het krakende bouwplastic naar de gang waar haar kamer is. Er komt wat gedempt licht door een raam aan het eind van de gang, maar de verlichting werkt nog steeds niet. Het is halfdonker, maar ze weet exact achter welke pilaar haar kamer zich bevindt.

Dan verstijft ze plotseling. Langs de deur van haar kamer stroomt bloed naar beneden. Donkere rode stralen druipen vanaf het bovenste deel van de deur op de grond. En achter haar gaat de zware deur van het trappenhuis dicht, dit keer niet zo voorzichtig.

Washington Post, VS, 7 februari 2004

Rechter door schoonmaakster vermoord?
Verdenking in zaak rechter Hooggerechtshof

'We hebben het schoonmaakbedrijf dat door rechter Vernon McArthur was ingehuurd getraceerd', bevestigt inspecteur Stephen Chu van de politie van Washington, die verder niets over het onderzoek rond de dood van de rechter van het Hooggerechtshof wil loslaten.

Het is een week geleden dat rechter McArthur in zijn woning overleed. Op het eerste gezicht leek de doodsoorzaak een hartaanval te zijn, maar na de sectie, die door de dochter van de rechter was geëist, bleek het om vergiftiging te gaan. *(vervolg volgende pagina)*

(vervolg vorige pagina)

De buurman van de rechter, emeritus professor Ernest Hanson, vertelt dat de rechter onlangs een nieuwe schoonmaakster in dienst had genomen.

'Het was een jong meisje, blond en slank', vertelt hij aan de *Washington Post*. 'Ik heb haar een paar keer gezien als ze aankwam of vertrok, en een keer toen ze de ramen lapte. Ik heb nooit met haar gesproken. De rechter en ik spraken nooit over ons personeel. De laatste keer dat ik haar zag was een paar dagen voor de rechter stierf. Ik weet niet meer exact welke dag dat was.'

Jane McArthur, de dochter van de rechter, zegt tegen de *Washington Post*:

'Ik heb mijn vader een paar dagen voor zijn dood een aantal keer gebeld, maar hij nam niet op. Ten slotte werd ik ongerust en reed naar zijn huis, waar ik hem in bed aantrof. Hij had zijn pyjama aan en leek in zijn slaap te zijn gestorven, dus ik dacht dat het zijn hart was. Pas toen ik zijn papieren doornam en in de kelder keek, vond ik een heleboel dreigbrieven met akelige foto's die door tegenstanders van abortus waren gestuurd. Dat zette me aan het denken. De politie heeft alle brieven meegenomen, waarin dreigementen stonden als: 'Je dagen zijn geteld' of 'Kindermoordenaars hebben geen recht op leven'.

Rechter McArthur was een principieel jurist die zich niet liet bedreigen of bang maken, zegt zijn dochter, dus hij heeft noch zijn kinderen, noch zijn collega's iets over de dreigbrieven verteld.

'Ik denk dat hij die brieven heeft bewaard om ze als bewijs te kunnen gebruiken als er echt iets mocht gebeuren, want ze lagen in een doos in de kelder. Ik weet dat hij thuis een archief met actuele rekeningen en overeenkomsten had, maar dat

heb ik nergens kunnen vinden.'

Mevrouw McArthur weet niets van een nieuwe schoonmaakster:

'Ja, mijn vader had zeker hulp in de huishouding, maar die wisselden jaarlijks en kwamen slechts af en toe, in elk geval nooit als ik op bezoek was.'

De politieke effecten van McArthurs dood zijn moeilijk in te schatten. President George W. Bush heeft daar na de eerste condoleancebetuiging geen uitspraken meer over gedaan en het zoeken naar een vervanger voor het Hooggerechtshof is in gang gezet, waarbij echter nog geen namen naar buiten zijn gekomen.

Rechter McArthur stond bekend als een van de meer liberale rechters van het Hooggerechtshof. Hij werd in 1998 door president Clinton aangesteld, na een zwaar debat met de senaat, waar vooral zijn opvattingen over het abortusvraagstuk ter discussie stonden. Rechter McArthur heeft veel vonnissen geschreven in de periode dat de abortuswet gerechtelijk werd onderzocht en was een van de meest directe voorstanders van het recht op abortus.

President George W. Bush krijgt nu de gelegenheid een voorstel in te dienen waarbij rechter McArthur door een tegenstander van abortus wordt vervangen. Veel conservatieve rechters wachten hun kans af in het Hof van Appel, waarvan de meerderheid tijdens het beleid van George W. Bush snel in conservatieve richting is opgeschoven. Een verschuiving van de meerderheid in het Hooggerechtshof zou in conservatieve en christelijke kringen zeer worden toegejuicht, terwijl de meeste democraten in het congres er afwijzend tegenover staan. De keuze van de president voor een nieuwe rechter moet door de senaat worden goedgekeurd.

Lusaka, Zambia
17 februari 2004

– En wat hebben we hier?

Ellen overdrijft het Afrikaanse accent van de douanier en Blessing schatert het uit. Wat een hopeloze situatie. De Zambianen zijn niet anders gewend dan corruptie en herkennen de signalen veel beter dan Ellen. Blessing heeft meestal wat kleine stapeltjes papiergeld in haar zak om voorbij de politiecontrole of een andere lastige situatie te komen.

Ellen staat in de krappe keuken van Blessing aardappels en wortels te schillen. De huishoudster heeft vanmiddag vrij en Ellen stond erop te mogen helpen. Ze verlangt naar een beetje eenvoudig, praktisch werk in de keuken en wil vragen stellen over allerlei nieuwe ingrediënten en combinaties, maar alleen het schillen van de groenten wordt haar toevertrouwd. Blessing maakt *nshima*, maïspap, want geen enkele Zambiaanse maaltijd is compleet zonder maïspap. Ellen snapt niet wat ze lekker vinden aan die smakeloze kleverige brij, maar ziet duidelijk parallellen met haar eigen traditie, bijvoorbeeld met *pite-palten*, een gerecht van geraspte rauwe aardappels gevuld met varkensvlees, dat tijdens de schoollunch werd geserveerd en alle leraren uit Zuid-Zweden naar de worstenkraam joeg.

De vorige keer dat Ellen bij Blessing was uitgenodigd om te komen koken, was het haar gelukt het vlees te mogen braden, maar volgens Blessing was dat geen succes geweest. Veel te droog en smakeloos zonder een lekkere vette jus. Die Zweedse sneed nota bene de vetrandjes eraf en toen ze op het punt stond ze nog weg te gooien ook, greep Blessing in. Ellens argumenten over gezondheid en de schadelijkheid van vet wuift de 'traditioneel gebouwde' Blessing van tafel. Er komen zeker slechtere tijden en dan is het goed wat reserves te hebben! En om Ellens (steeds minder voorkomende) opmerkingen dat zij, die magere Zweedse krielkip, zou moeten lijnen, lacht Blessing zich bijna dood.

De verhalen over corrupte ambtenaren drijven de warme keuken binnen. Ze zijn er in alle soorten en maten, zoals het verhaal over

Blessings buurman die vorige week op weg naar Victoria Falls in zeven verschillende politiecontroles belandde.

– Het was de week voor hij zijn loon kreeg, dus hij was waarschijnlijk helemaal blut ...

– Heb je trouwens gehoord van die politicus die bij de nieuwe verkiezingen zich in zijn kiesdistrict voor de derde keer kandidaat heeft gesteld? vraagt Blessing.

Nee, dat heeft Ellen niet gehoord.

– Ja, hij kreeg een nieuwe tegenkandidaat. Dat was een zogenaamde 'eervolle man' – Blessing maakt met haar maïspapvingers twee aanhalingstekens in de lucht – die de oude, corrupte manier van leidinggeven wilde bestrijden. De veteraan die herkozen probeerde te worden reageerde door gesprekken met zijn kiezers aan te gaan. Hij zei: 'Tijdens mijn eerste periode heb ik in mijn eigen leven en dat van mijn familie geïnvesteerd. Tijdens de tweede periode heb ik vooral aan mijn dorp gedacht. Nu ben ik van plan in jullie en het hele district te investeren. Wat denken jullie dat mijn tegenstander in zijn eerste periode zal gaan doen?' Raad eens wie er werd gekozen?

De aardappels zijn geschild en Ellen doet water in de pan. Als ze haar hand naar de zoutbus uitstrekt roept Blessing:

– Stop!

– Hoezo? Doe je geen zout bij de aardappels?

– Jawel, maar dan moeten we eerst zeker weten dat je niet ongesteld bent.

– Ongesteld?

– Ja, precies. Ben je nu ongesteld?

– Nee, zegt Ellen op een nadrukkelijke wat-gaat-jou-dat-aantoon, maar plotseling herinnert ze zich waar het om gaat.

Ze snapt nu dat Blessing haar in de maling neemt, want Blessing is helemaal niet bijgelovig, maar er heerst een stellige overtuiging in Zambia dat een vrouw die menstrueert geen zout in het eten mag doen, omdat er dan iemand in de familie ziek zal worden. Toen ze voor het eerst van dit gebruik hoorde leek het haar vooral erg onpraktisch, maar later realiseerde ze zich dat het de zoveelste kleine bouwsteen in de muur van maatregelen is die het leven van vrouwen controleert.

– Je weet toch wel dat alle ellende jou of anders een andere vrouw is aan te rekenen? lacht Blessing. Toen de man van mijn huishoudster in Kabwe werd overreden, belde zijn moeder onmiddellijk naar zijn vrouw in Lusaka om te vragen wat ze op dat moment had gedaan. De familie geloofde dat het risico groot was dat ze ontrouw was geweest. Alles wat een echtgenoot overkomt is de schuld van zijn vrouw, want de vrouw gaat over leven en dood.

– Ken jij je verantwoordelijkheid, Ellen?

Ellen strooit demonstratief nog wat extra zout over de aardappelen.

De stemming in de keuken is buitengewoon hartelijk, met veel grappen en veel gelach. Een tikkeltje geforceerd. De opluchting na de schrik.

Het was Blessing geweest die Ellen in elkaar gezakt en met een lege blik in haar ogen voor de deur van de hotelkamer had gevonden.

Toen Blessing het hotel was komen binnenrennen om naar Ellen te vragen was ze nogal geïrriteerd geweest. Ellen zou toch met de doos buiten voor het hotel op haar wachten. Nu had Blessing moeten parkeren en een schandalig bedrag aan de een of andere slungel moeten betalen die beweerde de auto's te bewaken, nee het was niet mogelijk haar auto niet te laten 'bewaken'. Maar toen de stroomuitval voorbij was, de liften het weer deden en Blessing met haar versleten heupen naar Ellens kamer waggelde waar ze haar vriendin met een verstarde blik naar haar kamerdeur zag staren, gleed alle boosheid van haar af. Ellen wees naar de deur en fluisterde toonloos:

– Bloed.

Blessing keek.

– Nee, zei ze, terwijl ze met haar grote wijsvinger langs de rode substantie streek.

Het is verf, ruik maar!

Ellen rook en pulkte voorzichtig aan de half opgedroogde olieverf. Ja, het was inderdaad verf.

Blessing keek om zich heen en zag dat een klein gedeelte van het plafond in de gang, precies boven Ellens deur, rood was geverfd. Merkwaardig, alsof de kleur daar even was getest, want de rest van het plafond was wit.

Toen Ellen even later, met Blessings luidruchtige hulp, bij de receptie ging klagen, verzekerde de chef haar dat de verf uiteraard van haar deur zou worden verwijderd, uiterlijk tegen de avond zou alles zijn overgeschilderd, vanzelfsprekend! Het moest een misverstand zijn, gek om een plafond rood te verven en zo slordig de verf naar beneden te laten druipen, dat moest wel een nieuwe schilder zijn. Iedereen bood oprecht zijn excuses aan, wat konden er toch veel dingen fout lopen als je een hotel wilde opknappen, en mocht het zo zijn dat ze van kamer wilde wisselen, dan kon dat natuurlijk worden geregeld. Dat plastic rond haar balkon was ook niet prettig, als Ellen wilde zou het personeel haar spullen naar een andere kamer kunnen verhuizen op een moment dat ze de deur uit zou zijn.

– Nee bedankt, dat hoeft niet, zei Ellen. Het ging zo wel. Maar ze stelde het op prijs als de deur zou zijn overgeschilderd voor ze terug zou zijn van het avondeten.

Over de voetstappen in het trappenhuis heeft ze niets gezegd, zelfs niet tegen Blessing. Hier in Blessings warme keuken lijkt alles zo onwerkelijk. En degene die haar in het trappenhuis achterna zat, als ze zich ook dat niet heeft ingebeeld, is uiteindelijk nooit in de gang komen opduiken. Ze moet het zich allemaal hebben verbeeld.

Blessing heeft bepaald dat al haar kinderen vandaag in de keuken zullen eten. De keukentafel is erg klein dus ze zullen elkaar moeten afwisselen. Een paar van de jongste kinderen zijn op het gras voor het huis aan het rondrennen en gooien dennenappels naar de waakhonden, terwijl de oudere kinderen op bed hun huiswerk maken. De bedden staan zij aan zij in de kinderkamer en er hangt een klamboe aan het plafond. Het neefje van de kinderen stierf vorig jaar aan malaria en sindsdien slaapt iedereen bij Blessing onder een in muggenmelk gedrenkte klamboe.

De deur van de veranda en alle ramen zijn voorzien van traliewerk en 's nachts sluit Blessing de slaapafdeling af met een traliehek waar een gigantisch hangslot op zit. Daarachter zit een gang naar de slaapkamers. Ellen blijft staan en kijkt om zich heen. Aan de muur hangen naast elkaar zo'n twintig fotolijstjes met portretten of groepsfoto's in stijve atelieropstelling, keurig ingelijst. Vroeger hingen er alleen foto's van de eerste vier kinderen, gemaakt door een rondreizende fotograaf die zijn reflexparaplu in het warenhuis in Manda Hill had opgezet.

Blessing heeft geen van de kinderen zelf op de wereld gezet. De eerste vier had ze tien jaar geleden in huis genomen toen haar zus en zwager waren gestorven. Nu is de collectie voorzichtig uitgebreid met de kinderen van haar broer. De twee oudsten hadden duidelijke foto's bij zich die Blessing heeft opgehangen en zelfs de jongste heeft een plaatsje op de muur, gemarkeerd door een leeg fotolijstje waarin met sierlijke letters de naam van het meisje, 'Hope', staat geschreven. De volgende keer dat de rondreizende fotograaf naar Manda Hill komt staan Blessing en Hope vooraan in de rij.

Ellen bewondert Blessings inspanningen om alle kinderen gelijk te behandelen, ze weet wat het eten, de kleding en de school ongeveer moeten kosten en realiseert zich dat Blessings inkomen nauwelijks genoeg kan zijn om dat allemaal te kunnen betalen. Dit in tegenstelling tot Ellen die geen enkele verzorgingsplicht heeft en een vermogen kan uitgeven aan nagellak en houten giraffen.

Blessings oudste dochter Astrid dekt de tafel in de eetkamer. Ellen zou liever buiten op de schaduwrijke veranda willen eten, maar dat doe je hier niet. Als je gasten hebt wordt de maaltijd in de eetkamer genuttigd. Wie een mooi huis met een wit tafellaken en stoelen met statige armleuningen heeft wil dat graag laten zien, en dus zet Astrid vier lichtbeschadigde maar ooit waardevolle borden neer met daarnaast robuuste messen om het vlees te snijden en de mooie kristallen glazen. Vier? Blessing, haar oude moeder, Ellen – en?

– Ik hoop dat Petrol ook kan komen, legt Blessing uit.

Ellen draait haar gezicht weg om te verbergen dat ze moet lachen. Ze vindt de Zambiaanse namen nog steeds zo grappig. Petrol Singogo heeft een broer die Personal heet en een neef die Typewriter heet. Die laatste naam vindt zelfs Blessing grappig, maar verder hebben de Engelse namen hun betekenis verloren. Als Ellen reageert op het feit dat Innocent en Hopemore mannennamen zijn, kunnen ze daar met moeite de lol van inzien. Een naam is gewoon een naam. Heet Ellens man trouwens niet Björn, dat betekent toch beer? *Dat* is pas een rare, belachelijke naam, vinden de Afrikanen.

Dus Petrol komt. Ellen heeft het niet zo op deze man, een oudere autohandelaar die dienst doet als Blessings onofficiële man/weldoener/verzorger/vaderfiguur/betalende bedgenoot – kies maar uit! Petrol heeft in Ndola in de *Copperbelt* een andere familie met vrouw, kinderen en kleinkinderen en komt af en toe naar Blessing in Lusaka. Maar hij betaalt mee aan Blessings huis, trakteert haar op luxe dinertjes en neemt haar af en toe royaal mee uit winkelen in Manda Hill. Maar keer op keer is Blessing teruggegaan om een elegante jurk voor drie schooltassen om te ruilen, zonder dat Petrol Singogo het merkt. Blessing is zelfs met hem naar Zuid-Afrika op vakantie geweest. Dat hij uit zijn mond stinkt en de irritante gewoonte heeft inhoudsloze verhalen op te hangen neemt ze op de koop toe.

De aardappels koken en de geur uit de oven verraadt dat het vlees – met vetrandjes – bijna klaar is.

– Wil je een biertje?

Blessing doet de koelkast open en pakt er een biertje uit. Als het koude flesje in aanraking komt met de warme lucht in de keuken vormen zich grote waterdruppels op het bruine glas. Ellen kijkt snel naar de klok. Het is vijf uur, en dus zes uur in Zweden. Misschien is Björn al thuis, maar waarschijnlijk nog niet. Toch schuift ze het flesje bier en het glas van zich af, verontschuldigt zich en loopt een stukje de tuin in om een hoekje te vinden waar ze niet door rennende honden of kinderen kan worden gestoord. Bij het kleine meertje staat een bankje, Ellen gaat zitten en pakt haar mobiele telefoon uit haar rugzak. Ja, die heeft bereik. Op het wateroppervlak van het meertje drijven een paar hibiscusbloemen en kuiert een insect dat op de Zweedse waterloper lijkt, maar in een veel grotere uitvoering. Iedereen in Lusaka die het kan betalen zet hoge muren rond zijn huis. Blessings muur is bedekt met glasscherven, maar het stroom- en prikkeldraad bovenop de muur, dat de echt rijke Zambianen en alle blanken moet beschermen, ontbreekt. Blessing heeft 's nachts een bewaker, maar hij wordt slecht betaald en is niet echt betrouwbaar. De familie heeft al twee keer bezoek gehad van nachtelijke inbrekers. De bewaker was 'per ongeluk in slaap gevallen', maar Blessing vermoedt dat hij de dieven had getipt. Als het nog een keer gebeurt ontsla ik hem, zegt ze, maar Ellen weet dat ze daar niet toe in staat is. De bewaker werkt al jaren voor Blessing en is ziek, hij heeft vermoedelijk aids, en ook zijn vrouw en dochter vertonen symptomen van deze ziekte, en waar zou hij ander werk moeten vinden? Blessing probeert hem bang te maken door te zeggen dat hij beter zijn best moet doen, en geeft hem elke nacht te eten, zodat hij niet in de verleiding komt om weer zogenaamd in slaap te vallen.

Maar nu is het middag en het scherpe licht versterkt alle kleuren. De kinderen rennen achter de honden aan, die weer achter de kinderen aanrennen en in de keuken pruttelt het vlees in een overvloedige plas boter. Door de dichte begroeiing zijn de muren nauwelijks te zien. Ellen verzamelt al haar moed om naar huis te bellen. Haar blik valt op de lange stamper van de rode hibiscusbloem. Ooit, als de situatie veranderd is, denkt ze voor de honderdste keer, zal ze haar moeder naar Afrika meenemen. Haar moeder, die dol is op potplanten, zou haar ogen niet geloven als ze de enorme bougainvilles en hibiscus-struiken zou zien. Jackfruit, groter dan een mensenhoofd, hangt bijna op de grond en de takken van de avocadobomen buigen diep onder het gewicht van hun vruchten. Ellen stopt haar handbagage voor de terugreis altijd vol avocado's en mango's uit Blessings tuin. De honden hebben op de vruchten gekloven die uit de bomen zijn gevallen, maar het gras ligt er keurig geknipt bij. Eigenlijk is het geen echt gras, zoals het er in Västerbotten en Uppland uitziet, maar een soort korte, groene slingerplant met ruwe blaadjes, die de hele bodem bedekt. De temperatuur is precies goed.

Ellen haalt diep adem en toetst dan het nummer in.

Als de telefoon vier keer is overgegaan zet ze hem uit. Nee, Björn is niet thuis en dat is niet zo verwonderlijk. Ze probeert het op zijn mobiele nummer, maar krijgt direct de mededeling dat het nummer op dit moment niet in gebruik is. Hij had al gezegd dat zijn mobiel niet meer werkte. Voor alle zekerheid spreekt ze een boodschap in – 'Hoi, met mij. Ik probeer het later opnieuw. Kus en knuffel' – en checkt of de batterij van haar mobiel nog vol genoeg is voor het geval Björn haar probeert terug te bellen. Snel repeteert ze in haar hoofd hoe ze uitleg zal geven. Er is geen aanleiding voor ongerust-heid. Hoopt ze.

Er komt een auto de straat in rijden. Blessings oudste zoon rent naar het kleine bewakershuisje en kijkt door een gaatje in de me-talen deur naar de bezoeker, terwijl hij naar zijn tante roept:

– Het is een BMW!

– Dat is mister Singogo, antwoordt Blessing. Doe open!

De jongen prutst aan het hangslot en opent de rammelende deur. Terwijl de zilverkleurige auto het erf oprijdt komen de honden aangestormd maar worden snel in hun kennel opgesloten. Mister Singogo houdt niet van honden.

Tampa, Florida, VS
17 februari 2004

Het was een lange reis, maar eigenlijk had ik verwacht dat het nog langer zou duren. Ik had op de kaart bij het busstation gezien dat Key West het eindpunt was, dus besloot ik daar naartoe te gaan en kocht een kaartje dat erg duur bleek. Toen we in Noord-Florida aankwamen en het nog maar één dag reizen naar Key West was, kwam er een meneer naast me zitten die daar ook naartoe ging, naar Key West dus.

We begonnen over de natuur te praten, over hoe mooi die was en hoe Gods goede schepping in het landschap zichtbaar was en hij had een christelijk tijdschrift bij zich, 'Christian Monitor', om in de bus te lezen. Het was een ongewoon spraakzame en vriende-lijke man. Hij zei dat ik hem aan de dochter van zijn broer deed denken en bood me koffie aan uit de thermoskan die hij bij zich had. Het was jammer dat ik geen thermoskan had. Ik moest bij diverse haltes uitstappen om iets te eten, want als ik niet met ge-regelde tussenpozen iets at werd ik vreselijk misselijk. Dat kostte een hoop geld, want restaurants bij busstations zijn meestal erg duur, maar slapen deed ik alleen in de bus. Ik vond het zonde om in een hotel te gaan slapen, want als ik straks zou aankomen zou ik mijn geld hard nodig hebben.

Dat ik mijn reisplan uiteindelijk veranderde kwam door wat de man met de thermoskan over Key West vertelde. Eigenlijk hield hij helemaal niet van Key West, maar zijn zus had daar een huisje aan zee, en zo kon hij goedkoop en plezierig op vakantie, zei hij, maar toen hij vertelde waarom hij niet van Key West hield begreep ik dat het geen plek voor mij was.

Het krioelde er van de homoseksuelen, zei hij, dus moest ik als jong en fatsoenlijk meisje erg oppassen, want je wist maar nooit wat ze met je zouden doen. Daar kon ik me wel iets bij voorstel-len, ook al had ik nog niet veel homoseksuele mensen ontmoet, eigenlijk had ik er nog nooit een ontmoet, maar ik wist wat er in de Bijbel over zondig leven stond en had gehoord dat zelfs de president had gewaarschuwd dat zonden zich verspreiden. Er zijn zelfs mensen die vinden dat mannen met andere mannen zouden moeten kunnen trouwen! Mannen met mannen!

Nee, ik wilde niet naar een plek gaan waar het stikte van de zondaars. Wat me te wachten stond zou waarschijnlijk al zwaar genoeg zijn. Daarom gaf ik die meneer mijn kaartje en stapte in Tampa uit.

Ik had niet veel geld meer, dus moest ik proberen een baantje te vinden. Maar het leek me verstandig eerst even uit te rusten. De busreis had zes dagen geduurd en ik was nogal moe, maar ik hoefde niet meer over te geven. Dat was fijn. En wat de mensen thuis in Montana over het zuiden zeiden, dat het er heet, vies, vochtig en benauwd was, klopte helemaal niet. In elk geval de eerste dagen niet.

Ik vroeg een donkere man bij de kassa van het busstation waar je een kamer kon huren en of er een arbeidsbureau was. Hij liet me op de kaart zien hoe ik moest lopen en zei dat alles dichtbij was, maar ik ging eerst op het grasveld bij het busstation zitten om even na te denken en op de kaart te kijken. Ik pakte de 'Christian Monitor' tevoorschijn die ik van die meneer in de bus had gekregen en bladerde er een beetje doorheen. Ik vond het zo naar dat ik mijn bijbel was vergeten en beloofde God dat ik, zodra ik wat geld had, een nieuwe zou kopen.

De wegen rond het grasveld waren zo breed als een snelweg, maar er reden nauwelijks auto's. Ik keek op de klok en zag dat het elf uur 's ochtends was en als ik me niet vergiste was het zaterdag. In elk geval was het geen zondag en tijd voor de kerkdienst. De tas met kleren en sieraden legde ik voor alle zekerheid onder mijn hoofd.

Ik moet in slaap zijn gevallen, want toen ik opkeek zat Martin naast me. Hij bladerde in mijn tijdschrift en toen hij merkte dat ik wakker was geworden en hem had ontdekt, keek hij een beetje beschaamd en bood zijn excuses aan. Hij droeg een mooi wit overhemd met manchetknopen en een netjes geperste broek. Ik herinner me dat ik hem zo elegant gekleed vond, terwijl hij toch naast me op het gras was komen zitten, en zijn haar was waarschijnlijk onlangs kort geknipt en stond recht overeind.

Later heb ik vele malen gedacht – dank aan lieve Jezus die ervoor heeft gezorgd dat ik Martin al mijn eerste uur in Florida heb leren kennen! Kunt u zich voorstellen wat een geluk, of wat een hemels ingrijpen dat was? Ik heb wel eens gedacht dat het werkelijk Jezus was, dat Martin Jezus was die naar de aarde was teruggekeerd, maar dat weet ik nu niet meer zo zeker.

Het maakte kennelijk niet uit dat ik mijn bijbel was vergeten.

Lusaka, Zambia
17 februari 2004

– Dat was een heerlijke maaltijd, dank je wel!

Ellen aait het meisje over haar korte krulletjes. Hope, het drie-jarige weesje, zit bij haar op schoot. Nadat eerst de kinderen en vervolgens de volwassenen hadden gegeten, mister Singogo in zijn BMW was weggereden, en Blessing al haar kinderen had verzameld en onder het muggennet had gelegd, kwam kleine Hope de veranda opsluipen en zei dat ze niet kon slapen. Ze wil bij Blessing op schoot zitten, maar die moet even naar de koffie kijken en zet het meisje glimlachend op Ellens schoot.

– Tante Blessing, zegt Hope terwijl ze zich op Ellens schoot nestelt.

– Ja.

– Hoe heet de auto die mister Singogo heeft?

– Een BMW, zegt Blessing. Dat is eigenlijk een Duitse auto. Duitsland, weet je waar dat ligt?

– Ik weet het niet zeker, zegt het meisje slaperig. Maar je kunt het me morgen wel aanwijzen.

Blessing schudt haar hoofd. Dat meisje is zo ongelooflijk leergierig!

– En hoe heette de auto die daarvoor langskwam, gaat Hope verder, die grote hoge auto met die blanke man erin?

– Wie bedoel je?

Blessings blik straalt ongerustheid uit.

– De man die naar je vroeg en voor wie je geen tijd had.

– Oh, die kwam naar het alarm kijken, zegt Blessing snel en Ellen ziet dat ze liegt. Dat was volgens mij een Jeep.

– Dat was een mooie auto, zegt het meisje gapend. Is die ook Duits? Maar Blessing is al in de keuken verdwenen.

Waarom liegt Blessing, denkt Ellen. Zou ze er een minnaar hebben bijgenomen, een blanke 'sugardaddy' ter afwisseling? In dat geval kan Ellen begrijpen dat ze er niets over wil zeggen.

– Dank je wel voor de maaltijd, zegt Ellen nogmaals als Blessing terugkomt en de koffie inschenkt.

– Graag gedaan, maar je hebt nu al vier keer bedankt.

– Echt waar?

Het valt me op dat je de hele tijd bedankt voor dingen die vanzelfsprekend zijn.

Blessings stem klinkt ironisch en ze heeft een brede lach op haar gezicht, maar er zit ook iets scherps in. Blessings oude moeder knikt, ze is het met Blessing eens.

– Hoezo vanzelfsprekend?

– Als ik je bij me thuis uitnodig, betekent dat toch dat ik van plan ben je eten te geven? En dat het lekker was, kwam dat soms als een verrassing?

– Nee, natuurlijk niet. Jouw eten is altijd heerlijk.

– Waarom moet je dat dan steeds opnieuw zeggen?

– Ik weet het niet ... Dat zijn we in Zweden zo gewend.

Ellen herinnert zich de maaltijden tijdens haar jeugd, waar je eerst voor de gehaktballetjes en de limonade moest bedanken en dan, als de kinderen buiten wilden gaan spelen, voor de hele maaltijd moest bedanken. Daarna bedankte je voor het ijsje toe en gaf je je tante een dikke knuffel voor je naar huis ging – bedankt voor de fijne avond, het was zo gezellig! Ellen heeft een zeer goede, zeer Zweedse opvoeding gehad.

Ze heeft Björn vanavond al drie keer gebeld, maar er wordt niet opgenomen. Ze heeft spijt dat ze hem vanochtend niet op zijn werk heeft gebeld. Waar kan hij uithangen? Waarom is hij niet naar huis gegaan terwijl hij wist dat ze zou bellen en dat het belangrijk was. En waarom belt hij zelf niet? Haar mobiele telefoon heeft de hele dag aangestaan en het bereik was ook goed. Ze had eerst met Björn willen praten, om wat meer over het medicijn te horen, voor er iets tegen Blessing over te zeggen. Maar dit is een goede gelegenheid, met de zingende cicaden in de tuin, de kinderen in de slaapkamer en nu de oude moeder 'welterusten' heeft gezegd en zich heeft teruggetrokken.

– Ik heb uit Zweden informatie gekregen over het medicijn dat bij Beauty problemen heeft veroorzaakt, begint Ellen voorzichtig, terwijl ze de bruine beentjes van het slapende meisje streelt. Blessing plukt aan de vier suikerklontjes die ze heeft neergelegd om tijdens het koffiedrinken op te zuigen. De pillen die we hebben onderzocht lijken een andere samenstelling te hebben dan de medicijnen die we eerder hadden. Op het doosje dat ik van je kreeg stond niet eens een etiket. Weet jij hoe dat kan?

– Nee. Blessing zuigt op een suikerklontje, terwijl ze nadenkt. Ze maakt haar zware lichaam gereed om op te staan.

– Ik zal even in de voorraad kijken.

– Nu weet ik het!

Blessing is weer terug en de rieten stoel kraakt als ze gaat zitten .Ze legt een doosje met een keurig etiket op tafel.

– Dit is de originele verpakking. En ik herinner me nu wat er is gebeurd. Ik zou acht strips naar Beauty sturen, maar er zitten er zestien in een doosje, dus heb ik er acht strips uitgehaald en deed die in een ander doosje, ik geloof dat daar de krijtjes van de kinderen in hadden gezeten, en deed er wat pijnstillers bij.

– Maar dat verklaart niet waarom de medicijnen anders zijn dan normaal, werpt Ellen tegen, terwijl ze wantrouwig naar het doosje kijkt.

– Kan er geen andere verklaring voor de bloedingen zijn? vraagt Blessing hoopvol. Dat de meisjes bijvoorbeeld een te grote dosis hebben geslikt, of dat ze tegelijkertijd aan een andere ziekte leden. Misschien waren ze besmet met HIV?

– Dat weten we niet, zegt Ellen, maar het staat vast dat het medicijn dat Björn heeft onderzocht een nieuwe samenstelling heeft. Er zit geen *Mifeprostone* in, zoals in de pillen die we altijd gebruiken. Hoe is dat te verklaren? Ellen weet natuurlijk niet alles, ze is geen farmaceut, maar het probleem kan gigantisch zijn.

Als een of ander gevaarlijk medicijn in hun voorraad is terechtgekomen zonder dat iemand daar iets van weet – en zowel de verpakking als de pillen zien er niet anders uit dan gewoonlijk – dan moeten ze misschien alle doosjes verzamelen, ze vernietigen en dat deel van het project stilleggen. En hoe doe je dat, met zesentwintig vroedvrouwen met een medicijnvoorraad onder zesentwintig bedden in zesentwintig dorpen? Stel dat het niet lukt om het probleemmedicijn te identificeren. En dan nog …

Wie gaat overal bij al die vroedvrouwen langs om die medicijnvoorraden te inspecteren? Zonder dat iemand het merkt? En stel je voor dat er nog meer vrouwen zijn gaan bloeden, of zelfs zijn doodgebloed, zonder dat Blessing of Ellen daar iets van weet?

– Ik begrijp er helemaal niets van, zegt Blessing. Ik heb precies gedaan wat ik altijd doe en alles zag er hetzelfde uit.

Ze komen niet veel verder. Blessing gelooft nog steeds dat er een natuurlijke verklaring is en Ellen hoopt dat het telefoongesprek met Björn haar meer informatie zal opleveren. Misschien kan Björn rechtstreeks met Blessing praten en het haar uitleggen.

Ze veranderen van onderwerp en beginnen over Blessings nieuwe familiesituatie en hoe ze het financieel zal moeten redden. Blessing is niet iemand die klaagt, maar volgend jaar zal Hope ook naar school gaan. Ze kan weliswaar een oud schooluniform van een van de oudere kinderen krijgen, maar Ellen rekent snel uit wat alleen al de eerste schooljaren van het meisje zullen kosten. En dan heeft ze het nog niet eens over de andere zes kinderen.

Ellens linkerhand met haar trouwring, voorzien van een klein diamantje, streelt zachtjes over het hoofdje van het slapende meisje, terwijl ze zichzelf hoort zeggen:

– Ik zorg voor haar.

– Wat zei je?

Blessing kijkt verbaasd naar Ellen.

– Ik zorg voor haar.

Ellens stem klinkt nu luider en duidelijker, opeens weet ze precies wat ze wil.

– Ik betaal Hope's schoolgeld. Zolang ze wil of zolang ik leef!

Als ze bij jou mag wonen, Blessing, samen met haar broertjes en zusjes, beloof ik iedere maand geld te sturen voor het schoolgeld, schooluniform, schoollunch, boeken en andere bijdragen, voor alles. Neem haar om te beginnen mee naar de fotograaf en hang haar foto in de gang. Ik betaal. Dat is wel het minste wat ik kan doen.

Lusaka, Zambia
18 februari 2004

– Hé, jij bent het!

Ellen kijkt op van een kleurenaffiche met het gezicht van de Zambiaanse president en ontmoet een licht loensende blik. Josh balanceert met een kop koffie, een omelet op een bord en een glas sap, terwijl hij onder zijn arm een schrijfblok klemt. Voor het eerst sinds zijn aankomst draagt hij een trui in plaats van een keurig gestreken overhemd. Maar de trui is gemaakt van spierwitte piquéstof en heeft een persvouw in de mouwen. Heeft die man soms een strijkijzer bij zich?

– Mag ik hier gaan zitten?

– Natuurlijk.

Ze schuift haar krant en het glas vruchtensap opzij. De malariapillen liggen nog op het bordje, die moet ze niet vergeten in te nemen voor ze weggaat.

– Ik heb je al een paar dagen niet gezien, stelt hij vast, maar bedoelt dat als een vraag. Hij heeft kennelijk honger, want hij stort zich op de omelet met gebakken tomaten.

– Nee, ik ben een paar dagen op het platteland geweest voor nieuwe interviews.

– Ging dat naar wens?

– Ja, prima.

Wat niet goed is gegaan is dat het haar nog steeds niet gelukt is contact met Björn te krijgen, maar er is geen reden hem dat te vertellen. Geen nieuwe mails, hij neemt zijn mobiele telefoon niet op en de vaste telefoon thuis ook niet, en op zijn werk zei een telefoniste die Ellen niet kent dat hij 'vakantie' had. Vakantie!? De secretaresse op Björns afdeling, die meer zou kunnen vertellen, komt pas rond elf uur op kantoor, dus wordt ze vriendelijk verzocht straks terug te bellen. Bedankt.

Josh legt het schrijfblok naast zijn bord en pakt een pen uit zijn borstzakje.

– Ik ben ook voor wat interviews op pad geweest, en daarom is het zo goed dat ik je hier tref. Er is namelijk iets waar ik wat hulp bij nodig heb.

– Oh ja?

– Het gaat over 'dry sex'. Droge seks. Wat is dat?

– Dat is een merkwaardige opvatting die ze er hier en in de omringende landen op nahouden. Het idee is dat bij seks de slijmvliezen van de vrouw droog zouden moeten zijn om de man meer genot te bezorgen.

Josh maakt een aantekening in zijn schrijfblok en fronst zijn wenkbrauwen.

– Droog? Om de man meer genot te geven? Het is toch eigenlijk net andersom.

– Ja, dat wordt gedacht, maar waarschijnlijk wordt het vooral gezegd om vrouwen bang te maken.

Ellens stem wordt altijd wat scherper als ze haar stokpaardjes van stal haalt, dat zegt men tenminste. Josh kijkt een tikkeltje verwonderd op van zijn omelet.

– Een vochtige vrouw is een hitsige vrouw en dat is gevaarlijk – en bovendien een grote schande, gaat Ellen verder. Vrouwen worden op alle mogelijke manieren onder controle gehouden, maar dit is wel een van de ergste voorbeelden. Droge slijmvliezen scheuren veel sneller, en via die scheurtjes kunnen ze met HIV besmet raken. En verder lijkt het me voor de vrouwen zelf niet bepaald fijn, maar ik neem aan dat dat precies de bedoeling is.

– Hoe krijgen ze die slijmvliezen dan droog?

Josh schrijft af en toe een woord op, maar houdt oogcontact met haar. Een wat ongewoon indringend oogcontact, het loensende oog kijkt zeer geconcentreerd. Bijna streng. Maar Ellen weet dat ze soms nogal stug en eigenwijs kan overkomen en hij zal met zijn achtergrond vast niet gewend zijn over seks te praten.

– Daar zijn verschillende trucjes voor. Kruiden of zelfgemaakte zalf kan natuurlijk werken, maar er zijn ook eenvoudige manieren zoals gras of toiletpapier dat in de vagina wordt gestopt. Er is hier in Lusaka onderzoek gedaan onder tieners, meisjes die in de stad op de middelbare school zitten, dus geen analfabeten van het platteland, van wie de meerderheid antwoordde dat ze het voor een vrouw belangrijk vonden droog te zijn en precies wisten hoe ze zichzelf moesten uitdrogen. Waarom vraag je dat eigenlijk?

– Ik ben van plan een artikel te schrijven. Zou ik je misschien mogen citeren?

– Liever niet. Ik vind dat je beter iemand kunt vragen die hier werkt. Ik kan je wel wat namen van artsen uit het ziekenhuis geven.

– Oké. Kan ik straks nog even bij je langskomen voor die namen?

– Ja hoor. Ik ben waarschijnlijk de hele ochtend op mijn kamer, want ik moet nog wat aantekeningen doornemen. Ik heb verder geen afspraken.

En ik moet bellen, denkt ze. Ze moet Björn op de een of andere manier te pakken zien te krijgen. Hij heeft natuurlijk geen vakantie, anders had ze dat wel geweten. Die telefoniste was vast een chaotische invalster die niet wist waar ze het over had.

Geen van beiden ziet de man bij de opening van de deur naar de tuin staan. Hij is klein en breed, draagt een licht overhemd, een katoenen broek en glimmende, goedgepoetste schoenen met dikke rubberen zolen. Zijn stekeltjeshaar is een beetje vochtig, alsof hij net onder de douche vandaan komt.

Het vruchtensap waarmee Ellen de malariapil inneemt heeft een eigenaardige bijsmaak.

Misschien het metaal van het blikje, denkt ze. Of is het de koffie die zo vreemd smaakt?

Josh is volledig op zijn goed doorbakken baconreepjes geconcentreerd als Ellen opstaat van de ontbijttafel en hem succes wenst. In de lift naar boven vraagt ze zich opeens af hoe hij weet welke kamer ze heeft, hij is daar nog nooit geweest en ze heeft niet verteld welk kamernummer ze heeft.

Al in de gang, als ze haar sleutelkaart pakt, lijkt het of de vloer onder haar voeten begint te deinen en de schilderijen aan de muur bewegen. Precies voor de pas geschilderde deur wordt alles zwart. Een glimmende herenschoen voorkomt dat de deur terugvalt in het slot.

Tampa, Florida, VS
17 februari 2004

In Tampa hielp Martin me werkelijk met alles. Ik ging bij een res-
taurant in het winkelcentrum werken en we vonden een kamer die
ik per week kon huren. Het was een vrij kleine, kleurloze kamer
met een heel smal bed waarop alleen een dunne deken lag. We
schreven me in onder de naam Mary Fletcher. Dat was Martins
idee en daar was ik het helemaal mee eens, want ik kon mijn ei-
gen naam beter niet gebruiken, voor het geval mijn vader naar me
op zoek zou gaan. Bij Wal-Mart kochten we lakens, handdoeken
en een kleine dompelaar, zodat ik 's morgens een kopje koffie zou
kunnen maken.

Martin vond dat ik de kamer voor een korte periode moest hu-
ren, 'want je weet maar nooit wat God voor je in petto heeft',
zei hij. Nee, dat weet je maar nooit, dacht ik, terwijl ik 's avonds
onder de dekens kroop en aan Martin dacht en aan wat er zou
kunnen gebeuren. Het meisje in de kamer naast me had 's avonds
vaak bezoek en ik moest oordoppen kopen om ze niet door de flin-
terdunne muren heen te horen. Ik probeerde bij de huisbaas te
klagen, maar die zei dat als het me niet beviel, ik maar een andere
kamer moest zoeken, want in dit huis mocht iedereen zelf bepalen
op welke manier hij zichzelf wenste te onderhouden.

In dezelfde periode ontdekte ik de boekenwinkel waar ik een
bijbel kocht en het boek van Dee Esser over hoe je je echtgenoot
gelukkig maakt. Daarin las ik voor ik ging slapen. Ik hield vooral
van de passages waarin ze raad gaf over hoe je een man in de
slaapkamer kon behagen. Je kon parfum op het kussen van je man
spuiten, kaarsen aandoen, romantische muziek opzetten, de deur
op slot doen zodat de kinderen niet zouden kunnen storen, op een
pepermuntje zuigen en een nieuw nachthemd kopen.

Dat waren niet bepaald zaken waar het meisje in de kamer naast
me zich druk om leek te maken, maar de man die ik door de muur
heen hoorde was dan waarschijnlijk ook niet haar echte man.

Dee Esser had een zin waar ik ook veel van hield uit de Eerste brief van Paulus aan de Korintiërs onderstreept: 'De vrouw heerst niet over haar lichaam, dat doet de man.' Merkwaardig genoeg stonden in Dee Essers boek alleen de eerste paar zinnen van het vers. Toen ik in mijn eigen bijbel de Eerste brief aan de Korintiërs 7:4 opensloeg ging de tekst verder: ' ... evenzo heerst de man niet over zijn lichaam, dat doet de vrouw.' Dat vond ik zelfs nog beter.

Ik ging veel naar de kerk, naar Martins kerk, en als we een afspraak hadden kwam hij me met de auto ophalen. Ik had geen telefoon en hij zei dat hij zijn mobiele telefoon vaak uitzette, dus bepaalden we per keer wanneer we weer zouden afspreken. Hij kwam altijd zijn afspraken na, het is maar één keer gebeurd dat hij naar mijn werk belde om te zeggen dat hij later zou komen, verder kon je altijd op hem rekenen.

Ik weet overigens niet eens waar hij woont en het zou me leuk lijken eens bij hem thuis te kijken, maar misschien is hij gewoon te verlegen. Veel mannen durven het niet aan meisjes bij hen thuis uit te nodigen, omdat ze bang zijn dat ze niet goed genoeg hebben schoongemaakt of afgewassen. Maar als hij me zou uitnodigen zou ik toch kunnen schoonmaken en afwassen. Daar ben ik heel goed in.

In de kerk bleef ik vooral bij hem in de buurt, praatte niet veel met andere mensen en hij stelde me voor als zijn kleine zusje. 'Zodat er niet zoveel wordt gekletst', legde hij uit, en dat wilde ik natuurlijk ook niet. Hij kuste of knuffelde me nooit, hield maar twee keer mijn hand vast, maar dat vond ik respectvol. Ik had genoeg van stiekem geknoei en als de tijd rijp was, zou God ons de weg wel wijzen.

Martin praatte veel over Gods wil en over de Bijbel. Dat de Bijbel en Gods woord voor mensen het wetboek vertegenwoordigen waarin staat wat goed en kwaad is. God spreekt via de mensen en ik had al veel mensen ontmoet die Gods woord verkondigden, maar Martin is wel de krachtigste profeet. Ik dank God dat ik hem heb mogen ontmoeten. Aanvankelijk wilde ik Martin niet vertellen dat ik zwanger was, omdat ik bang was dat hij me dan niet meer zou willen zien, maar uiteindelijk kon ik het niet langer verbergen, ondanks dat ik voor bijna heel mijn eerste maandloon nieuwe kleren had gekocht. Ik verdiende niet best. De serveersters die flirtten en zich aanstellerig gedroegen kregen veel fooi, dus dat was lonend, maar zelfs als ik had gewild was het me waarschijnlijk toch niet gelukt te flirten en me zo uit te sloven.

Ik was bijna door mijn geld heen en had eigenlijk een auto nodig. Het duurde een eeuwigheid voor ik met de bus bij mijn werk was en ik kreeg pijn in mijn rug als ik na een hele dag lopen en staan met de schuddende bus naar huis moest, maar er was niemand op mijn werk die ik goed genoeg kende om een lift van te krijgen. Soms haalde Martin me op, maar hij had natuurlijk ook andere dingen te doen.

Wat hij precies voor werk deed weet ik niet, maar het had met de kerk te maken, dus het moet belangrijk zijn geweest. Hij verdiende er kennelijk goed mee, want hij had altijd geld genoeg.

Op de dag dat ik besloot Martin over het kind te vertellen, ging ik eerst naar de bank van lening in het winkelcentrum. Mijn moeders ketting, ringen en broches waren het mooiste en meest waardevolle wat mijn familie ooit in haar bezit had gehad. Voor al die sieraden kreeg ik 3.444 dollar. Toen de medewerkster van de bank het geld telde, iets wat ze een paar keer herhaalde, en me het geld uit haar hand liet pakken – ze had een heleboel glimmende ringen aan haar vingers – voelde het niet goed. Het voelde op de een of andere manier goedkoop. Vernederend voor de hele familie, ja, op een bepaalde manier zelfs voor heel Montana. Ik probeerde er niet aan te denken wat mijn moeder zou hebben gezegd als ze het had geweten. Hoewel, het had haar net zo goed kunnen overkomen. En ik had nog nooit zoveel geld gehad.

Ik stopte het geld in mijn broekzak – niet in mijn handtas, want stel je voor dat er een tasjesdief voorbij zou komen – en voelde me nerveus en verdrietig toen ik bij Martin in de auto stapte. We zouden naar de kerk gaan, maar ik vroeg hem bij McDonald's te stoppen omdat ik hem iets moest vertellen. Ik was bang dat hij boos zou worden, want soms kon hij zo geïrriteerd en chagrijnig reageren als ik ergens een andere mening over had dan hij of een ander voorstel deed, maar omdat hij meestal gelijk had deed ik dat maar zelden.

Maar ik herinner me een keer dat we bij Starbucks een kop koffie dronken en er een donkere vrouw voorbij liep. Ze hield één kind *bij zijn handje vast, één lag er in de sjofele kinderwagen en aan haar buik was te zien dat er een volgende op komst was. Ze was niet veel ouder dan ik en ik zei iets wat misschien een beetje onnadenkend was: dat het zwaar moest zijn zoveel kinderen te hebben als je zo jong en arm bent, en dat ik daar niet aan zou moeten denken. Ik bedoelde natuurlijk niets anders dan dat je de kinderen waar je niet voor kunt zorgen beter kunt afstaan, maar dat begreep Martin niet en hij ging helemaal door het lint. Hij trok me van de bank af, duwde me naar buiten en gooide me bijna in de auto. Het deed pijn en ik werd doodsbang. Hij sloeg me een paar keer in mijn gezicht en zei dat ik, zijn kleine zusje, nooit meer zoiets mocht zeggen of zelfs maar mocht denken. Pas toen er een mevrouw op straat naar de auto bleef staan kijken kalmeerde hij. Ik deed het portier van de auto open en zei tegen de vrouw dat alles in orde was. Martin startte de auto en we reden weg. De vrouw bleef staan kijken.*

In de auto bood ik mijn excuses aan voor mijn domme opmerking, waarop hij zei dat hij het begreep en me vergaf, dus was alles weer goed. Het was niet erg dat hij me had geslagen, want dat meende hij natuurlijk niet. Ik vond het veel erger dat hij me zijn 'kleine zusje' noemde terwijl er niemand bij was. Dat was toch alleen voor de buitenwereld bedoeld. Ik ben zijn kleine zusje niet.

Daarom was ik nogal bang toen we daar bij McDonald's zaten. Bang dat hij weer zo boos zou worden. Daarom wilde ik het vertellen als er mensen in de buurt waren. Maar deze keer was hij in een opperbeste stemming en hij trakteerde op koffie en appelgebak. We gingen achterin zitten, vlakbij de toiletten.

Ik had er lang over nagedacht hoe ik het zou vertellen, en vooral of ik zou vertellen wie de vader was, maar uiteindelijk ging alles heel gemakkelijk. Het leek alsof Martin niet eens verbaasd was, en hij werd helemaal niet kwaad. Ik zei direct dat ik natuurlijk van plan was het kind te krijgen, zodat we daar niet over hoefden te discussiëren. Hij had achterop zijn auto een sticker met 'stop de kindermoord', dus ik wist hoe hij daarover dacht, en ik was het helemaal met hem eens. Na de bevalling zou ik het kind misschien afstaan, zei ik, als zich geen nieuwe mogelijkheden voor me – ik wilde bijna 'ons' zeggen – zouden voordoen, waardoor ik het kind zou kunnen houden.

Hij vroeg niet eens wie de vader was. Achteraf vond ik dat wel een beetje merkwaardig – wat vindt u? – maar hij begon zo enthousiast de rest van de zwangerschap en de bevalling te plannen, dat hij het waarschijnlijk vergat te vragen. Hij nam als het ware het roer over, en dat vond ik erg prettig. Zo hoort een man te handelen. Hij zei dat hij een goede vriend had, een broeder in de kerk, die een organisatie runde die opvang bood aan meisjes zoals ik. Het heette 'Het Heilig Kerkgenootschap van Onze Lieve Heer' en zat in een mooi huis op het platteland in het noordwesten van Florida. Ik moest onmiddellijk stoppen met werken, zodat ik het kind geen schade zou toebrengen en ik zou daar naartoe verhuizen. Martin zou me wel kunnen brengen. Hij vond dat we gelijk de volgende dag zouden moeten vertrekken.

Ik was erg verbaasd, maar ook blij. Denk je eens in, hij was niet eens boos geworden en ik zou ergens naartoe verhuizen waardoor ik niet langer met zware borden en dienbladen hoefde te sjouwen. Daar zouden de mensen vinden dat ik de juiste beslissing had genomen en me geen belachelijke folders over abortus opdringen, zoals die domme Marion bij Kentucky Fried Chicken had gedaan. Ik maakte me ongerust over het geld en vroeg wat het wonen bij het Heilig Kerkgenootschap zou kosten, want ik zou daar een hele tijd moeten blijven. Martin vroeg hoeveel geld ik had en ik pakte de stapel papiergeld uit mijn zak. Nadat we alles hadden geteld zei Martin dat het waarschijnlijk wel genoeg zou zijn, in elk geval tot de bevalling.

Ik was van plan geweest een auto te kopen, maar als ik in een groot huis op het platteland zou wonen en niet hoefde te werken had ik die helemaal niet nodig, dus besloten we dat ik de volgende dag zou verhuizen. Martin zou me brengen. Ik leende zijn mobiele telefoon waarmee ik naar mijn werk belde om op te zeggen en daarna wilde hij me naar huis brengen, zodat ik mijn spullen kon gaan inpakken. Hij zei dat hij zelf ook nog een aantal dingen moest regelen. Toen ik probeerde tegen te stribbelen door te zeggen dat we toch naar de kerk zouden gaan en ik mijn spullen in vijf minuten had ingepakt, raakte hij geïrriteerd en zei dat ik niet tegen hem in moest gaan, dat hij wist wat goed voor me was. En de Heer had me gezegd dat ik naar mijn man moest luisteren. Ik dacht aan alles wat ik van Dee Esser had geleerd. Martin nam

drieduizend dollar als aanbetaling voor het Heilig Kerkgenoot-
schap. Ik mocht vierenveertig dollar houden om de huur van mijn
kamer te betalen.

Die avond – ik hoopte dat het de laatste in het harde bed zou
zijn – las ik weer in het boek van Dee Esser. Dat gaf me altijd een
fijn gevoel. Er stond een tekening in die de 'Goddelijke Rangschik-
king' of 'Gods beschermende paraplu' voorstelde. Op de bovenste
en tevens grootste paraplu, degene die de meeste bescherming
tegen de regen gaf, stond GOD. Op de volgende, die iets kleiner
was dan Gods paraplu, stond DE MAN. Zijn taak is zijn familie te
beschermen en te onderhouden, en zich aan zijn beroep en andere
activiteiten te wijden. Op de onderste en kleinste paraplu stond
DE VROUW, en haar taak is voor de kinderen en het huishouden
te zorgen. Dee Esser had een deel met een gele stift gemarkeerd:
'Nu steeds meer gezinnen door vrouwen worden bestierd, ne-
men jeugdcriminaliteit, rellen, homoseksualiteit en het aantal
scheidingen en gefrustreerde vrouwen toe. De wereld is door God
geschapen en om alles pijnloos te laten verlopen moet de man de
baas zijn in huis, anders ontstaan er grote problemen.'

Daar was ik het mee eens, ik moest naar God en Dee Esser luis-
teren. En naar Martin.

De volgende ochtend haalde hij me op en reden we in noorde-
lijke richting.

Lusaka, Zambia
18 februari 2004

De telefoon gaat over, opnieuw, en Ellen realiseert zich dat ze dit geluid al eerder heeft gehoord, maar dan ergens in de verte.

Ze ligt helemaal aangekleed, maar met blote voeten op het onopgemaakte bed van haar hotelkamer met gesloten gordijnen en een dreunende airco. Ze is misselijk en herinnert zich dat alles in de gang begon te deinen toen ze van het ontbijt terugkwam. Dat ze toch haar kamer in is weten te komen, de gordijnen heeft dichtgedaan en op bed is gaan liggen, zonder dat ze zich daar ook maar iets van kan herinneren, is op zijn zachtst gezegd merkwaardig. Het moet een soort buikgriep zijn geweest. Ze heeft pijn in haar maag en in haar buik. Ze draait zich met moeite op haar zij en pakt de hoorn van de telefoon. Op de wekkerradio ziet ze dat ze meer dan vier uur heeft geslapen. Naast het nachtkastje staan haar schoenen keurig naast elkaar.

– Hallo!

– Mevrouw, u hebt bezoek, zegt de bekende stem van de receptioniste, en Ellen hoort het geroezemoes in de hotellobby als de telefoon wordt doorgegeven.

– Ellen!

– Björn!? Ben jij dat?

Ellen gaat rechtop zitten. Het draait een beetje in haar hoofd als ze zich probeert te concentreren.

– Ben je hierheen gekomen?

– Ja, ik kon niet meer volgen wat er allemaal aan de hand was. Ik moest wel komen.

– Heb je vrij van je werk genomen?

– Ja! Hij klinkt moe en geïrriteerd. Ik kom nu naar boven.

– Maar … wat heeft die reis wel niet gekost?

– Wat maakt dat nou uit! Ik kom nu naar je toe.

– Is het in orde, mevrouw? vraagt de receptioniste voorzichtig nadat ze de hoorn weer heeft teruggekregen.

– Jazeker, antwoordt Ellen. Het is mijn man.

Met trillende benen stapt Ellen uit bed. Ze voelt zich geradbraakt en misselijk en waggelt naar de badkamer. Ze heeft pijn in haar buik en het doet pijn als ze plast. Als ze zich afveegt ziet ze een beetje bloed op het wc-papiertje. Is ze nu al ongesteld geworden? Dat zou eigenlijk niet voor woensdag moeten gebeuren. Het doosje tampons, waarvan ze dacht dat het nog dicht zat, staat naast de wc. Vreemd, ze kan zich niet herinneren dat ze daar iets uit heeft gepakt en nu is het doosje half leeg.

Maar er gebeuren vandaag steeds van die vreemde dingen, misschien is het een soort buikgriep waar je je vreemd van gaat gedragen.

Misschien dat het telefoongesprek ook een hallucinatie is geweest, een wensdroom en is Björn helemaal niet naar Zambia gekomen. Hoewel ze niet weet hoe ze alles zal moeten uitleggen beseft ze plotseling hoezeer ze naar hem verlangt, en hoe heerlijk het zou zijn als hij nu met de lift op weg naar boven was. Ze staat op van het toilet, kan de energie niet opbrengen een andere onderbroek te pakken, hoewel er in deze een bloedvlek zit, ze houdt zich stevig met één hand aan de wastafel vast, terwijl ze met de andere haar gezicht met koud water afspoelt. Iets stabieler loopt ze de kamer in, trekt de gordijnen opzij, doet de balkondeur open en ademt diep in. Routinematig trekt ze het beddengoed recht en als ze zich uitstrekt om de airco af te zetten voelt ze opeens een stukje plastic tussen haar tenen.

Net als ze is gaan zitten om het plastic reepje, het bandje van de tampon, weg te halen, klopt Björn op de deur.

Washington Post, VS, 8 februari 2004

Bewijs tegen schoonmaakster rechter door brand verwoest

Clean Enterprise Inc., het bekende schoonmaakbedrijf op Brentwood Road, dat afgelopen donderdag vermoedelijk door brandstichting in vlammen is opgegaan, blijkt door rechter Vernon McArthur te zijn ingehuurd. De desbetreffende schoonmaakster is sinds de dood van de rechter spoorloos en bij het bedrijf weet men niet zeker wie zij is.

Door de felle brand, die de hele etage van het complex heeft verwoest waar het schoonmaakbedrijf was gevestigd, zijn de complete boekhouding en alle persoonlijke gegevens van de medewerkers verloren gegaan. De brand is in het archief van *Clean Enterprise* ontstaan en is vermoedelijk aangestoken.

'Ik herinner me alleen dat ze uit Florida kwam en dat haar voornaam Dee was', zegt medewerkster personeelszaken Gail Burton van *Clean Enterprise* tegen de *Washington Post*

Alle persoonlijke gegevens en andere documenten zijn door de brand verwoest. Het meisje had goede referenties, zegt Miss Burton, geschokt door de verdenkingen:

'Ik kan persoonlijk voor haar referenties instaan. Wij nemen geen personeel zonder getuigschrift aan en zeker niet voor een opdracht bij een rechter. Ze was pas een paar weken bij ons in dienst. Maar de rechter moet nog een contract met persoonlijke gegevens hebben.

Het meisje werkte om de week bij de rechter en ik geloof dat ze er nog ander werk naast deed.'

Politie-inspecteur Stephen Chu wil over het onderzoek niet veel meer zeggen dan dat hij contact met de politie in Florida heeft gehad.

Een via de telefoon bij de *Washington Post* binnengekomen tip: Een doktersassistente van de *Planned Parenthood*-kliniek op *Elm Street* in Washington heeft gebeld om te vertellen dat ze Gail Burton, de vrouw die zich in de krant van vandaag uitsprak als medewerkster personeelszaken van schoonmaakbedrijf *Clean Enterprise*, het bedrijf dat de van moord verdachte schoonmaakster naar rechter McArthur had gestuurd, heeft herkend.

Gail Burton is een bekend anti-abortusactiviste. Ze doet regelmatig mee aan demonstraties voor de abortuskliniek. 'Deze dame is een van de meest fanatiek demonstranten', aldus de doktersassistente.

Washington Post, VS, 9 februari 2004

Verband tussen verdachte schoonmaakster en anti-abortusbeweging

'Ik heb niets met de dood van rechter McArthur te maken', zegt miss Gail Burton, als de *Washington Post* haar bij haar huis op *Fendall Street* in Washington opzoekt. Daarna trekt ze de deur dicht en weigert nog open te doen.

Gail Burton is medewerkster personeelszaken bij schoonmaakbedrijf *Clean Enterprise*, de firma die bemiddelde tussen rechter Vernon McArthur, die twee weken geleden onder mysterieuze omstandigheden is overleden, en de verdwenen schoonmaakster die ervan wordt verdacht bij de dood van de rechter betrokken te zijn.

Clean Enterprise werd vorige week getroffen door een felle brand waarbij alle documentatie over het personeel in vlammen is opgegaan. Er is vastgesteld dat de brand is aangestoken en men vermoedt dat de brandstichter in het bezit van een sleutel was.

De *Washington Post* heeft vernomen dat Gail Burton actief is in de *Pro-life-movement*. Gail Burton bevestigde telefonisch dat ze heeft geprobeerd via demonstraties bij de abortuskliniek vrouwen die abortus wilden laten plegen te overtuigen op hun besluit terug te komen, want 'naar mijn mening en die van de Bijbel is abortus hetzelfde als moord'. Ze ontkent enige band met de verdwenen schoonmaakster te hebben.

'Ze had goede referenties en daarom heb ik haar aangenomen', zei miss Burton. 'Meer weet ik niet.'

Rechter McArthur was bij het Hooggerechtshof een van de meest liberale rechters met grote betrokkenheid bij het abortusvraagstuk. Zijn dood heeft president George W. Bush de mogelijkheid gegeven de meerderheid in het Hooggerechtshof te veranderen ten gunste van de abortustegenstanders.

'Zij die willen voorkomen dat vrouwen zelf over abortus mogen beslissen, hebben groot belang bij de dood van de rechter', zegt Sarah Grant, woordvoerster van de *Planned Parenthood Federation*. 'In het verleden hebben ze vaker geweld gebruikt om hun doel te bereiken.'

Lusaka, Zambia
19 februari 2004

– Maar waar komt dat medicijn dan vandaan? Het is ronduit levensgevaarlijk!

Ellen vindt dat Björn te hard praat, maar hij spreekt Zweeds en bij het zwembad is het bewolkt en een beetje kil, dus er zit verder niemand. Na drie pogingen zet een hoopvolle ober eindelijk hun bestelling op tafel – twee koffie met veel melk.

Ellen zucht en antwoordt haar man voor minstens de zesde keer:

– Ik weet het niet. Er komen leveranties uit heel verschillende hoeken van ons netwerk. Een deel komt uit Zweedse ziekenhuizen en magazijnen, de rest is afkomstig van farmaceutische bedrijven in Zweden en in andere delen van de wereld.

– Hoezo 'uit Zweedse ziekenhuizen?' Zijn dat soms oude medicijnen die te oud voor patiënten in Zweden zijn? briest Björn.

– Meestal niet, maar het komt wel voor. En jij weet best dat het geen kwaad kan als ze een paar maanden over de datum zijn.

– Nee, maar dit medicijn is echt schadelijk. Het is letterlijk levensgevaarlijk. Snap je wat je hebt aangericht?

– Ja, ik vrees van wel.

Ze praat zachtjes, haar blik gericht op de tafel, ze voelt zich schuldig en doodmoe. Het is lang geleden dat ze een hele nacht heeft geslapen.

– En die spullen worden dus door jullie op een louche manier ingezameld, gaat hij verder, en zijn zelfs misschien voor een deel gestolen goed – klopt dat?

– Tja, het komt voor dat onze medewerksters iets van hun werk meenemen ...

– Uit een Zweeds ziekenhuis!?

Ellen knikt zonder hem aan te kijken. Ze voelt zijn razernij toenemen.

– En dan stop je alles in je koffers – ik heb de apotheek gezien waarmee je de deur uitgaat – en smokkelt het hier het land in?

– Ja, zo zou je dat kunnen zeggen ...

– Snap je dan niet hoe godsgruwelijk stom en krankzinnig dat is?

Björn zwijgt als de ober met de koffie komt, maar blijft Ellen woedend aankijken terwijl de koffie wordt geserveerd.

– En ik dacht dat het allemaal keurig netjes door de Zambiaanse overheid was goedgekeurd. Ik voel me zo in de zeik genomen.

– Het spijt me, maar het leek me beter dat je er niets van wist.

Ze roert afwezig in haar koffie, denkt zelfs dat ze er een klontje suiker heeft ingedaan, terwijl ze al een hele tijd geen suiker meer gebruikt.

– Misschien, zegt hij met een veel te harde stem. Het was beter geweest als er niets te weten viel. Maar nu weet ik het, en wat moet ik met die kennis doen?

– Niets, hoop ik.

– Maar waarom, Ellen? Waarom?

– Omdat het belangrijk is.

Ellen hoort haar eigen stem nauwelijks. Opeens weet ze helemaal niet meer wat er zo belangrijk is.

– Zo belangrijk dat je bereid bent andermans leven te riskeren?

Een melodietje maakt dat Ellen in haar rugzak, die naast het zwembad staat, naar haar mobiele telefoon begint te graaien. Er wordt niet gebeld, maar het melodietje gaat door. Een vogel die fluit.

– Hoorde je dat? Ze probeert de sfeer iets minder zwaar te maken. Zo gaat het hier nou de hele tijd. Ik denk dat mijn mobiel overgaat en dan blijkt het een of andere opgewekte vogel te zijn.

Björn antwoordt niet, hij is op dit moment kennelijk niet in vogels geïnteresseerd. Ellen tilt haar rugzak nog eens op. Er klopt iets niet, er ontbreekt iets. Ze pakt haar mobiele telefoon, lippenstift, portemonnee, paspoort, haarborstel, pakje kauwgom, doosje pijnstillers, zakdoekjes en opfrisdoekjes uit de tas en legt alles naast elkaar op tafel. Maar waar is haar adressenboekje!

– Heb jij mijn adressenboekje gezien, dat oude zwarte boekje? vraagt ze aan Björn. Kun jij je herinneren of dat boven in mijn kamer lag?

– Nee, dat kan ik me niet herinneren, zegt hij ongeïnteresseerd. Je hebt het vast onder een stapel papieren gelegd of ergens laten liggen.

Hij neemt een slok van zijn koffie en staart voor zich uit. Hij is kwaad en voelt zich verraden. Hij wil het nergens anders over hebben dan over deze bedriegerij. Deze narigheid. Eigenlijk heeft hij helemaal geen puf meer om verder te praten.

Ze zitten een hele tijd zwijgend tegenover elkaar zonder naar elkaar te kijken of van hun inmiddels lauw geworden koffie te drinken.

Ten slotte vraagt ze:

– Hoelang kun je blijven?

Als hij alleen maar komt ruziemaken kan hij net zo goed meteen weer teruggaan. Na de eerste opluchting en hun weerzien is alles alleen maar erger geworden. In plaats van te helpen maakt hij alles alleen nog maar moeilijker.

– Een paar dagen. Het eerstvolgende vliegtuig gaat overmorgen, maar dan wil ik je wel mee naar huis nemen. Het lijkt me niet verstandig dat je hier blijft.

– Dat bepaal jij toch niet! schreeuwt ze, opeens razend over zijn vaderlijke, betweterige toon. Ik moet hier blijven om alles uit te zoeken. Ik heb mijn verplichtingen.

– En hoe denk je dat te gaan doen? Björns vraag zou ironisch kunnen zijn bedoeld, maar zijn stem klinkt toonloos, bijna verdrietig.

Als ik dat eens wist, denkt Ellen, terwijl haar telefoon overgaat. Dit keer is het geen vogel maar Blessing. Ze vertelt dat Beauty, die na het incident op het politiebureau en de mishandeling zowel met Ellen als met Blessing geen contact meer wilde hebben, iets van zich heeft laten horen. Ze heeft hulp nodig, onmiddellijk.

– Kun je direct meekomen als ik je nu kom halen? vraagt Blessing.

– Ja! zegt Ellen zonder de minste twijfel. Ik kan gelijk met je mee.

– Als je ergens naartoe gaat, ga ik mee, zegt Björn.

Hij duldt duidelijk geen tegenspraak.

Terwijl ze in de hotellobby op Blessing zitten te wachten, komt Margoth met haar gezin de lift uitlopen. Ellen en Margoth hebben elkaar sinds de nacht met de nonnen niet meer gezien, en Ellen vermoedt dat ze haar probeert te ontwijken. Ook dit keer knikt Margoth alleen maar een beetje vanaf de andere kant van de lobby, terwijl haar man met grote passen op Björn afstapt.

– Nee maar! Wat doe jij hier?

– Ik kom mijn vrouw opzoeken, zegt Björn, waarna hij Ellen even snel voorstelt.

– Ja, we hebben elkaar al ontmoet. Goh, zijn jullie getrouwd?

zegt Peter Oxenstierna verbaasd. Dat wist ik helemaal niet.

– En jij?

– Wij? Hij maakt een vage beweging in de richting van de receptie waar Margoth en de kinderen iets met de receptionist staan te bespreken, zijn op safari geweest en hebben daarna de Victoria Falls bekeken, maar donderdag gaan we naar huis. We moeten weer aan het werk.

– Peter en ik hebben elkaar een paar jaar geleden bij die vakbondscursus ontmoet, legt Björn Ellen uit. We hadden het erg gezellig samen!

– Absoluut, zegt Peter instemmend. Herinner je je die gestoorde huisarts uit Örebro?

Björn lacht en Ellen herinnert zich vaag wat verhalen over de arts uit de 'platte-klinkerstreek'. Björn is goed in het imiteren van dialecten.

– Peter is woordvoerder van de Ethische Commissie van Artsen en sprak toen over medische ethiek, gaat Björn verder, maar valt dan plotseling stil, alsof iets hem heeft geraakt.

– Oh, daarom dacht ik dat ik je ergens van kende, zegt Ellen, bleek onder haar zongebrande gelaatskleur. Ik heb je dus in het artsentijdschrift zien staan.

Dan staat Blessing voor de deur te toeteren en zijn ze gered.

Tampa, Florida, VS
17 februari 2004

Het was avond toen we bij het Heilig Kerkgenootschap aankwamen, ja, zo werd het huis door iedereen genoemd. We hadden eindeloos over pikdonkere wegen gereden en het verbaasde me dat Martin de weg zo goed kende en steeds de juiste afslag nam, maar hij zei dat hij er al vaak was geweest en de weg op zijn duimpje kende. Bovendien werd hij door God geleid. Martin had gebeld om te vertellen dat we zouden komen, en we waren zeer welkom.

Dat hoopte ik maar, want ik was ondertussen een beetje nerveus geworden, vooral nadat ik van Martin had begrepen dat hij daar niet zou blijven, in elk geval niet langer dan de eerste nacht. Ik kende er helemaal niemand, maar dat zou snel veranderen, zei hij, want bij het Heilig Kerkgenootschap zaten zo veel aardige mensen, zowel oudere leiders als jonge vrouwen zoals ik. En kinderen. Het was net een grote familie. Ik stelde me een groot, warm huis voor met veel mensen die aan lange tafels zaten en gezamenlijk hun gebed voor het eten uitspraken, en kinderen die in de rondte zouden springen en spelen. Maar zo was het niet helemaal.

Het huis was groot en verlicht en we parkeerden aan de achterkant naast een paar andere auto's. Er stond een grote pick-up truck met een brede sticker op de achterbumper waarop stond 'Doodstraf voor moordenaars/aborteurs!' Op dat moment begreep ik niet zo goed wat ze daarmee bedoelden, maar nu weet ik dat precies.

Het was doodstil toen we uitstapten en Martin pakte mijn tas uit de achterbak. We hoorden geen auto's, geen vogels en zelfs geen enkele krekel. Het was warm en vochtig, een vreemd soort mistige vochtigheid die ik nog nooit eerder had gevoeld. Toen het licht werd zag ik dat direct achter het hek het moeras begon.

De bel van de achterdeur rinkelde waardoor een groep honden achter een omheining in actie kwam. Ik had geen hok gezien, en de honden leken me gevaarlijk, ze klonken heel anders dan de honden die we thuis hadden. Een van de enorm grote honden sprong

tegen het hek op en Martin zei dat het belangrijk was altijd van
tevoren te bellen dat je op weg naar het Heilig Kerkgenootschap
was, want als de honden losliepen kon het slecht met je aflopen.
Dat snapte ik wel. Ik heb nooit van grote honden gehouden.

De man die opendeed begroette eerst Martin en gaf mij daarna
een stevige omhelzing. Hij zei dat hij dominee Michael Burt heette
– maar je kan gewoon dominee zeggen. Hij was niet zo lang en
vrij dik, droeg een geblokt overhemd dat uit zijn broek hing en te
grote pantoffels die van zijn hiel gleden als hij liep. Hij zag eruit
als een aardige opa, dacht ik, en dat maakte me wat rustiger. Ik
had nooit een aardige opa gehad.

  In de grote hal waar we onze jassen ophingen zag ik een vreem-
de vlag die op onze gewone vlag leek maar toch net even anders
was. Martin legde aan de dominee uit dat ik uit het noorden kwam
en de dominee zei dat ik dat niet kon helpen, maar dat hij mijn lot
betreurde en hij vertelde me dat dit de vlag was van de zuidelijke
staten tijdens de burgeroorlog, 'de oorlog tussen de Staten' noem-
de hij het. Er hing een affiche met de afbeelding van een soldaat
in een grijs uniform, hij was precies zo gekleed als ik in de hoofd-
stukken over de zuidelijke staten in de geschiedenisboeken had ge-
zien, en boven hem stond met ouderwetse letters geschreven 'Het
Zuiden zal wederom triomferen'.

  Ik vond het vreemd dat hij dacht dat het om Zuid tegen Noord
ging. Ik wist natuurlijk dat het om de strijd van het volk tegen de
regering ging, maar misschien kwam dat wel op hetzelfde neer,
dat degenen die ons bestuurden in Washington zaten, en de rest,
uit welke windstreek dan ook, onder Noord of Zuid viel en in elk
geval niet woonde waar de bestuurders zaten. Ondanks de voch-
tigheid voelde ik me er meer thuis dan ik had verwacht, en ik dacht
dat mijn vader dit waarschijnlijk ook een fijne plek zou hebben ge-
vonden. Martin sloeg zijn arm om mijn schouders en beloofde dat
hij me vaak zou komen opzoeken. Ik geloofde hem. Toen.

De vrouw van de dominee serveerde koffie en broodjes in zijn
werkkamer en daarna kwamen enkele van hun negen kinde-
ren me gedag zeggen. De meubels waren ouderwets en iedereen
was aardig en vroeg hoe ik me voelde. De meisjes maakten een

kniebuiging en de jongens bogen voor me, terwijl ik niet veel ou-
der dan de oudste kinderen was. Er hingen diverse geweren aan
de muur maar dat kon ik wel begrijpen, want het zou wel erg
onverstandig zijn op het platteland te gaan wonen zonder bescher-
ming. Mijn vader had ook een wapen. Hij zei dat hij dat nodig had
om 'de zijnen' te beschermen, en de dominee had een heleboel
mensen te beschermen. Waarschijnlijk waren die honden daarom
ook nodig.

Op het bureau van de dominee stond een merkwaardige lamp.
Om de kap zat gewone witte stof wat goed functioneerde want het
licht scheen er doorheen, maar de voet was gemaakt van iets dat
op vier dynamietstaven leek waar een snoer omheen was gewik-
keld dat op een wekkerradio was aangesloten. Het zag eruit als
een ingestelde tijdbom. Ik liep er naartoe en friemelde aan de kap
toen Martin zei 'Til hem eens op!' Ik deed wat hij vroeg en opeens
begon de lamp op een heel enge manier keihard te tikken. Ik werd
doodsbang en toen ik de lamp wilde terugzetten liet ik hem bijna
vallen. Ondertussen stonden de dominee, zijn vrouw en Martin
heel hard te lachen. 'Die lamp jaagt iedereen de stuipen op het
lijf', zei de dominee enthousiast en ik lachte ook een beetje, maar
vond het niet leuk dat ze me uitlachten.

Toen hoorde ik opeens een baby die boven lag te huilen.

Chongwe-District, Zambia
19 februari 2004

– Dat krijg ik hier niet voor elkaar, zegt Ellen, zodra ze een blik heeft geworpen op het gekwelde meisje dat op Beauty's touwbed ligt. We hebben fatsoenlijk operatiegereedschap nodig en we moeten haar onder narcose kunnen brengen of op zijn minst kunnen verdoven.

Kunnen we haar naar jouw auto dragen en naar het ziekenhuis rijden? vraagt Ellen aan Blessing. Er is haast bij.

– Natuurlijk, antwoordt Blessing.

Björn buigt voorover om het kleine meisje op te tillen. Ze stribbelt nauwelijks tegen, een vogeljong met een reuzenbuik.

– Hoe oud ben je, vraagt Ellen, maar het meisje schudt haar hoofd. Ze verstaat geen Engels.

– Ze is veertien jaar, zegt Beauty verbeten. En ik ga mee!

De weg door het dorp is slecht en de vering van Blessings oude auto nog slechter. Björn zit achterin met het tengere meisje in zijn armen en probeert het schudden zo veel mogelijk op te vangen.

– Hoe lang duurt de bevalling al? vraagt Ellen.

– Ik weet het niet precies, antwoordt Beauty, terwijl ze een blik door de achterruit van de auto werpt om te kijken hoeveel mensen hebben gezien wat er is gebeurd en om in te schatten hoe lang het zal duren voor iedereen in het dorp ervan op de hoogte zal zijn. Dat de blanke dokter het zwangere meisje in een auto heeft meegenomen en dat Beauty is meegegaan. Of het haar reputatie zal verbeteren of juist verslechteren hangt van de afloop af, of het meisje het zal redden of niet. Haar ouders zitten te wachten op de trap voor Beauty's huis, desnoods blijven ze daar dagen zitten.

– Het meisje woont in een buurdorp, en haar vader kwam pas gisteren met haar in een kruiwagen aanzetten.

– Denk je dat het kind leeft?

– Nee, zegt Beauty, terwijl ze op de nauwe achterbank haar rug strekt om de druk op haar gebroken ribben te verminderen. Ik weet zeker dat het niet meer leeft. Het gaat er nu om het meisje te redden.

Beauty heeft gehoord wat er kan gebeuren, ook al heeft ze zelf nog nooit zo'n patiënt gehad, en Ellen heeft het resultaat gezien in een van de weinige ziekenhuizen in het land waar ze in dit soort situaties kunnen opereren. Als ze het dode kind er niet met een keizersnee uitkrijgen, zal al het weefsel in het onderlichaam van het meisje kapot worden gedrukt, in het ergste geval wordt alles één groot gat – en de rest van haar leven een hel. Ze zal plas, poep en menstruatiebloed verliezen zonder daar enige controle over te hebben. Ze zal geen kinderen meer kunnen krijgen, door haar man worden verlaten of in het ergste geval het dorp worden uitgezet.

– We hebben haast, zegt Ellen nerveus en Blessing werpt een geïrriteerde blik opzij. Alsof zij dat niet weet! Ze rijdt al zo hard ze durft op deze bedroevend slechte weg en Björn wiegt het bijna bewusteloze meisje.

– Waarom moeten ze zo jong kinderen krijgen? vraagt hij recht voor zijn raap. Snappen mensen dan niet dat dat gevaarlijk is?

– Nee, eigenlijk niet, antwoordt Blessing, terwijl ze achter elkaar drie diepe gaten in de weg ontwijkt. Haar mollige arm zet de auto met een geïrriteerde ruk in een lagere versnelling. Met veertien jaar is het lichaam er meestal nog niet aan toe kinderen te krijgen, maar er zijn meisjes die worden uitgehuwelijkt of worden zwanger zodra ze hun eerste menstruatie hebben gehad, met elf of twaalf jaar.

– Maar waarom!? zeurt Björn.

Boos denkt Ellen aan al die keren dat ze heeft zitten vertellen en uitleggen, terwijl Björn deed alsof hij luisterde, maar ondertussen in zijn sportblad zat te lezen. Hij heeft geen woord gehoord van wat ze heeft gezegd.

– Omdat dat het levensdoel is, zegt Blessing verbitterd. Als ongetrouwd meisje ben je hier helemaal niemand. Iedereen kan je commanderen, je hebt niets te vertellen en geen rechten, helemaal niets. Maar als je kinderen hebt, ben je moeder en dat geeft status. Bovendien krijgen je ouders van de familie van de jongen een vergoeding in de vorm van een bruidsschat. In deze tijd kan geld, een koe, of een paar zakken maïsmeel het verschil tussen leven en dood uitmaken.

– Maar wat gebeurt er als een stel is getrouwd en er komen geen kinderen? vraagt Björn verder, waarbij hij in de achteruitkijkspiegel Ellens blik ontmoet.

– Er moeten toch zelfs hier kinderloze echtparen zijn, zegt hij, terwijl zijn blauwe ogen naar Ellens spiegelbeeld staren. Ze draait haar blik weg en kijkt strak voor zich uit. Zelfs Blessing zwijgt en concentreert zich volledig op de weg.

– Ja toch? zegt hij nogmaals.

– Dan kan het problemen geven, zegt Beauty voorzichtig, vooral voor de vrouw. Er wordt altijd vanuit gegaan dat het de schuld van de vrouw is, maar ik ken ook mannen die er de oorzaak van zijn dat er geen kinderen komen, die slecht zaad hebben. Maar dat gelooft niemand. Het is altijd de schuld van de vrouw.

– Wat kan er dan gebeuren? vraagt Björn.

– Dan neemt de man er een vrouw bij, of hij gaat scheiden en trouwt met een andere vrouw. Dat is hier volkomen normaal, als een vrouw geen kinderen kan krijgen is ze onbruikbaar.

– Maar als er dan nog steeds geen kinderen komen, ook als de man opnieuw getrouwd is, vraagt Björn drammerig terwijl hij het gekwelde meisje over haar bezwete voorhoofd streelt.

Ze beweegt zich wat onrustig en Beauty probeert een beetje op te schuiven om haar meer plaats te geven.

– Dan moeten ze toch wel snappen dat die man dus onvruchtbaar is? gaat Björn verder.

– Ja, klinkt Blessings scherpe stem vanaf de bestuurdersplaats. Wat kan er dan gebeuren? Beauty, vertel!

Beauty aarzelt, alsof de waarheid niet zou moeten worden onthuld aan nieuwsgierige blanke mannen. Maar Blessing roept koppig:

– Beauty, vertel!

– Dan roept hij meestal de hulp van zijn broer in.

– De hulp van zijn broer?

– Ja, dat is vaak een jongere broer die bij de vrouw mag slapen tot ze zwanger is.

– En wat vindt die vrouw daarvan?

– Dat zal per vrouw verschillen, maar ze zal zeker blij zijn dat ze moeder gaat worden, zegt Beauty. Dat is beter dan te worden verlaten omdat je onvruchtbaar bent.

– Vaak wordt op deze manier het HIV-virus verspreid, merkt Ellen droog op. En het virus wordt ook verspreid omdat men gelooft dat na de dood van haar man een weduwe moet worden 'gereinigd' door na de begrafenis seks met zijn broer te hebben.

Blessing draait de geasfalteerde hoofdweg op en trapt op het gaspedaal.

– En daarbij speelt hekserij ook een grote rol, zegt ze koud, alsof ze een lezing geeft voor de onwetende Zweed op de achterbank.

– Hekserij?

– Als je bijvoorbeeld je maandverbanden buiten aan de lijn laat hangen, kan er een heks voorbijkomen die er een vloek over uitspreekt waardoor je onvruchtbaar wordt.

Blessing remt om een ezel met een volle kar te ontwijken.

– Ik waarschuw daar altijd voor, zegt Beauty, dat jonge meisjes hun gewassen verbanden niet aan de lijn moeten laten hangen.

– Geloof jij daar dan in? Björn kijkt naar de wonderlijk in elkaar gekropen vroedvrouw naast hem op de achterbank.

– Nee, maar een heleboel andere mensen wel, dus kun je beter zorgen dat er niet wordt gekletst.

– Op dezelfde manier, gaat Blessing verder, is het voor een jong meisje dat haar eerste menstruatie heeft gehad het beste een week binnen te blijven, van haar eigen bord te eten en absoluut voor niemand anders eten op te scheppen dan voor zichzelf.

– Hoezo?

– Ze is zo sterk en gevaarlijk als ze eenmaal vrouw is geworden. Men zegt dat ze 'heet' is, zo heet dat iedere man die haar ontmoet zich aan haar kan branden. En dat bedoel ik dus letterlijk, dat ze een man zo laat gloeien dat hij brandschade kan oplopen.

Ellen draait haar gezicht naar Blessing en wisselt een vragende blik met haar uit. Blessing knikt.

– Dat is Blessing overkomen, zegt Ellen rustig in het Zweeds zonder haar man op de achterbank aan te kijken. Ze is op haar zeventiende getrouwd. Toen ze na een jaar nog niet zwanger was is haar man van haar gescheiden en is ze het dorp uitgezet. Ze werd ervan beschuldigd een heks te zijn. Een flink aantal mannen heeft getuigd dat ze door haar waren 'verbrand' toen ze geslachtsrijp was geworden en haar verband hing altijd buiten aan de waslijn. Ze was behekst en kon die vloek verspreiden.

– Hoe ging dat verder?

– Ze mocht bij een tante in de stad logeren, zodat ze verder kon studeren, dus dat ging redelijk goed, maar ze is nooit hertrouwd en heeft geen kinderen van zichzelf. Alle kinderen die ze thuis heeft zijn van haar broers en zussen.

– I'm sorry, zegt Björn tegen de brede rechte rug op de bestuurdersstoel.

Blessing veegt iets uit haar ooghoek en Ellen snuit luidruchtig haar neus.

Niemand zegt een woord meer, tot de auto stopt voor de eerste hulp van het regionale ziekenhuis.

Lusaka, Zambia
20 februari 2004

Ellen wurmt zich voorzichtig uit Björns omhelzing en slaat de zweterige lakens van zich af. Ze is wakker geworden uit een nare droom waarvan ze zich de inhoud niet meer herinnert en kan niet langer stilliggen. Vanaf het moment dat ze in slaap vielen hadden ze lepeltje-lepeltje gelegen, met Björns arm stevig om Ellen heen gestrengeld, uitgeput van al het gepraat. Hij had eindelijk naar haar verhalen geluisterd. Het meisje met de dode baby en de acute keizersnee in het slecht uitgeruste ziekenhuis waar Björn als operatieassistent mocht optreden, dit alles had zijn ogen en oren geopend.

Ze hadden urenlang op het balkon van de hotelkamer achter het klapperende plastic gezeten, terwijl Ellen uitgebreid over alle mensen vertelde die ze had ontmoet en hoe weinig ze uiteindelijk voor hen had kunnen doen. Patricia die voor de trein was gesprongen, Puni die niet gedwongen wilde worden met school te stoppen, Beauty's kundigheid en hoe ze was mishandeld, de overval op de nonnen, het verhaal van Blessing en haar groeiende familie. En dan had ze het nog niet eens gehad over alle vooroordelen en tradities die in deze samenleving zijn ingebakken. Hoe haar inspanning, het verspreiden van kennis en materiaal aan de Afrikaanse heldinnen – de lokale vroedvrouwen – slechts een druppel op de Zambiaanse gloeiende plaat was geweest. En hij begrijpt het. Niet dat hij het met alles wat ze doet eens is, en zijn ongerustheid over de misstap met het medicijn is nog even groot, maar zijn boosheid is weg. Hij begrijpt het.

Als ze ten slotte samen in bed belanden voelt ze een intense verbondenheid. Ik heb een goed huwelijk, denkt Ellen terwijl ze met haar rug tegen zijn buik in hetzelfde ademritme als een blok in slaap valt. Een paar uur later wordt ze wakker doordat Björns greep steviger wordt. Zijn penis drukt tegen haar achterwerk terwijl hij haar voorzichtig in haar nek bijt. Half in slaap spreidt ze gewillig haar benen. Normaal glijdt hij altijd zacht bij haar naar binnen en komen ze beiden snel klaar. Hun seksleven is misschien niet zo spetterend, maar wel warm en liefdevol. Maar dit keer gaat het niet. Haar onderlichaam voelt droog en pijnlijk aan. Ze wil niets laten merken maar kronkelt van de pijn, en na een paar vergeefse pogingen geeft hij het op en draait zich teleurgesteld om.

Er zitten weer bloedvlekken op het toiletpapier, maar dat kan nauwelijks menstruatiebloed zijn. Ze moet zichzelf morgen maar eens grondig onderzoeken.

Ze trekt haar ochtendjas aan en doet zachtjes de balkondeur open. Als ze op de plastic balkonstoel gaat zitten en haar ogen dichtdoet, komt opeens de herinnering aan die nare droom terug. De starre blik van de verkrachte non en, daarnaast, een foto van haarzelf vlak na haar eindexamen. Ellens bleke gezicht onder de witte studentenpet en haar lege starende blik.

– Waarom sta je er niet blij op, had Ellens moeder gevraagd toen de foto was ontwikkeld. En waarom heb je die oude trui aan? Wat is er met je nieuwe witte bloes gebeurd?

Ze had de kapotte witte bloes in een plastic zak gedaan, die ze zo strak mogelijk had dichtgeknoopt en in een afvalcontainer gegooid. In die zak zaten ook haar spijkerbroek, haar onderbroek, de door wijn gevlekte touwschoentjes en – had ze hoopvol, maar vergeefs gedacht – de herinnering aan de avond ervoor.

Het was op zo'n 'oude-gabbersparty', het laatste feest voor de eindexamenkandidaten en hun leraren. Keurige Ellen, die nooit aan indrinkfeestjes of opwarmpartijtjes had meegedaan, besloot, als een soort afscheidsgebaar naar al haar klasgenootjes en de stad die ze binnenkort zou verlaten, bij Carolien binnen te wippen. Als je gin met vlierbessensap mengt proef je de alcohol nauwelijks, zei haar vriendin.

De Ellen die op het schoolfeest binnenkwam was buitengewoon spraakzaam, maar de Ellen die na nog eens vijf glazen wijn voor wat frisse lucht naar een bankje in de schooltuin waggelde was nauwelijks aanspreekbaar.

Het was daar dat Marcus haar had gevonden. Hij hield haar voorhoofd vast toen ze tussen de planten overgaf en ondersteunde haar tijdens de wiebelige wandeling naar zijn studentenkamer die precies achter de school lag. In deze toestand kon ze niet naar huis, naar Stig Olofsson, daar waren ze het samen roerend over eens. Alleen al zo wiebelig door de stad te lopen, waar mensen haar konden zien, was ondenkbaar.

Ellen was hem zielsdankbaar en gaf de jongen, nadat ze hopelijk ongezien via de voordeur naar binnen waren gegaan, een stevige omhelzing. Marcus was altijd vriendelijk geweest, een bleke jongen met trouwe hondenogen, met wie ze drie jaar in de klas had gezeten, maar ze hadden elkaar nooit goed leren kennen. In zijn kleine kamer stond een koelkast met mineraalwater, hij depte haar voorhoofd met een handdoek, kuste haar in haar nek, en op haar mond – terwijl ze zachtjes lachte om niet ondankbaar over te komen – en begon toen de knoopjes van haar gevlekte bloes open te maken. Maar nee, dat wilde ze niet, hier kon ze niet blijven slapen, er stond maar één bed, ze zou in de stoel blijven zitten tot ze weer wat was opgeknapt, misschien heel even onder de bruine sprei slapen, maar ze wilde niet dat hij naast haar kwam liggen, of op haar, ze wilde niet, nee, ze wilde niet …

'Ik had een vlek op mijn bloes', zei Ellen tegen haar moeder, en een gekleurde trui leek me wel leuk voor op de foto. Die foto staat nog steeds bij haar moeder thuis, maar Ellen heeft haar exemplaar samen met de witte pet weggegooid. Op dezelfde dag dat Ellen bericht kreeg dat ze voor de studie medicijnen was aangenomen, deed ze een zwangerschapstest. Ze vertelde haar ouders niet wie de vader was, zei alleen dat het een vriendje was dat ze niet meer zag, en in alle stilte werd een abortus geregeld, voor alle zekerheid in het regionale ziekenhuis van Umeå. 'Zodat er niet zoveel zou worden gekletst', had Stig Olofsson gezegd.

En dat was ook niet gebeurd, denkt Ellen terwijl de koele lucht op het balkon haar doet huiveren. Er was niet veel gekletst, eigenlijk was er helemaal niet gekletst. Maar nu zou ze het misschien toch moeten vertellen.

Als ze opstaat om weer naast Björn in bed te kruipen schopt ze bij de deuropening tegen iets aan. Het is een kleine piramide van ronde steentjes. Wat gek. Wie kan die daar hebben neergelegd? Misschien is iemand op het idee gekomen een bijzondere decoratie neer te zetten nu het hotel wordt gerenoveerd. Helemaal in stijl met het stukje roodgeverfde plafond.

Tampa, Florida, VS
17 februari 2004

In het Heilig Kerkgenootschap golden regels die wij als meisjes moesten opvolgen. Daar was niets vreemds aan, gewone afspraken, bijvoorbeeld dat we zouden worden bekeerd, als dat al niet was gebeurd, en dat we de dominee en zijn vrouw moesten gehoorzamen. We moesten ook bereid zijn te strijden voor onze zaak, als dat nodig zou zijn. En dat was ook niet moeilijk als je bedacht hoe Jezus aan het kruis had geleden en onze zonden op zich had genomen, alleen begreep ik aanvankelijk nog niet precies wat er met deze strijd werd bedoeld. We waren allemaal soldaten van God, zei de dominee, en dat klonk natuurlijk heel goed.

Het was voor mij waarschijnlijk wat makkelijker dan voor de andere meisjes te begrijpen wie de baas was en wie de beslissingen moest nemen. Ik heb het nooit moeilijk gevonden te luisteren naar iemand die het beter wist.

In onze 'familie' was de dominee de Vader en zijn vrouw de Moeder. Ze zei dat we haar 'Mamma' moesten noemen en dat ging gaandeweg steeds beter, hoewel het in het begin een beetje onwennig voelde. Wij meisjes waren de kinderen. Daar had ik geen enkel probleem mee. Ik probeerde een van de meisjes, dat onnodig veel zeurde, de Goddelijke Volgorde uit te leggen. Dat had ik nooit gedaan, zeuren bedoel ik. Ik liet haar het boek van Dee Esser zien en wees vooral naar de tekening van de Goddelijke Volgorde, waarop de Vaderparaplu de Moederparaplu leidt en beschermt, die op haar beurt weer de kinderparaplu leidt en beschermt, met boven iedereen GOD. Ze bladerde er een beetje doorheen en gaf het boek terug zonder iets te zeggen. En ik had nog wel gedacht dat ze het zou willen lenen. Daarna stopte ik het boek in mijn bureaula en liet het nooit meer aan iemand zien. De dominee nam alle beslissingen en leidde de gebeden en kerkdiensten als hij thuis was, maar hij was vaak weg voor belangrijke opdrachten. Wij meisjes waren dol op hem en maakten af en toe ruzie over wie hem zijn koffie mocht brengen en zijn werkkamer mocht schoonmaken.

Soms kreeg hij bezoek van mannen in zwarte jassen die eruit zagen en hetzelfde accent hadden als de mensen in maffiafilms. Dan moesten we de koffie op een tafel in de hal zetten.

Soms ging midden in de nacht de telefoon en dan was de dominee een hele tijd in gesprek. Ik weet dat, omdat ik vaak moeilijk in slaap kon komen. Het leek alsof het gesprek van heel ver kwam, want de dominee praatte met buitengewoon luide stem. Toch kon ik niet verstaan wat hij zei, want hij had alle deuren goed gesloten. Hoewel, ik hoorde hem een keer iets over 'Gods wil' zeggen, en dat gaf me een goed gevoel.

Wij, meisjes, deelden met zijn achten twee kamers, en de baby's sliepen in twee verschillende kinderkamers, een voor de jongetjes en een voor de meisjes. Van een aantal baby's was de moeder nog aanwezig en die zorgde dan natuurlijk zelf voor haar kind, maar de meeste moeders waren vertrokken en hun kinderen wachtten tot ze zouden worden geadopteerd, dus daar zorgden wij, die nog niet waren bevallen, dan voor. Dat was voor ons een uitstekende oefening, hoewel de meeste meisjes niet van plan waren hun kind te houden, maar het juist wilden afstaan. Behalve ik, maar dat zei ik tegen niemand, want eerst moest alles worden geregeld.

De kinderkamers waren heel mooi, de meisjeskamer was roze en die van de jongens blauw en in beide kamers stonden nieuwe glimmende meubels. Het was belangrijk dat het er schoon was, dus dweilden we iedere avond de vloer en lapten we om de week de ramen. Soms kwam er een echtpaar een kind voor adoptie uitkiezen en dan moesten we op onze slaapkamer blijven, zodat we niet zouden storen. De adoptieouders wilden niet zo veel van ons weten.

We mochten niets doen zonder toestemming van de dominee of van Mamma, maar dat begreep ik wel, want ik leerde meer en meer over alle slechte mensen die eropuit waren de kinderen te vermoorden die wij in onze buik droegen. We moesten goed oppassen.

Alle zwangere meisjes werden om de week door een arts onderzocht, zodat alles zo goed mogelijk zou verlopen. Daar hoefden we niets voor te betalen, terwijl ik zelfs nog nooit een ziektekostenverzekering had gehad! Hoewel de dokter er vaak naar vroeg vertelde ik nooit wie de vader van mijn kind was. Dat vertelde ik ook niet aan de dominee of aan Mamma. 'Een vriendje', zei ik, en ten slotte namen ze daar genoegen mee.

We mochten ook kleding lenen, dat waren van die jurken die ik op foto's had gezien uit de tijd dat mijn moeder in verwachting was van mijn broers, met plooien onder haar borsten en een wijd uitlopende rok die de zwangere buik flink accentueerde. Mijn buik was zo klein dat ik de kleding die ik in Tampa had gekocht nog bijna aankon, maar dat vond Mamma ongepast. Ik moest trots zijn op mijn buik, zei ze, en dat was ik ook.

Ik snapte dat het een hoop geld moest kosten zo'n fijn huis te runnen en ik vond het prettig dat de opbrengst van mijn moeders juwelen zo goed was terechtgekomen.

We hadden het druk met het verzorgen van alle kinderen, het schoonmaken, het eten koken en een heleboel dingen die we nog moesten leren. We hadden bijvoorbeeld iedere ochtend Bijbel-studie en omdat ik de Bijbel nog nooit samen met anderen had gelezen begon ik elke dag een stuk beter te begrijpen hoe slecht de VS en de wereld ervoor stonden en dat de Dag des Oordeels niet lang op zich zou laten wachten. Dat betekende voor ons dat we daarop moesten zijn voorbereid.

Een van de manieren om ons voor te bereiden was te leren hoe je met een wapen moest omgaan, dus dat deden we op de schiet-baan in het bos vlak achter het huis. Dat moet er erg grappig hebben uitgezien, al die meisjes in wijde, gebloemde jurken die op rubberlaarzen met oorbeschermers op hun hoofd schietoefeningen deden. Ik was er tamelijk goed in. Misschien kan dat nog eens van pas komen. Als soldaat van God weet je maar nooit wat er van je kan worden gevraagd.

De dominee liet ons regelmatig films over vermoorde baby's zien. Beelden van na de abortus waarop kapotgesneden of com-plete, mooie kindjes in een plas bloed lagen. De filmmuziek was prachtig en de tekst ging over Jezus, die van alle kinderen houdt en ik geloof niet dat er één meisje was dat niet huilde. De eerste keer dat ik naar zo'n film keek moest ik naar buiten om over te geven, zo vreselijk vond ik het. In wat voor afschuwelijke wereld leven we waar zulke dingen gebeuren en ook nog wettelijk zijn toegestaan! Geen wonder dat Jezus zich voorbereidt om terug te komen om de zondaars te straffen.

's Avonds, voordat mijn kamergenoten en ik gingen slapen, lagen we bij elkaar in bed over de kinderen in onze buik te kletsen. We rekenden uit hoe lang ze ongeveer zouden moeten zijn, welk kind al nagels had en hoeveel haar we dachten dat ze zouden hebben. We probeerden ook te raden of het een jongen of een meisje zou worden. Ik dacht altijd dat ik een jongen zou krijgen, maar dat was dus niet zo.

We bespraken nooit wat er zou gebeuren als de kinderen eenmaal waren geboren. Hoewel ik precies wist hoe ik het zou willen. Ik verlangde ernaar dat Martin zou langskomen, zodat ik hem alles kon vertellen over wat ik had geleerd, maar hij belde maar heel af en toe en had dan nauwelijks tijd om met me te praten, terwijl hij dan wel eindeloos lang met de dominee aan de telefoon hing, maar later stuurde hij me een ansichtkaart waarop stond: 'Ik hoop dat je het naar je zin hebt en dat je een heleboel leert, want God zal je binnenkort hard nodig hebben. Warme groet/M.' Op de kaart stond een verdrietige hond. Ik dacht dat hij daarmee wilde laten merken hoe verdrietig hij was dat we niet bij elkaar konden zijn zonder dat de anderen van het Heilig Kerkgenootschap, als ze mijn kaart stiekem zouden lezen, daar achter zouden komen. Ik had zijn adres niet, dus ik kon geen kaartje terugsturen. Mamma en de dominee zeiden dat zij ook geen adres van hem hadden en dat vond ik een beetje merkwaardig. Maar ze beloofden me dat als hij zou bellen ze hem de groeten van me zouden doen.

Het duurde een aantal weken voor ik voor de eerste keer echt de deur uitging. Het was op een zaterdag en ik wist dat de dominee op zaterdagen met de meisjes naar de stad ging om verdwaalde zielen op het rechte pad te brengen en Gods woord te verkondigen, maar omdat ik nieuw was hadden ze me eerst wat tijd gegeven om aan mijn leven in het huis te wennen. Toen ik aan de beurt was zat ik met vijf meisjes in de gang te wachten terwijl de dominee de kleine bus uit de garage haalde.

Mijn moeder kwam ons succes wensen. Ze vond het maar niks dat mijn zwangere buik nauwelijks zichtbaar was en tilde mijn rok op om een kussen in mijn panty te stoppen. Dat zag er heel gek uit, vond ik, maar de meisjes applaudisseerden en de dominee was heel tevreden. Daarna gingen we op weg.

De abortuskliniek lag niet midden in de stad maar aan de rand van een industriegebied. We parkeerden de bus, die op elk raam een 'Abortus is moord'- sticker had zitten, precies voor de deur en stapten uit met de affiches in onze hand. De kliniek zag er precies zo louche uit als je zou verwachten met zwartgeverfde ramen en informatieborden met teksten als 'Advies over preventieve middelen', 'Gratis aids-test', en 'Seksuele voorlichting'. Dat alleen al was genoeg, want dat was allemaal tegen Gods wil, maar het is typisch iets voor zulke leugenachtige propagandisten om niet te vertellen wat hun voornaamste bezigheid is: kindermoord. Daarom was het belangrijk dat wij die informatie konden geven.

We riepen 'Kindermoordenaars', en 'God zal jullie straffen', en we hadden affiches bij ons waarop verschillende teksten stonden. Op het affiche dat mij het meest aansprak stond een afbeelding van Jezus die huilde en vroeg: 'Hoeveel kinderen moeten er nog sterven?'. Mijn kamergenootje Liza – haar vader is in de Vietnamoorlog omgekomen, heb ik over haar verteld? – had zelf een affiche gemaakt met de tekst: '25 miljoen kinderen zijn door abortus gedood. Dat is meer dan alle Amerikanen bij elkaar die ooit in oorlogen zijn omgekomen'. Verder hadden we natuurlijk een heleboel foto's mee van vermoorde, geaborteerde kinderen, die in plassen bloed lagen.

Er was een affiche waar ik aanvankelijk wat moeite mee had, daarop stond de foto van een dokter die in zo'n kliniek werkte – ik had hem een keer gezien toen hij 's ochtends bij zijn afschuwelijke werk aankwam – en iemand had die foto zo bewerkt dat het leek of er bloed van zijn handen droop. Ik vond dat eerst een erg nare foto, maar dat was voor ik wist welke eisen er aan ons, die Gods wil kennen, worden gesteld.

Behalve dat we probeerden met alle mensen die voorbij kwamen te praten, vooral met degenen die de kliniek wilden binnengaan, fotografeerden we ook alle auto's die er stopten. De kentekens zetten we daarna op de internetsite van het Heilig Kerkgenootschap. Ik weet dat in elk geval een aantal ouders er op die manier achter kwam dat hun kinderen bij de kliniek waren geweest. Het voelde goed dat we nuttig werk deden.

Lusaka, Zambia
20 februari 2004

– Mooie kinderen, zegt de Amerikaan terwijl hij een scheefhangend fotolijstje recht hangt. En veel! Ik ben zelf helaas niet gezegend met kinderen.

Hij staat stil bij de foto's en begint een beetje te kletsen. Maar kletsen is wel het laatste waar ze op dit moment behoefte aan heeft.

Blessing heeft de doos stevig vast en geeft hem aan de man. Ze heeft alles tot op de bodem uitgezocht, dus nu moet het kloppen. Het gevaarlijke medicijn gaat de deur uit, maar de rest kan ze zonder risico blijven gebruiken.

Ze zou willen dat hij wat troostende, kalmerende woorden tegen haar zou zeggen, dat het allemaal goed komt, dat een ongeluk nu eenmaal kan gebeuren als je dit soort belangrijk werk doet, en dat het iedereen spijt dat het is gebeurd, maar dat ze toch haar steentje heeft bijgedragen aan de toekomstige ontwikkeling. Of – beter nog – dat alles berust op een misverstand en dat het medicijn helemaal niet gevaarlijk is, maar hij lijkt zich nauwelijks zorgen te maken over de inhoud van de doos, of over het risico dat ze heeft genomen.

De doosjes zonder etiket lagen midden in een kartonnen doos met de gebruikelijke medicijnen, in een bij elkaar getapet pakketje dat Ellen direct van Anne-Marie en *Medici* had gekregen en bij haar vorige reis had meegebracht. Ellen had de doos nooit opengemaakt en Blessing had instructies gekregen hoe ze de ervaringen moest rapporteren.

De man bekijkt elk portret alsof hij alle tijd van de wereld heeft en vraagt hoe oud de kinderen zijn. Blessing heeft maling aan zijn hoffelijkheid en antwoord kortaf. Het enige wat ze nu wil is dat hij in zijn Jeep stapt en wegrijdt zonder dat iemand het ziet. Toen hij belde had ze meteen de huishoudster naar de markt gestuurd, Hope naar de buren gebracht – de andere kinderen zaten op school – maar een van hen verwacht ze nu zo'n beetje thuis. En ook haar moeder kan elk moment wakker worden uit haar middagslaapje.

Het dikke pak geld brandt in Blessings zak.

Medewerkster schoonmaakbedrijf verdacht van betrokkenheid bij dood rechter

Naar aanleiding van de informatie die de *Washington Post* over medewerkster Gail Burton van *Clean Enterprise* heeft gepubliceerd, waaruit bleek dat zij actief lid is van de *Pro-life-movement*, heeft de politie haar voor een nieuw verhoor opgeroepen. Gail Burton werd gistermiddag door de politie van Washington aangehouden en er is huiszoeking in haar woning op *Fendall Street* gedaan.

'We hebben aanleiding te geloven dat miss Burton meer weet dan ze tot nu toe heeft verteld', zegt hoofdinspecteur Stephen Chu.

De *Washington Post* publiceert vandaag een onderzoek naar illegale activiteiten van het militante deel van de *Pro-life-movement* in de afgelopen jaren. Van de misdrijven waarbij de daders zijn gepakt en berecht, gaat het in acht gevallen om moord, zestien keer om poging tot moord en in totaal vijftien keer om brandstichting.

(*Lees meer op pagina 14*)

Politie op zoek naar verdwenen schoonmaakster

'We zijn inmiddels in het hele land op zoek naar een vrouw van rond de twintig die als schoonmaakster bij de vermoorde rechter Vernon McArthur heeft gewerkt', verklaarde hoofdinspecteur Stephen Chu van de politie van Washington gistermiddag tijdens een persconferentie.

'We hebben aanleiding te geloven dat ze uit Florida komt, maar volgens de medewerkers van het schoonmaakbedrijf had ze geen zuidelijk accent. Ze heeft zich voorgesteld als Dee Esser, maar dat is vermoedelijk niet haar echte naam. Het signalement luidt: circa 1,65 lang. Lang blond haar tot op de schouders, mogelijk in een paardenstaart samengebonden. Een bleke huid, blauwe ogen en tenger gebouwd. Ze was waarschijnlijk gekleed in een spijkerbroek en een lichtblauw T-shirt en droeg vermoedelijk gymschoenen. Informatie over de gezochte Dee Esser kan worden gemeld bij de *Washington Post* of bij het dichtstbijzijnde politiebureau.'

Is schoonmaakster van rechter in Florida?

Een vrouw die voldoet aan het signalement van de schoonmaakster, die ervan wordt verdacht bij de moord op rechter Vernon McArthur in Washington DC te zijn betrokken, is in Tampa, Florida gesignaleerd.

'We vermoeden dat de vrouw, die zich hier en daar heeft voorgesteld als Dee Esser, een tijd lang in een restaurant in Tampa, Florida heeft gewerkt', vertelt hoofdinspecteur Stephen Chu, die het vooronderzoek rond de moord op de rechter leidt. Haar persoonlijke gegevens blijken vals te zijn en ze schijnt eind augustus plotseling te hebben opgezegd waarna ze is verdwenen zonder haar laatste maandloon op te halen. Ze heeft ook sieraden bij de bank van lening in Tampa verpand. De sieraden zijn uniek in hun soort en waardevol, en zijn tot nu toe niet als gestolen opgegeven. Het signalement luidt: circa 1,65 lang. Lang blond haar tot op de schouders, mogelijk in een paardenstaart samengebonden. Een bleke huid, blauwe ogen, tenger gebouwd. Ze was waarschijnlijk gekleed in een spijkerbroek, een lichtblauw T-shirt en gymschoenen.'

Informatie over de gezochte Dee Esser kan worden gemeld bij de *Washington Post* of bij het dichtstbijzijnde politiebureau.

Lusaka, Zambia
21 februari 2004

– Dag!

– Dag.

– Ik kom snel naar huis. En je hoeft je echt geen zorgen te maken. We gaan hier alles oplossen en daarna moet ik eens goed over
de toekomst gaan nadenken. Misschien ga ik weer echt serieus met
mijn onderzoek verder. Of blijf ik gewoon in Zweden werken.

Ellen geeft Björn een kus op zijn mond en hij lacht aarzelend. Hij
maakt zich wel degelijk zorgen. Hij tilt haar bril van haar gezicht,
ze sluit haar ogen en hij kust haar op haar oogleden. Dat betekent:
'Je ziet er moe uit en ik houd van je.' De bril is een duidelijk signaal, want als Ellen echt moe is verdraagt ze geen contactlenzen.

De portier opent de schuifdeur van de minibus waarmee Björn
naar het vliegveld zal worden gebracht. Ellen heeft aangeboden
mee te gaan maar nee, dat is echt niet nodig, hij hoeft alleen maar
in te checken, en eerlijk gezegd vindt ze het ook wel prima zo.
Hier kan Björn toch niets doen, ze zal dit zelf moeten oplossen, en
zijn bezorgde adviezen houden haar alleen maar op. Het zal niet
lang meer duren voor ook zij terugvliegt en dan moeten ze de ove-
rige problemen maar aanpakken.

Ellen blijft nog bij de ingang van het hotel zwaaien tot de bus
achter de heg is verdwenen. Op de parkeerplaats voor huurauto's
ziet ze dat Josh uit zijn Jeep klimt en in de achterbak begint te rommelen. Het valt haar op dat ze tegen Björn niets over de Amerikaan
heeft gezegd. Dat is maar goed ook. Wat had ze moeten zeggen?

De portier met de gouden biezen op zijn jasje wrijft troostend
over haar rug. Ze heeft hoofdpijn en is ongelofelijk moe.

De schilder met het gouden kruis staat de gestuukte muur naast
de ingang van het hotel te verven. Hij kijkt naar Ellen als ze door
de draaideur loopt.

Als het toch eens mogelijk zou zijn de tijd terug te draaien, denkt
Ellen, als het nou eens allemaal niet was gebeurd, als Puni nog zou
leven, als er niets met die pillen aan de hand zou zijn geweest. Als

Beauty niet was mishandeld, als Margoths man geen ethicus zou zijn, als Björn nog steeds alleen maar van het vlekkeloze deel van haar werkzaamheden op de hoogte zou zijn, als ze niet zo'n pijn in haar onderbuik zou hebben, als ze niet over die eindexamennacht was gaan dromen, als, als, als ...

Ze kan over een uur bij de masseuse terecht. Ellen haalt haar badpak op in haar hotelkamer en gaat wat baantjes trekken in het zwembad. Het koele water spettert tegen haar bril. De Amerikaan met het stekeltjeskapsel zit met een biertje bij het zwembad. Het lijkt alsof hij volledig door zijn krant in beslag wordt genomen, maar Ellen heeft het gevoel dat hij haar in de gaten houdt.

De massage is weldadig, maar Ellens geknede spieren hebben helemaal geen zin zich te bewegen. Dat is voor de masseuse geen enkel probleem, haar volgende klant komt pas over een uur, dus Ellen mag lekker op de massagetafel blijven uitrusten. Ze ligt op haar rug met alleen een onderbroek aan en een handdoek over haar borsten. Haar bril heeft ze op een klein tafeltje naast zich liggen.

– Maak me alsjeblieft wakker als ik in slaap mocht vallen, zegt Ellen.

– Natuurlijk, madam!

De masseuse gaat de kamer uit en Ellen belandt in een soort droomtoestand. Ze slaapt niet echt, of misschien ook wel. Het is alsof ze in een wazige mist is terechtgekomen waarin allemaal beelden voorbijkomen. De dode baby die ze uit het veertienjarige lichaam heeft gesneden. Haar eigen stukgetrokken bloes. Een bloederige deur. Björns blik in de achteruitkijkspiegel.

Plotseling hoort ze iets, de deur maakt een klikkend geluid. Dat moet de masseuse zijn die haar komt wakker maken, of misschien ook niet, want de voetstappen klinken zachtjes en voorzichtig. Misschien komt de masseuse alleen iets halen, want er kan nog geen uur voorbij zijn. Heerlijk, dan kan Ellen nog even verder slapen. Ze doet haar ogen niet open. Een bekende geur ... kan hem niet thuisbrengen ...

– Wat doet u hier!?

Ellen wordt met een ruk wakker. De in het wit geklede masseuse kijkt woedend naar iemand die blijkbaar bij het hoofdeind van de massagebank staat. Ellen graait naar haar bril om te zien tegen wie de vrouw het heeft, maar voor ze hem heeft gevonden en slaapdronken overeind is gekomen is wie-het-ook-mag-zijn alweer de kamer uit.

– 'Verkeerde deur'!? moppert de boze masseuse, die zich vooral schaamt dat ze een naakte klant heeft laten liggen zonder de deur op slot te doen.

– Wie was dat? vraagt Ellen.

– Ik weet het niet. Een blanke vent. Voor mij zien ze er allemaal hetzelfde uit.

Lusaka, Zambia
21 februari 2004

De bushalte ligt aan de noordkant van het marktplein en de kliniek aan de zuidkant, maar het is onbegonnen werk de taxichauffeur uit te leggen hoe hij er omheen moet rijden. Bovendien is de benzine op, alweer, en door met een knal het portier dicht te slaan laat Ellen de chauffeur merken dat het vanaf nu zijn eigen probleem is. Terwijl Margoth Oxenstierna zich met haar lange benen vanaf de doorgezakte achterbank uit de auto wurmt, hangt Ellen haar tas over haar schouder.

Eerst lopen ze voorbij de bananenverkopers met hun grote bergen groene bananen. De luidruchtige uienhandelaars overschreeuwen elkaar in een poging de dames voor hun rode uien te interesseren. Dan verschijnt aan de rechterkant de berg conservenblikjes gevolgd door de maïsafdeling. Koopvrouwen balanceren wijdbeens met hun stevige achterwerk op grote zakken meel. Een van hen draagt een wit T-shirt met de tekst 'Think American!' en ze schreeuwen allemaal in een taal waar je als Zweed niets van begrijpt. De nieuwgepoetste schoenen, de meeste afdankertjes uit het westen, waar nieuwe zolen en hakken onder zijn gezet en die van een dikke laag schoensmeer zijn voorzien, staan als koopwaar op stalen rekken uitgestald.

De kliniek zit in een smal gebouw met drie verdiepingen dat tussen de vleeskraampjes en de vishandelaren in staat. Slechte plek, dacht Ellen de eerste keer dat ze daar was, vanwege alle vliegen die ernaartoe worden gelokt, maar later zag ze in dat dit het enige echte gebouw op het hele marktplein is. Wil je geen kliniek onder plastic zeilen of in de stekende zon hebben, dan is dit kleine huis de enige optie.

Margoth kijkt met grote ogen naar de bedrijvigheid op de markt. Ze hadden elkaar bij het zwembad gezien toen Ellen terugkwam van de massage. Margoths familie was gaan golfen, zei ze, en ze vroeg of Ellen even tijd had om te praten. Ze had veel nagedacht. Ellen had eigenlijk geen tijd, ze had beloofd vanmiddag naar de kliniek op de markt te komen.

– Mag ik mee, had Margoth gevraagd. Ik zou graag eens zien wat je doet als het er niet zo dramatisch aan toegaat als in die ene nacht.

Ellen, die erin slaagt haar gedachten aan de medisch-ethische opdracht van Peter Oxenstierna te verdringen, slaat weer volop aan het fantaseren. Wat Margoth had gezegd of wat ze niet had gezegd. Wat ze van plan was te zeggen. Het werk in de kliniek is oncontroversieel, daar kan ze bijna openlijk haar werk doen, misschien zou het goed zijn dat aan Margoth te laten zien.

De kliniek deelt het pand met een advocatenkantoor dat op de begane grond zit en met een traditionele healer op de bovenste verdieping. 'Pijn in uw lichaam of ziel – mevrouw Molly zorgt voor gezondheid en geluk', roept een handgeschreven bordje dat gedecoreerd is met amateuristisch geschilderde botten en aardewerken potten.

– Het medisch beroep kan op verschillende manier worden uitgeoefend, lacht Ellen als ze Margoth verbaasd ziet kijken, en ze vertelt dat er bij Blessing thuis een paar botten met wat vreemd gevormde takjes in een leren zakje in de boekenkast liggen. Wanneer Ellen ernaar vraagt zegt Blessing een beetje gegeneerd 'Voor alle zekerheid', maar ze beweert stellig dat haar moeder, die bijna door reuma was verlamd en geen enkele hulp van het Centrale Ziekenhuis van Lusaka kreeg, weer ongehinderd kon lopen nadat ze bij de medicijnman in het dorp was geweest. 'Vraag me niet hoe het werkt, maar het werkt! Misschien niet voor blanken, maar als ik ooit echt ziek word begin ik bij het ziekenhuis, en als ik dan niet beter word weet ik precies naar wie ik toe ga.' Ellen mag ervan denken wat ze wil!

– Ja, laat iedereen maar op zijn eigen manier beter worden, zegt Margoth.

Alle drie de ondernemingen zijn populair bij het marktpubliek en de rij naar mevrouw Molly slingert langs de trap omhoog.

– Dat de kliniek voor Reproductieve Gezondheid het grootste aantal bezoekers heeft, komt alleen omdat bij ons de consulten gratis zijn, betaald door buitenlandse donateurs, zegt Ellen. We zijn tamelijk populair, maar het is ook wel eens voorgekomen dat de kliniek werd bestormd door verontwaardigde mensen die beweerden dat we de pillen en condooms uitdelen om te voorkomen dat donkere mannen de aarde nog verder bevolken – zodat de blanken kunnen blijven domineren. Maar het is al weer een hele tijd geleden dat dat voor het laatst is gebeurd.

Ellen werkt op een effectieve manier de rij patiënten af die zich in de wachtkamer hebben verzameld. De potige verpleegster in een gesteven uniform kijkt argwanend naar Margoth die Ellen als 'een vriendin' heeft voorgesteld. Een buitengewoon nieuwsgierige vriendin die nergens af kan blijven, vindt de verpleegster.

Ellen onderzoekt de vrouwen en geeft advies over verschillende voorbehoedsmiddelen. Voor grotere ingrepen is het materiaal niet toereikend maar Ellen kan goede raad geven en ongeruste vrouwen kalmeren. Veel van hen hebben kinderen bij zich die last hebben van aanhoudende diarree. Het water moet worden gekookt en er moet vervolgens zout en suiker aan worden toegevoegd, zegt Ellen streng, waarna zuster Monica de antwoorden vertaalt in zinnen die over watersnood, armoede, afgesloten kranen en corruptie gaan. Ellen deelt een deel van de voorraad medicijnen die ze heeft meegenomen gratis uit, terwijl zuster Monica de rest in een kast propt die kan worden afgesloten. De condooms liggen in een grote mand en iedereen wordt aangeraden er in elk geval een paar van mee te nemen.

De zevende patiënt van vandaag is een theeverkoopster. Ze kijkt boos naar Margoth die de hint begrijpt en besluit dat dit een mooie gelegenheid is buiten even een rondje over de markt te maken. De vrouw wikkelt de bontgekleurde doek die dienst doet als rok van zich af en heeft er geen onderbroek onder aan. Onhandig klimt ze op de gynaecologische stoel die dertig jaar geleden als nieuwe stoel in een Europees ziekenhuis heeft gestaan. Ellen checkt de symptomen die de vrouw heeft aangegeven en doet ook een klein onderzoek, maar de werkelijke reden van dit consult is dat de vrouw haar injectie komt halen.

Om de drie maanden bezoekt de vrouw in het geheim de kliniek voor een anticonceptie-injectie. Ze heeft al acht kinderen en haar lichaam kan geen nieuwe bevalling meer aan. Ze kan dit niet met haar man bespreken die de voortdurend uitbreidende kinderschare als een teken van mannelijkheid ziet. Hij werkt ergens op een boerderij buiten de stad maar elke keer als hij thuiskomt, ongeveer een week in de twee maanden, verkracht hij haar een paar keer per dag. Het kan hem niets schelen dat de kinderen het zien en zij kan hem niet tegenhouden.

Als Margoth terugkomt, met een enorme zak avocado's 'die helemaal niets kostte', is de theeverkoopster al weg, weer voor een paar maanden beschermd.

– Verkrachting binnen het huwelijk is niet verboden, en het begrip verkrachting wordt in die context dan ook als onzinnig gezien, vertelt Ellen. De woorden 'verkrachting' en 'huwelijk' passen volgens het Zambiaanse rechtssysteem niet in dezelfde zin. Bij het huwelijk is het recht op seks voor de man automatisch inbegrepen. Hoe zou dat strafbaar kunnen zijn!? Er is niets gevaarlijker dan een getrouwde vrouw te zijn in Afrika, aangezien het HIV-virus zich verspreidt zonder dat de vrouw het recht heeft zich te beschermen, bijvoorbeeld met condooms.

– Ja, dan zijn wij een heel stuk verder, zucht Margoth, terwijl ze nieuwsgierig de instrumenten uit de jaren zestig bestudeert waar Ellen mee heeft gewerkt.

– Vind je? vraagt Ellen, terwijl ze over de vrouwen begint te vertellen die ze in het vrouwenopvanghuis heeft ontmoet bij wie verkrachting vaak een onderdeel van het mishandelen was.

– Maar bij ons is dat tenminste verboden, zegt Margoth ter verdediging. En de meeste Zweden accepteren het recht van de vrouw om nee te zeggen, zelfs in het echtelijk bed.

– Hoe weet je dat zo zeker? vraagt Ellen. En als het klopt wat je zegt, wanneer is dat recht dan ontstaan?

Terwijl Ellen boven de wasbak water uit een jerrycan giet waarmee ze haar handen wast vertelt ze Margoth Oxenstierna over de flat uit haar kindertijd waar de parttime werkende moeders altijd op vrijdag vrij waren en op de radiator tikten als de wekelijkse schoonmaak klaar was – een oproep voor koffie op het grasveld. Margit, Margareta, Liesbeth en Ellens moeder.

In veel opzichten leken de moeders op elkaar, hoewel er wel wat verschillen waren. Margit rookte lange *Ritz*-sigaretten en soms maakten Liesbeth en Sture zo'n ruzie dat het geschreeuw door het trappenhuis galmde (Ellens ouders deden dat nooit), maar als het eropaan kwam waren ze het met elkaar eens. Vooral als het over de situatie van Siv ging.

Siv was anders. Ze was vroom, had een knotje en ging een paar keer per week naar de kerk van het Philadelphiagenootschap. Ze had vier kleine kinderen die altijd in bij elkaar passende kleding liepen die door Siv zelf was genaaid.

Siv was getrouwd met Börje, een charmante vent die zelden thuis was omdat hij altijd met 'zaken' bezig was. Soms kwam hij met een grote bus vol keukenapparatuur aanrijden – dan was hij reizend keukenverkoper. Soms had hij zijn oude Mercedes met boeken volgepropt – dan verkocht hij naslagwerken. Soms zat hij alleen maar achter een gesloten deur te bellen en niemand, zelfs Siv niet, wist wat hij verkocht. Het meeste succes leek hij met zijn stofzuigers te hebben, daar ging hij bijna een jaar mee door en zelfs Liesbeth kocht er een van hem. Maar meestal waren Börjes projecten van korte duur. De bus met keukenapparatuur verdween nadat hij er voor de tweede keer mee thuis was gekomen.

Als Börje thuiskwam kreeg Siv geld, tenminste meestal, en als ze een huurachterstand had of boodschappen op de pof had gedaan kon ze de schulden daarmee aflossen. Aan de ene kant was het een opluchting als Börje weer thuiskwam, maar aan de andere kant was het een ramp.

Eigenlijk snapt Ellen helemaal niet hoe ze kan weten wat zich bij Siv thuis afspeelde. Ze kan zich nauwelijks voorstellen dat ze het van haar moeder of van een andere vrouw heeft gehoord. Waarschijnlijk heeft ze het een keer stiekem opgevangen toen ze niet doorhadden dat ze thuis was.

Siv werd tijdens haar hele huwelijk systematisch door haar man verkracht. Alle kinderen waren het gevolg van dit huiselijke geweld. Haar zwangerschappen waren altijd loodzwaar, bijna verlammend. Als ze zwanger was kon ze niets meer doen dan het hoognodige. Ze gaf haar kinderen te eten, maakte spaarzaam schoon, bad tot God (maar alleen thuis, want naar de kerk gaan was onmogelijk) en zag verder geen mens. Dat wist Börje.

Toen Siv naar de flat verhuisde had ze drie kinderen en wilde ze absoluut niet meer zwanger worden. Het was ondenkbaar van voorbehoedsmiddelen of abortus gebruik te maken – dat was volgens Siv tegen Gods wil – maar ze zag in dat ze moest scheiden. Een scheiding was weliswaar ook zondig, maar er was geen alternatief. Ze zou dit huwelijk anders niet overleven en uit pure nood zocht ze contact met de vrouwen uit de flat.

Siv was absoluut geen roddeltante, ze was juist altijd erg op zichzelf. Ze had haar huwelijk lange tijd als een beproeving van God gezien en was van mening dat kinderen het recht hadden met een vader en moeder op te groeien, maar nu was er iets gebeurd. Ellen weet nog steeds niet wat. Was Börje haar gaan slaan? Had hij zich aan de kinderen vergrepen? Had de steun van de andere vrouwen Siv sterker gemaakt?

In elk geval wist iedereen dat het nu zou gaan gebeuren, Siv zou aan Börje gaan vertellen dat ze wilde scheiden. Ze hadden alles samen doorgenomen. De vrouwen hadden beloofd de verantwoordelijkheid voor de kinderen te delen als Siv een baan zou vinden – want nu zou ze moeten gaan werken. Ze zouden haar geld lenen voor de huur tot ze haar eerste loon zou krijgen. Op zaterdag zou hij thuiskomen.

Het werd zaterdag en Börje kwam als gewoonlijk met een grote bos bloemen en een berg cadeaus aanzetten. De kinderen sprongen enthousiast in het rond en de deur van de flat werd dichtgedaan. De vrouwen hielden hun adem in. Twintig minuten later kwamen de kinderen terneergeslagen naar buiten en begonnen lusteloos in de zandbak met de houten graafmachine te spelen. Ellen kan zich herinneren dat de graafmachine rood was en een beetje scheef mechaniek had, want ze was naar buiten gestuurd om met de kinderen te spelen. De vrouwen wilden Siv de tijd geven zich uit te spreken.

Maar Siv kwam niet naar buiten. Toen Margit anderhalf uur later aanbelde om 'een kopje suiker te lenen' deed Börje open. Natuurlijk kon ze wat suiker krijgen, maar Siv was niet thuis, zei hij, terwijl Margit wist dat dat niet waar was.

Pas op maandagochtend, toen Börje weer was vertrokken, kregen de buren contact met Siv. Ze zat onder de blauwe plekken, strompelde en was – zo goed als zeker – opnieuw zwanger. Börje had zijn bezoekjes aan haar menstruatiecyclus aangepast.

De volgende negen maanden had Siv geen enkel contact met de andere vrouwen. De goed geklede kinderen kwamen niet meer buiten en het oudste meisje, slechts zes jaar oud, leerde eten koken. Als Börje thuiskwam sprak hij trots over de nieuwe baby die op komst was en Siv *verbood* de vrouwen actie te ondernemen. Ze was ervan overtuigd dat hij haar zou doodslaan als hij er achter zou komen dat ze had gekletst. Van aangifte doen wilde ze niets weten, en wat konden de vrouwen verder nog doen?

Toen het vierde kind was geboren verhuisde de hele familie.

– Weet je hoe het met Siv is afgelopen? vraagt Margoth.

– Nee. Volgens de kerstkaarten, die steeds sporadischer kwamen, kregen ze nog twee kinderen.

– Daarna hebben de vrouwen het contact met Siv verloren. Misschien heeft hij haar doodgeslagen of is ze in het kraambed gestorven. Net zoals hier zo vaak gebeurt. Wat dat betreft hoeven we ons niets te verbeelden, zegt Ellen terwijl ze de deur opendoet om een nieuwe patiënt binnen te laten.

Als die theeverkoopster niet zo bang zou zijn dat haar geheim wordt ontdekt, had Ellen kunnen vragen of Josh haar zou mogen interviewen. Ellen had de Amerikaanse journalist over een aantal mensen en problemen verteld die ze tijdens haar 'onderzoek' was tegengekomen, en hij luisterde altijd zeer belangstellend, stelde vragen en maakte aantekeningen.

Margoth is in de loop van de middag steeds stiller geworden. Als de wachtkamer van de kliniek leeg is begint de zon onder te gaan en waarschijnlijk zijn de golfspelende Oxenstierna's op weg naar huis. Het is tijd naar het hotel terug te gaan. Zwijgend lopen de twee vrouwen het marktplein over in de richting van de bushalte waar ze een taxi kunnen vinden. Een maïsmeelhandelaar schudt zo hard met zijn overgebleven zakken dat er een klein laagje meel op de twee vrouwen dwarrelt. Hij verontschuldigt zich lachend, terwijl Ellen haar rok afklopt en met haar handen haar haren uitschudt, maar het lijkt alsof het allemaal langs Margoth heen gaat. Ze staart in de verte en glijdt een paar keer uit over de rondslingerende fruitschillen. Ellen pakt haar bij de arm. Het kabaal van de verkopers is nog even luid als eerder op de dag, maar Margoth Oxenstierna is met haar gedachten ergens anders.

Ellen kiest de taxi uit die er het minst aftands uitziet en onderhandelt een poosje over de prijs voor de rit naar het hotel. Beide vrouwen ploffen neer op de achterbank en Ellen leunt achterover met haar ogen dicht terwijl de auto zich tussen de bussen doorwurmt. Als ze haar ogen opendoet ziet ze dat Margoth huilt. Geluidloos, maar de tranen lopen over haar stoffige wangen.

– Wat is er?

– Alles. De ellende van al die vrouwen en kinderen, jouw professionaliteit, jouw betrokkenheid, hoe moedig je bent. En ik – wat doe ik? Ik voer af en toe een keizersnee uit bij een paar idiote veertigjarigen die hun eerste kind krijgen en zit de rest van de tijd in een microscoop te turen. Als ik tenminste niet in een of andere hippe interieurzaak loop te winkelen of op een zeilboot langs de scherenkust vaar.

– Wat leer ik mijn kinderen over wat echt belangrijk is? Dat ze golf kunnen gaan spelen op een kunstmatig beregend grasveld in een land dat niet eens schoon water voor zijn kinderen met buikgriep heeft?

Margoth probeert haar ogen droog te wrijven, maar de glinsterende tranen biggelen weer net zo hard langs haar stoffige wangen. Ze draait zich naar haar vriendin en pakt allebei haar handen beet.

– Ik heb niets tegen Peter gezegd over wat we die nacht bij de nonnen hebben gedaan. Ik geloof dat hij niet eens heeft gemerkt dat ik weg was. Als hij erachter komt waar je mee bezig bent beloof ik dat ik je zal proberen te beschermen. Mocht dat niet lukken en komt alles uit, dan kan ik voor je getuigen. Ik geloof in wat je doet. En als je hulp nodig hebt, beloof me dan dat je me belt!

Ellen slikt en slikt nog eens maar het helpt niet. Deze woorden zijn te groot, te lief, dit is te veel warmte. Ze heeft Margoths bewondering niet verdiend. Margoth weet niets over Puni en het medicijn. Niets over de ramp.

Een tranenvloed welt in haar op en ze legt haar hoofd snikkend op Margoths schoot. De taxichauffeur kijkt verbaasd in zijn achteruitkijkspiegel. Als Margoth bij het hotel uit de taxi stapt is haar zijden broek helemaal nat.

– Sorry, fluistert Ellen, ik heb zoveel tranen opgespaard.

Stockholm, Zweden
20 februari 2004

In het kantorencomplex van het geneesmiddelenconcern *Medici* gaan een voor een de lichten uit. Spoedig zal het op alle verdiepingen donker zijn, behalve in een hoek van de afdeling Marketing en Economie. Anne-Marie Forsberg staat op van haar bureau en loopt een rondje over de afdeling. Het is de vijfde keer dat ze dat doet sinds vijf uur vanmiddag. Ze heeft een leeg koffiekopje in haar hand voor het geval er nog iemand in het gebouw is en haar ziet.

Eindelijk heeft zelfs het ambitieuze hoofd van de financiële administratie haar mappen dichtgeslagen, het licht uitgedaan en is vertrokken. Anne-Marie hoorde haar 'Dag!' roepen bij de deur naar het trappenhuis, maar durft er nog niet op te vertrouwen dat ze nu eindelijk alleen in het gebouw is. Voor alle zekerheid doet ze bij elke kamer de deur even open, klaar om zich te verontschuldigen dat ze bezig is de vieze kopjes op te halen omdat er anders in de keuken al gauw geen kopjes meer zijn, en het is toch wat dat mensen niet zelf hun kopje opruimen – te slordig voor woorden. Alle kamers zijn donker en leeg.

Het is half negen en ze is helemaal alleen op de afdeling, hopelijk in het hele gebouw. Over een paar uur komt er een nachtwaker en dan zou het gek zijn als ze hier nog rondloopt, maar als het goed is kan ze tot die tijd haar gang gaan. Ze doet de deur van het kantoor van haar chef open, schuift de gordijnen dicht en logt in op zijn computer.

Stockholm, Zweden
23 februari 2004

– Ik ben ontslagen!

Anne-Marie's zorgvuldig gemanicuurde handen liggen onbeweeglijk op haar rok. Toen ze gisteren opbelde voor een acute vergadering met de *Junta*, had ze opgewonden en strijdlustig geklonken. Ze had bewijs gevonden, zei ze, bewijs dat het gevaarlijke medicijn van *Medici* afkomstig was en dat haar chef hierbij had bemiddeld.

De *Junta* was besodemieterd en Ellen had nietsvermoedend een moordwapen op zak gehad. Ze wilde verder niets door de telefoon zeggen, maar zou het bewijs meenemen. Nu zit ze in Inga's rommelige kantoor bij de vrouwenopvang en het lijkt alsof alle kracht uit haar is weggevloeid. Ze heeft haar rubberlaarzen niet eens uitgetrokken en die laten nu kleine plasjes water achter op het zeil met kurkmotief. De andere leden van de *Junta* wurmen zich de kamer in.

Ze weten geen van allen wat ze moeten zeggen, maar ten slotte doorbreekt Agneta, die ooit via de vakbond een cursus heeft gedaan, de stilte.

– Hoezo 'ontslagen'? Je kunt tegenwoordig helemaal niet zomaar worden ontslagen. Een ontslag moet worden aangekondigd, de arbeidsovereenkomst moet officieel worden opgezegd en er moet sprake zijn van een tekort aan arbeid of zoiets. Heb je al contact met de bond gehad?

– Dat geldt allemaal niet als je van een misdrijf wordt beschuldigd, zegt Anne-Marie zachtjes.

– Hoezo misdrijf? briest Inga. Als ik je goed begrepen heb zijn zij het die een misdrijf hebben begaan.

– Ja, maar hoe kunnen we dat bewijzen zonder dat we er zelf bij betrokken raken?

– Over wat voor misdrijf praten ze?

– Industriële spionage.

– Zou jij een industrieel spionne zijn!? En wie zou je dan in vredesnaam bespioneren?

– Dat weet hij niet, zegt hij. Mijn chef dus. Maar hij kan aantonen dat ik in zijn computer ben geweest en geheime documenten over nieuwe producten heb gelezen, die niet naar buiten mogen komen.

– Maar dat heb je toch helemaal niet gedaan?

– Jawel, nee, ja, dat heb ik wel gedaan. Vrijdagavond heb ik daar gezeten. Ik heb op zijn computer ingelogd, want ik had, zonder dat hij dat wist, zijn wachtwoord ontdekt, en daar vond ik materiaal over het nieuwe medicijn dat ze met onze hulp op Zambiaanse patiënten hebben getest. Met onze naïeve, welwillende hulp.

Anne-Marie's stem klinkt rauw en bitter.

– Dus je bedoelt dat we ze niet kunnen aangeven omdat we er zelf bij betrokken zijn?

– Ja, daar ben ik bang voor. Ons hele project kan worden ontmaskerd en dat heeft voor de meesten van ons, en niet in de laatste plaats voor Ellen, grote consequenties.

– Maar waarom wil hij je ontslaan?

– Waarschijnlijk omdat ik te veel weet.

– Kan hij aantonen dat je op zijn computer hebt gezeten?

– Aanvankelijk dacht ik van niet, maar hij beweert dat hij dat eenvoudig kan bewijzen. En hoe zou hij er anders achter zijn gekomen? Ik was helemaal alleen op kantoor.

Opeens krijgt Anne-Marie haar natte laarzen in de gaten en trekt ze geïrriteerd uit. Inga pakt een doekje uit de schoonmaakkast en dept de plasjes op.

– Hoe voelt het om gedwongen met je werk te moeten stoppen? vraagt Agneta.

– Ik vind dat natuurlijk niet leuk, maar aan de andere kant zou ik toch niet willen blijven nu ik weet wat voor een rotzakken het zijn. Hij zegt dat ik zelf mag opzeggen en dat hij me dan een positief getuigschrift zal meegeven, dus is de kans groot dat ik een andere baan zal kunnen vinden.

– En hij komt er goed vanaf! zegt Inga.

– Ja, maar ik weet geen andere oplossing.

– Heb je de bewijsstukken bij je?

– Nee. De prints heb ik thuis. Maar ik geloof niet dat ik ze durf te gebruiken. Anne-Marie kijkt naar haar vriendinnen en tot hun verbazing heeft ze tranen in haar ogen.

– Ik vind de gevangenis zo afschuwelijk.

Tampa, Florida, VS
17 februari 2004

Ik wil liever niet zoveel over het meisje praten, of over hoe het was toen ze werd geboren. Het was zwaar en het deed veel meer pijn dan ik had gedacht. Bovendien werd ze veel eerder geboren dan de dokter had uitgerekend en ze was klein, heel klein.

Bij het Heilig Kerkgenootschap ging nooit iemand naar het ziekenhuis om te bevallen. Mamma, de vrouw van de dominee dus, was gediplomeerd verloskundige en niemand van ons wilde er de overheidsinstanties bij betrekken. In Amerika moet je je eigen beslissingen nemen, zo heb ik er in elk geval altijd over gedacht.

Er was een bed naar de mangelkamer in de kelder gedragen, en daar lag ik, terwijl Mamma de hele tijd bij me bleef. Ik snapte niet waarom we daar naartoe moesten, want er waren een heleboel kamers die veel lichter, prettiger en minder vochtig waren, maar ik denk dat het was omdat ik zo hard huilde en schreeuwde. De andere meisjes mochten niet helpen, maar misschien was dat om ze niet te laten schrikken.

Ik weet dat het krijgen van een kind het meest natuurlijke is wat er op de wereld bestaat, maar dat het zo'n pijn zou doen had ik niet begrepen. Hoewel er in de Bijbel staat dat een vrouw met pijn zal baren.

En toen kwam het meisje ter wereld. Ik kon gelijk zien dat er iets niet met haar in orde was, maar Mamma probeerde me gerust te stellen. Ze was vreselijk klein, zag er vreemd uit en lag doodstil, maar dat is misschien normaal als je net bent geboren en er met moeite bent uitgekomen.

Ik mocht haar een paar dagen zelf voeden, maar de andere meisjes zorgden voor haar. Ik moest in bed blijven, zei Mamma, om op krachten te komen. Ik vroeg naar Martin, want nu was het immers tijd om over onze toekomst te gaan praten, en Mamma beloofde hem te bellen.

Toen een van de meisjes mijn lunch kwam brengen vroeg ze of ik

mijn ouders niet wilde bellen, nu alles voorbij was en goed was gekomen en het kind zou worden geadopteerd. Dat was geen seconde
bij me opgekomen. Ik was juist vanwege hen zover weggegaan en
als ik ze zou bellen denk ik dat mijn vader me direct zou komen ophalen. Maar dat zei ik niet, ik zei dat ik er over zou nadenken, want
op een bepaalde manier had ze wel gelijk. Alles was goed gekomen.

De volgende dag belde Martin. Hij klonk ongerust, maar vroeg
niet zoveel en ik huilde even omdat ik zo moe was en zo blij was
dat hij zich om me bekommerde. Hij beloofde dat hij de volgende
week zou komen en ik sliep bijna onafgebroken tot hij kwam.

De dag voor hij kwam las ik het hele boek 'Hoe maak ik mijn man
gelukkig' opnieuw en met name het hoofdstuk met de titel 'Volg de
leider'. Daarin had Dee Esser, u weet wel, de vorige eigenaresse
van het boek, een heleboel belangrijke zinnen onderstreept en daar
dacht ik veel aan: 'De mening en het advies van een vrouw kunnen voor een man van betekenis zijn, maar het is belangrijk hoe ze
naar voren worden gebracht. Je man zal jouw adviezen veel meer
waarderen als hij er zelf om vraagt, en dat zal hij doen als je een
liefhebbende, nederige echtgenote voor hem bent. Nederig zijn betekent niet dat je niets mag zeggen; het betekent uitsluitend dat je
jezelf volledig ter beschikking stelt aan degene die in de Goddelijke
Volgorde boven je staat.'

Daar besloot ik aan te denken als Martin zou komen. Om niets
voor mezelf te eisen of te wensen, maar alleen te luisteren en bereid
te zijn te gehoorzamen. Dan zou hij me echt zien en me vragen hoe
ik erover dacht.

Ik herinner me elk woord dat we die middag hebben gezegd. We
mochten op de veranda zitten en niemand kwam ons storen, want
de meisjes hadden de opdracht gekregen ons met rust te laten. Mijn
dochter was niet meer bij het Heilig Kerkgenootschap want volgens
Mamma ging het niet goed met haar en was ze naar het ziekenhuis
gebracht. Ik zou haar later waarschijnlijk mogen opzoeken. Het
was jammer dat ze er niet was, want ik had haar graag aan Martin
laten zien. Dan zou hij zeker begrijpen wat er moest gebeuren en
dat we voor haar moesten zorgen, dacht ik. Nu zal het allemaal anders gaan.

Het was warm en vochtig weer en Martin hield bijna de hele

tijd mijn hand vast. We dronken citroenlimonade met Maryland-koekjes erbij. Hij had mijn hand nog nooit zo lang vastgehouden en zijn vingers waren zo zacht. Hij vertelde over zijn leven en ik luisterde. Wat hij vertelde was spannend maar ook vreselijk.

Hij vertelde dat zijn moeder via abortus al zijn broertjes en zusjes had vermoord en dat hij een vriendin had gehad van wie hij zielsveel hield en die hem vlak voor ze zouden gaan trouwen vertelde dat ze een abortus had ondergaan en zijn kind had laten weghalen – dus zijn dochter of zoon had laten vermoorden. Ik vroeg waar die vriendin nu was en hij zei dat hij dat niet wist. Waarschijnlijk in de hel, dacht hij.

Hij keek woest uit zijn ogen en even dacht ik dat hij me weer zou gaan slaan, maar hij kalmeerde, en het was natuurlijk niet mijn schuld, ik had het allemaal wel goed gedaan. En waar die vriendin ook mocht zijn, het leek erop dat hij haar niet meer zag en dat was voor mij het belangrijkste.

Toen zei hij dat hij zo trots en blij was dat ik mijn kind ter wereld had gebracht en hoe belangrijk dat voor alle ongeboren kinderen was geweest. En wat voor een bijdrage ik zou kunnen leveren als ik straks weer een beetje op de been zou zijn.

Tijdens zijn verhaal begon ik steeds meer te begrijpen waarom Gods wil zo belangrijk voor hem was en waarom hij de Bijbel zo goed kon interpreteren. God sprak via Martin, dat kon ik die dag zo duidelijk voelen. Ik ontving mijn opdracht direct van God.

Ik wilde graag dat we ook over het meisje zouden praten, en over hoe we voor haar zouden gaan zorgen, maar hij zei dat ze nu in het ziekenhuis moest liggen en dat we alle tijd van de wereld zouden hebben als de Grote Opdracht was voltooid. Het was eigenlijk een opdracht die hij zelf had gekregen, een oproep van God, maar omdat hij een man was met bovendien een te hoge leeftijd, zou het voor hem moeilijk zijn de opdracht uit te voeren. Voor mij zou het gemakkelijk zijn, en Gods oproep gold natuurlijk ook voor mij.

Als de opdracht eenmaal was uitgevoerd, zouden we het over de toekomst hebben.

Lusaka, Zambia
23 februari 2004

Ellen draagt twee beslagen flesjes Mosi bier in haar ene hand en twee glazen met voet in de andere. De witte plastic stoelen op het balkon zitten onder het zwarte stof en voor Ellen gaat zitten veegt ze eerst haar stoel schoon. Blessing maakt een snelle inschatting van de grootte van de plastic stoel en loopt dan Ellens hotelkamer in om een stoel te pakken van een iets royaler formaat. Het plastic rond het balkon is eindelijk voor het grootste deel verdwenen en Ellen heeft de kleine steenpiramide per ongeluk omver geschopt en de steentjes op een hoopje in een hoek van het balkon gelegd.

– Heb je contact met Beauty gehad? vraagt Ellen.

– Nee. Blessing schudt haar hoofd.

– Hebben er, behalve Monica en jij, nog meer mensen problemen gehad?

– Nee, maar we krijgen misschien niet alles te horen, en als er iets gebeurt is het niet zeker dat ze dat met ons in verband brengen.

Blessing opent het flesje en schenkt het bier in haar glas. Ellen vraagt zich af of ze haar laatste fles gin zal pakken. Nu het menens wordt.

– Laten we alles nog eens doornemen, zegt Ellen. Wat was het allereerste dat bij jou gebeurde?

– Dat was de auto. Iemand had mijn voorband stukgesneden en een foto van een foetus in de snee achtergelaten. Het was een geaborteerde, blanke foetus waar een korte, Engelse tekst onder stond. Ik geloof dat de foto uit een boek of uit een tijdschrift was gescheurd. Hij ligt in het dashboardkastje.

Ze staat op om de foto te gaan halen, maar Ellen maakt een afwerend gebaar. Ze weet precies hoe zulke foto's eruit zien.

– En daarna?

– Gisteren heeft iemand met tandpasta 'Moordenaar' op mijn auto geschreven. Dat was dus niet gelijk met mijn autoband gebeurd, want die had ik net verwisseld, maar ik denk dat ze me daarna zijn gevolgd, want ik was maar tien minuten in de winkel en ondertussen hebben ze mijn auto beklad zonder dat iemand er kennelijk erg in heeft gehad.

– We hebben ook telefoontjes gehad die mijn moeder de stuipen op het lijf joegen. Maar het ergste van alles was toen een paar jongens de kinderen op straat aanhielden toen ze uit school kwamen en begonnen te vragen of ze wel wisten dat hun moeder een moordenares was, terwijl ze een heleboel foto's van dode baby's in plassen bloed lieten zien. Lucie kwam huilend thuis.

– En wat is er bij zuster Monica gebeurd?

– Iemand heeft een vrij grote steen trefzeker door het raam van de kliniek gegooid, precies tussen het traliewerk door. Om de steen zat weer een andere foto gevouwen.

– Een abortusfoto?

– Ja.

– Heeft ze enig idee wie die steen heeft gegooid?

– Mensen op de markt hebben gezien dat het een paar jongeren waren. Gewone herrieschoppers dus. Schoffies.

– Maar gewone schoffies hebben toch niet zulke foto's?

– Nee, maar ze kunnen door iemand anders zijn ingehuurd.

– Is er nog meer?

– Ja, telefoontjes. Mensen die naar de kliniek belden en naar het huis van zuster Monica, en alleen maar in de hoorn zaten te hijgen, en iemand die 'Kindermoordenares' in het Engels en in het Bemba zei.

– Hoeveel mensen weten eigenlijk waar we mee bezig zijn, ik bedoel dan alles wat met abortus samenhangt? vraagt Ellen.

– Niet veel, antwoordt Blessing. Een heleboel mensen weten dat we voorbehoedsmiddelen uitdelen en controles doen, maar over dat andere praat ik nooit.

– Hoe hebben die herrieschoppers jullie dan gevonden?

– Ik weet het niet. Maar wat zuster Monica en ik gemeen hebben, heeft met jou te maken.

Blessing draait zich naar Ellen.

– Ben jij niet lastig gevallen?

– Nee … Ellen twijfelt een beetje.

Er was natuurlijk die eerste dag waarop ze het gevoel had dat er iemand in haar kamer was geweest, en dan die rel bij het politiebureau, daarna de verf op de deur, en misschien iemand in het trappenhuis, die man in de massageruimte, maar dat stelt vergeleken met de andere gebeurtenissen niets voor en ze wil Blessing niet ongeruster maken dan ze al is. Die roodgeverfde deur had Blessing trouwens ook gezien en het had haar niet bang gemaakt.

– Hoewel, mijn adressenboekje is verdwenen. Daarin kan iemand natuurlijk jouw naam en Monica's adres hebben gevonden!

– Wie kan het dan hebben meegenomen?

– Geen idee. Ik ontdekte het op de dag dat Björn kwam. Ik had een of ander buikvirus of voedselvergiftiging en ging midden in mijn hotelkamer van mijn stokje. Misschien heb ik hem op de trap naar boven verloren want ik was nogal dizzy.

Ze moet telkens aan die man bij het zwembad denken. Ze heeft hem al diverse keren gezien en hoewel hij zich niet opvallend vreemd gedraagt, heeft ze steeds het gevoel dat ze zijn ogen in haar nek kan voelen.

– Er is een man in het hotel over wie ik een beetje een raar gevoel heb, zegt ze aarzelend.

– Wie dan?

– Het is een blanke vent met heel kort haar, zoals Amerikaanse soldaten het meestal dragen, hij is altijd gekleed in een jasje en een broek met een vouw. Volgens mij is het een Amerikaan. Ik heb het gevoel dat hij me constant in de gaten houdt.

– Hoe bedoel je dat hij je in de gaten houdt?

Blessing leunt naar voren zodat de stoel begint te kraken en geeft Ellen een dikke knipoog.

– Misschien is hij alleen maar verliefd?

Ellen heeft het behoorlijk gehad met Blessing. Ze neemt niets serieus. Puni's dood niet, de ontdekking van het gevaarlijke medicijn niet en dit dus ook niet.

– Nee, ik denk niet dat er blanken bij betrokken zijn, zegt Blessing. Ik denk dat het met onze kerk heeft te maken, die lui zijn niet goed snik, dic katholieken hebben waarschijnlijk een paar gangsters ingehuurd om ons bang te maken. Herinner je je nog dat Beauty vertelde over de priester uit haar dorp die had gezegd dat hij iets verdachts vond?

– Waarom denk je dat zij het zijn? En zouden ze in dat geval foto's van blanke baby's gebruiken?

– Misschien zijn er geen foto's van zwarte baby's?

– Je weet best dat die er wel zijn.

Opeens hoort Ellen een geluid op het balkon naast haar. Ze staat snel op en terwijl haar stoel omvalt hoort ze duidelijk dat de deur van het balkon naast haar op slot wordt gedraaid. Ze leunt over het tussenmuurtje en probeert bij de kamer naast haar naar binnen te kijken – maar ze ziet alleen de dichtgetrokken gordijnen.

Als ze voorover buigt om de omgevallen stoel rechtop te zetten leunt ze op Blessings arm. De namiddaglucht is koel, maar Blessings arm is helemaal bezweet. Blessing – de coolste vrouw van Afrika?

– Ik heb het gevoel dat er iets is wat je me niet hebt verteld, zegt Ellen langzaam, terwijl ze haar hand naar Blessings brede knie verplaatst. Ik herken je bijna niet. Het is alsof je probeert iets te verbergen.

– Hoezo? Wat dan? vraagt Blessing, terwijl ze er onschuldig probeert uit te zien. Maar dat lukt haar helaas niet.

Als Ellen in de lift staat voelt ze het opkomen. Ze is met Blessing naar de auto gelopen en heeft daarna in het winkeltje van het hotel een fles water gekocht. In de lift naar boven voelt ze wat ze verwachtte, dat verdomde, steeds maar weer terugkerende bloed. Weer niet zwanger. Een klein warm golfje vanuit haar vagina dat door het inlegkruisje in haar onderbroek wordt geabsorbeerd. Menstruatie, opnieuw, je kunt de klok erop gelijk zetten.

Ellen doet haastig de deur van haar hotelkamer open en loopt naar het toilet. Verdrietig ziet ze hoe de urine zich vermengt met vers rood bloed en ze pakt het halfvolle doosje tampons. Kan iemand tampons van haar hebben 'geleend'? Een schoonmaakster? Is Blessing naar het toilet geweest? Van haar kan ze nu alles verwachten!

Het had Ellen heel wat tijd gekost voor ze een bekentenis uit Blessing had weten te trekken, maar ten slotte kwam het verhaal naar buiten en daarbij waren ook de tranen tevoorschijn gekomen. Hoe Blessing een paar maanden geleden een telefoontje uit de VS had gekregen met een heel speciaal verzoek.

De man die belde richtte zich tot haar omdat ze een bevoegd verpleegkundige was, zei hij, en omdat ze de verhoudingen in Zambia kende. Hij vertegenwoordigde de samenwerkingspartner van het project in de geneesmiddelenbranche, het *Medici*-concern, en ze hadden wat extra hulp nodig. Er zou een nieuw middel voor medicinale abortus worden geïntroduceerd en als ze zou meewerken zouden zowel zij als de medische wetenschap daarvan profiteren.

Het enige wat Blessing zou hoeven doen was de ervaringen met het medicijn dat Ellen uit Zweden zou meebrengen in een bepaald type doosje zonder etiket, nauwkeurig bijhouden en die informatie direct aan de man in de VS rapporteren. De man had haar verzekerd dat het medicijn volstrekt ongevaarlijk was en dat het uiteraard uitvoerig was getest. Allicht, de man stond op het punt het middel in de VS te introduceren.

– En daar trapte je in? siste Ellen. Waarom denk je eigenlijk dat hij jou belde?

– Omdat ik volgens hem het meest geschikt was, antwoordde Blessing snotterend.

– En omdat jij voor geld te koop was!

– Hij zei dat het om mijn deskundigheid ging en om mijn kennis van de lokale omstandigheden, en aangezien het geneesmiddel nieuw was en geheim moest worden gehouden voor de concurrent, mocht ik er niemand bij betrekken. Hij zei dat ik zelfs niets tegen jou mocht zeggen.

Blessing snoot haar neus en zocht in haar handtas naar nieuwe zakdoekjes.

– Wist Beauty dat je haar het nieuwe medicijn gaf en dat het misschien gevaarlijk was?

– Nee. Ik wist zelf niet eens dat het gevaarlijk kon zijn. Ik ging ervan uit dat alles veilig was, tot Beauty belde en vertelde over dat dode meisje. Toen werd ik doodsbang, maar ik hoopte nog steeds dat het niet door dat medicijn kwam. Beauty had immers ook andere pillen. Tegelijkertijd moest ik uitzoeken hoe het zat, om verslag te kunnen uitbrengen. Ik zou pas na het rapporteren de rest van het geld krijgen.

– Hoeveel geld heb je gekregen?

– Dat doet er nu niet toe. Wat gebeurd is, is gebeurd en die man heeft het foute medicijn opgehaald. Ik ben langs geweest bij alle vroedvrouwen die doosjes hadden gekregen zonder etiket en heb alles meegenomen. We hebben nu alleen de veilige oude pillen nog.

De waarheid begon tot Ellen door te dringen. De hand die het bierglas pakte trilde en ze begon te rillen van de kou. Het was een fysieke shock. Hoe kon haar oude vriendin zoiets doen? Hoe kon ze zich zo laten bedonderen? Of had ze ergens wel vermoed dat het niet helemaal klopte, maar de gok toch gewaagd? Of had ze maling aan de risico's gehad? Het woord 'Moordenares' dat nog vaag zichtbaar was op de lak van Blessings auto had opeens een heel andere lading gekregen. En hoe zat het met haar eigen verantwoordelijkheid? Zij had de medicijnen in haar bagage meegenomen en ze aan Blessing gegeven, dus daarmee was ze medeaansprakelijk.

Na een lange tijd zwijgend tegenover elkaar te hebben gezeten en elkaar te hebben beloofd er met niemand over te praten en niets te ondernemen voor er een nachtje over geslapen te hebben, gingen de vrouwen uit elkaar.

Ellen was met Blessing meegelopen om een fles mineraalwater te kopen. Ze had ontzettende dorst. En toen Blessing haar gebrandmerkte roestbak startte liep Ellen naar de kiosk. De schilderwerkzaamheden waren nu naar de receptie verplaatst en Ellen moest om een steiger heen lopen om de winkel in te kunnen, maar er was geen schilder te zien.

De kortgeknipte Amerikaan zat op een van de banken zogenaamd in zijn tijdschrift te lezen, maar had zijn ogen op haar rug gericht, dat voelde ze toen ze voorbijliep. Ze had op het punt gestaan zich om te draaien en naar hem toe te lopen om te vragen wie hij was, wat hij deed en waarom hij haar in de gaten hield. Maar hij zou waarschijnlijk zeggen dat hij niet begreep waar ze het over had en dat hij evenveel recht had als iedereen om in de hotelfoyer te zitten. En eerlijk gezegd is dat nog waar ook.

En nu die menstruatie! Ellen gooit het inlegkruisje weg en smijt daarna haar onderbroek nijdig in de prullenbak. Ook deze keer is ze weer niet zwanger.

Voor Ellen haar tanden poetst en in bed kruipt doet ze de veiligheidsketting op de deur.

Twee handen bouwen razendsnel een nieuwe piramide van ronde steentjes voor haar deur.

Tampa, Florida, VS
17 februari 2004

Het was vreemd dat zo'n aardige, welgemanierde man met zoveel boeken en mooie spullen zo verdorven kon zijn, maar ik had gelezen wat hij bij de rechtbank had gedaan en begreep dat alles er heel anders uit zou zien als hij er niet meer zou zijn, omdat de president hem dan door een gelovig iemand zou kunnen vervangen, dus probeerde ik niet te veel aan hem als persoon te denken. 'Dit land heeft rechters nodig die inzien dat we al onze rechten aan God te danken hebben', zei Martin herhaaldelijk, en daar had hij gelijk in. Ik had een opdracht, een Goddelijke missie, en dat was de wereld van het kwaad te bevrijden. Daar staat veel over in de 'Romeinen' geschreven en daar las ik tijdens die weken vaak in.

En als Jezus zou terugkomen had die rechter sowieso geen schijn van kans. Ik versnelde het proces alleen maar een beetje.

Toen ik vertrok lag hij erbij alsof hij sliep. Ik nam de papieren mee die ik had gevonden en haalde de auto op die op de parkeerplaats van Wal-Mart klaarstond, precies zoals ze hadden gezegd. In de auto lag een wegenkaart en geld, een hele stapel papiergeld, dollars maar ook euro's, die vreemd genoeg meer waard waren dan de dollars toen ik ze omwisselde.

Het was de bedoeling dat ik naar het zuiden zou rijden en ik hoefde geen haast te maken want het zou zeker een aantal dagen duren voor de rechter zou worden gevonden. Op een parkeerplaats langs de weg waar geen andere auto's stonden, verbrandde ik de documenten van de rechter, precies zoals afgesproken. Alles liep soepel en ik voelde me erg tevreden, want ik wist dat zowel God als Martin me dankbaar was. Ik wist dat ik een soldaat van God was.

Ik stopte in een klein dorpje en liet mijn haar knippen en lichtbruin verven. U dacht toch niet dat ik deze saaie kleur zelf zou hebben gekozen? De kapster vond het een vreemde keus, ik die zulk mooi blond haar had, zei ze. De meesten zouden voor mijn natuurlijke haarkleur een hoop geld betalen. Ik wilde graag dat ze mijn haar zou permanenten, een beetje zoals Darien B. Cooper op de omslag van mijn boek 'Hoe maak ik mijn man gelukkig' had, maar de kapster begon te lachen en zei dat de kapsels uit de jaren zestig uit de mode waren en dat stoere, kortgeknipte modellen nu de trend waren. Ze zei dat ze zo'n getoupeerd kapsel voor het laatst had gezien toen haar oma nog leefde en ik wilde natuurlijk niet te veel zeuren, want dan zou ze zich mij misschien herinneren als iemand navraag naar me zou doen.

Ze was vreselijk nieuwsgierig en wilde van alles weten: waar ik vandaan kwam en waar ik naartoe ging, maar ik vertelde helemaal niets. En over idiote kapsels gesproken, ze zou zelf nodig eens in de spiegel moeten kijken! Ze had spierwit kortgeknipt haar dat rechtop stond.

Ik kocht ook nieuwe kleren in een warenhuis in Richmond, waarna ik mijn oude kleding in een prullenbak bij een benzinestation propte en verder reed in een mantelpakje dat uit een kort jasje en een strakke rok bestond. In een kleine reistas, die ik ook had gekocht, zaten nog een paar plooirokken, een pastelkleurige bloes en een paar pumps! Zulke kleren had ik nog nooit gehad en dat was natuurlijk precies de bedoeling, maar toen ik een kleur moest kiezen voor het mantelpakje koos ik licht seringpaars. Ik dacht dat die kleur goed zou passen voor een bruiloft. Ik geloof dat ze het pakje in een kast hebben gehangen met mijn naam erop, zodat ik het te zijner tijd kan terugkrijgen. Het moet dan waarschijnlijk wel eerst worden gewassen want mijn borsten lekken af en toe nog een beetje melk en ik geloof dat er op het jasje witte vlekken zitten. Maar daar hebben we dan vast wel tijd voor.

Ik kocht de Washington Post en las dat ze de rechter hadden gevonden, maar dat iedereen dacht dat hij aan een hartinfarct was gestorven. Dat was ook zo. God had bepaald dat hij niet langer mocht leven en ik had alleen maar een beetje geholpen.

Ik belde naar het Heilig Kerkgenootschap maar er werd niet opgenomen. Er klonk een stem op een bandje die zei dat het nummer was opgeheven. Dat was vreemd, maar ik maakte me niet zoveel zorgen, want ik wist dat ik Martin in Tampa zou ontmoeten.

Omdat ik volop geld bij me had kon ik onderweg in motels slapen. Ik betaalde altijd contant en meestal werd er niet eens naar mijn naam gevraagd.

Het voelde wel een beetje eenzaam maar ik keek veel televisie. Bij het Heilig Kerkgenootschap mochten we uitsluitend naar christelijke programma's kijken, dus was het leuk weer zelf te mogen kiezen. Als ik in Tampa zou aankomen zou Martin voor me zorgen en dan zou alles goed komen. Dat hadden we zo afgesproken.

Lusaka, Zambia
24 februari 2004

– Goedemorgen, u spreekt met Ellen Elg. Ik heb een vlucht geboekt die op donderdag vertrekt.

– Ja, aanstaande donderdag.

– Mijn naam? Ik zal hem spellen: E-L-L-E-N E-L-G.

– Ja, precies, via Harare.

– Ik vroeg me af of ik mijn ticket naar een eerdere vlucht kan omboeken?

– Nee?

– En als ik iets bijbetaal?

– Weet u zeker dat die vlucht helemaal vol zit?

– Zou ik misschien via een andere route kunnen reizen, bijvoorbeeld via Zuid-Afrika of Nairobi?

– Ook niet?

– En als ik een nieuw ticket koop?

– Dat helpt ook niet omdat alles vol zit, ja, ja.

– Oké. Evengoed bedankt. Maar zou u mijn naam kunnen noteren en me kunnen bellen als u een annulering krijgt? Ik zit in het Pamodzi Hotel.

– Dank u wel.

– Ja, u ook een prettige dag!

Lusaka, Zambia
24 februari 2004

– Ik raad u aan uw raampje dicht te draaien, zegt de taxichauffeur als ze in de buurt van het stoplicht bij het viaduct onder het spoor komen. De jongeren zijn hier ongelofelijk snel.

Ellen volgt zijn raad met tegenzin op. Vlak naast het stoplicht staat een klein jongetje te bedelen dat niet veel ouder dan een jaar of vijf kan zijn. Hij draagt een korte broek en een kapot hemd waarvan de kleur, grijsbruinig, aan het vuil van vele maanden te danken is. Hij bonkt met een smerig knuistje op het raam, precies bij haar gezicht, en net voor ze haar gezicht wegdraait ziet ze de uitgestrekte hand en de betraande ogen.

– Kan ik hem niet wat geven? vraagt ze aan de chauffeur, alsof ze een nieuwkomer in de stad is. De gebeurtenissen van de laatste dagen hebben haar behoorlijk van haar stuk gebracht. Een week geleden zou het jongetje haar amper zijn opgevallen.

– Doe vooral je raam open, dan weet je zeker dat je zo meteen je hele tas kwijt bent! zegt de chauffeur chagrijnig. Ik dacht dat ze die kinderen naar een andere plek hadden gebracht, moppert hij, terwijl hij de auto in de eerste versnelling zet om direct weg te kunnen rijden als het stoplicht op groen springt.

– Ik zag dat ze bij de rotonde van Manda Hill zijn verdwenen, zegt Ellen. Waar brengen ze die kinderen naartoe en wie doet dat?

– Het is de taak van de politie de straten schoon te houden. Het is anders geen gezicht voor toeristen, zakenlieden en andere bezoekers.

– Maar waar laten ze die kinderen?

– Dat weet ik niet. Misschien op een plek waar ze thuishoren. In ieder geval ergens buiten de stad. Het interesseert me niet zolang ze maar ophoepelen. Ze jatten buitenspiegels, wieldoppen en alles wat los en vast zit. Of ze springen midden in een mensenmassa voor je auto zodat je ze aanrijdt, lichtjes, en dwingen je dan voor het ziekenhuis te betalen, zodat ze daar een poosje kunnen uitrusten. Als ze daar dan uitkomen beginnen ze gewoon opnieuw.

Ellen wil niet meer met de taxichauffeur praten. In de jaren dat ze door Zambia heeft gereisd was het altijd een komen en gaan van straatkinderen. De politie houdt schoonmaakacties maar de kinderen komen steeds weer terug. Ze hebben geen keus. Ze heeft geruchten gehoord over zakenlui en taxichauffeurs die kleine criminelen zouden betalen om straatkinderen bijeen te jagen en ze vervolgens naar een ander land te transporteren.

De chauffeur geeft plankgas en de auto stuift de kruising over. Ellen draait zich om en kijkt naar de jongen die zich op een nieuwe auto concentreert, bij voorkeur met een blanke vrouw als passagier. Maar de auto die achter hen rijdt is een witte Jeep en als Ellen zich omdraait doet de bestuurder de zonneklep omlaag. Hij keurt het bedelende jongetje geen blik waardig.

Als ze bij het Cultuurcentrum *Kabwata* aankomen geeft Ellen geen fooi en ze smijt de deur iets harder dicht dan nodig is. Nee, de chauffeur hoeft niet terug te komen of op haar te wachten. Ze weet niet hoe lang ze hier blijft. De witte Jeep is verdwenen. Er zijn bij *Kabwata* trouwens genoeg taxi's te vinden mocht ze snel terug naar het hotel willen.

In armoedige hutjes bieden de betere en de wat minder goede ambachtslieden hun werk aan. Manden, uit hout gesneden giraffen en nijlpaarden, sieraden met groene en blauwe stenen, maskers en trommels. Winkelen kan opbeurend zijn en het is lang geleden dat Ellen iets fatsoenlijks mee naar huis heeft genomen. Haar cadeaukast, handig met kerst, verjaardagen en etentjes, is leeg aan het raken. En het afdingen, iets waar Björn zich, de keren dat hij mee was, diep voor geneerde, vindt ze fantastisch. Misschien dat het leven er iets vrolijker uitziet met een houten giraffe onder haar arm...

– Nee, ik weet het nog niet ... Ik heb verderop precies dezelfde gezien, maar dan een stuk goedkoper.

Voor de derde keer loopt Ellen de kleine hut binnen waar de kleine, mollige houten nijlpaarden – veruit de mooiste van de hele markt – op een kistje staan uitgestald. Ze weet dat dit het beste houtsnijwerk is, ze heeft het vergeleken met het snijwerk uit de andere hutten. De hoopvolle verkoper staat op van zijn krukje.

– Wat noemde je ook alweer voor prijs? vraagt Ellen, alsof ze is vergeten wat hij heeft gezegd.

– 30.000.

– 30.000 kwacha? Dat is helaas te veel voor mij.

– Maar dit is echte kwaliteit, madam. Het is niet te vergelijken met wat de anderen verkopen.

– Ik snap dat u er veel werk aan heeft gehad, dat is het punt niet.

– En kijk eens hier, madam. Hout van de allerbeste kwaliteit. En het polijstwerk! Hier zal nooit een barstje in komen, zelfs niet als u terugkeert in uw land waar de lucht veel droger is. Waar kwam u ook al weer vandaan?

– Uit Zweden.

– Oh ja, Stockholm!

– Precies. Heb je veel Zweedse klanten?

– Nee, maar ik probeer alle hoofdsteden uit mijn hoofd te leren.

Ellen draait het massief houten nijlpaard rond, en doet alsof ze de kwaliteit nauwkeurig onderzoekt.

– Mooi hè, madam? vraagt de jonge kunstenaar hoopvol.

– Ja, maar zwaar.

Ellen weegt het glanzende beeld in haar hand.

– Misschien is het te zwaar voor mijn koffer. En daarbij is het erg duur …

– Niet duur, madam. Hij is elke kwacha waard!

– Misschien wel, ik zeg ook niet dat je me probeert op te lichten, ik zeg alleen dat hij voor mij te duur is. Ik moet misschien toch iets goedkopers zoeken. En misschien iets lichters …

– Wat zou u willen bieden mevrouw?

– 10.000 kwacha.

– Nooit! De verkoper slaat zijn ogen ten hemel en maakt met zijn handen een grotesk afwijzend gebaar. 10.000 kwacha! Hij laat op alle mogelijke manieren merken dat dit een schandelijk bod is en dat hij geruïneerd raakt als hij zo'n idioot bod zou accepteren.

– Wat is dan uw tegenbod?

– Betaalt u met kwacha's of met dollars?

– Het kan met allebei. Wat zeg je van twee dollar?

– Twee dollar! Dat is evenveel als 10.000 kwacha!

– Nee, het is iets meer en daarbij zijn het dollars, houdt Ellen stug vol, terwijl ze het nijlpaard langzaam en een tikkeltje demonstratief op zijn plaats terugzet.

De verkoper heeft de dollartekens in zijn ogen staan, het is altijd veel beter in dollars te worden betaald. Als de inflatie het aantal nullen op de kwachabriefjes omhoog jaagt, is de dollar betrouwbaar.

– Oké. Vier dollar! Alleen voor u, madam. Een speciale prijs, uitsluitend voor u.

– Drie dollar!

– Oké.

Het antwoord komt snel, hij pakt de groene briefjes aan, terwijl hij hoofdschuddend het nijlpaard in een krant wikkelt en het in een klein plastic tasje legt. Daarmee laat hij zien dat hij een slechte deal heeft gesloten! Hoe kon hij zo dom zijn?

Ellen lacht als ze het tasje aanpakt en zich omdraait om het zonlicht in te lopen. Ja, winkelen helpt absoluut bij een slecht humeur. Vlakbij de deuropening staat, zonder dat ze het heeft gemerkt, een andere klant, gekleed in een wit overhemd met korte mouwen en een lichte broek. Hij lacht breeduit naar haar en applaudisseert zachtjes zonder dat de verkoper het ziet. Het licht van de felle zon is verblindend en Ellen tast naar haar zonnebril die om haar nek hangt. Josh loopt met haar mee naar buiten het plein op.

– Gefeliciteerd! Je hebt voor drie dollar een goede buit binnengehaald!

Ellen lacht een beetje gegeneerd en Josh legt een arm om haar schouders.

– Ik zou bij jou een cursus afdingen moeten volgen.

– Hij heeft echt geen slechte deal gesloten hoor, zegt Ellen, alsof ze zich moet verdedigen. Hij zou hem me nooit voor drie dollar hebben verkocht als hij niet maar twee of misschien zelfs maar één dollar waard was geweest.

– Ik geloof je, zegt Josh lachend. Ik ben alleen maar onder de indruk.

Ellen draait een beetje met haar schouders en Josh snapt de hint en haalt zijn arm weg.

– Ga jij ook iets kopen? vraagt Ellen.

– Ik weet het niet, heb jij nog iets nodig?

– Misschien. Dit ging zo goed.

– Ja, dat kun je wel zeggen. Maar ik heb een ander voorstel. Hoe laat is het?

Ellen kijkt op haar horloge.

– Kwart over tien.

– Wat zou je zeggen van een lunch in Lower Zambezi?

– In het *National Park*? Maar dat is hartstikke ver weg. Zeker een kilometer of honderd.

– Om exact te zijn honderdtien, maar de weg is goed en ik heb een uitstekende Amerikaanse auto.

Ellen en Josh lachen een beetje. De eventuele superioriteit van Amerikaanse auto's is een terugkerend en geliefd onderwerp van discussie.

– Bij de ingang van het park zit een goed restaurant, gaat Josh verder. Als we nu vertrekken, zijn we er rond één uur.

– Ach, waarom ook niet?

Washington Post, VS, 12 februari 2004

Schoonmaakster verdacht van moord

Gail Burton, een van de medewerksters van schoonmaakbedrijf *Clean Enterprise*, is vandaag door de lokale rechtbank van district vier in Washington opnieuw in hechtenis genomen. Ze wordt ervan verdacht medeplichtig te zijn aan zowel de moord op rechter Vernon McArthur op 28 januari, als aan de brand op 4 februari.

Tijdens een verhoor heeft Miss Burton toegegeven dat ze voor de vrouw, die ervan wordt verdacht de rechter te hebben vermoord, een baantje heeft geregeld, maar ze weet niets over haar identiteit. De persoonlijke gegevens die het schoonmaakbedrijf van de vrouw had, en waarvan Gail Burton heeft toegegeven dat ze die door brandstichting heeft verwoest, waren vals. Miss Burton weet ook niets over de identiteit van de man die destijds contact met het schoonmaakbedrijf heeft gezocht.

'Het enige dat het onderzoek in Florida ons heeft opgeleverd is dat we nu weten dat de vrouw rond eind augustus haar baan heeft opgezegd', zegt politie-inspecteur Stephen Chu van de politie van Washington. We hebben het vermoeden dat ze toen zwanger was. Sinds de moord op de rechter op 28 januari is de vrouw spoorloos verdwenen. Ze kan onder de naam Dee Esser opduiken.'

'Het signalement luidt: circa 1,65 lang. Lang blond haar tot op de schouders, mogelijk in een paardenstaart samengebonden. Een bleke huid, blauwe ogen en tenger gebouwd. Ze was waarschijnlijk gekleed in een spijkerbroek, een lichtblauw T-shirt en gymschoenen.'

Informatie over de gezochte Dee Esser kan worden gemeld bij de *Washington Post* of bij het dichtstbijzijnde politiebureau.

Lower Zambezi, Zambia
24 februari 2004

– Is dat de *Zambezi*?

Ellen wijst omlaag naar de oever van een rivier, waar een groepje kano's klaar ligt voor belangstellende toeristen.

Het eten in het restaurant is goed, daar had Josh gelijk in, en de entourage is indrukwekkend. Een groot grasveld loopt helemaal tot aan de rivier, een traditioneel rieten dak biedt bescherming tegen de zon, het gegrilde antilopenvlees zou niet beter kunnen smaken en aangezien Josh rijdt kan ze een paar glazen wijn drinken. Met enige bezorgdheid ziet ze dat hij ook een paar glazen drinkt, maar ze hebben afgesproken een rondje door het park te rijden. Het enige risico dat je daar loopt is dat je tegen een olifant opbotst en voor ze naar de stad teruggaan is de alcohol waarschijnlijk al weer uit zijn bloed verdwenen.

– Nee, antwoordt Josh. Dat is de *Kafue River*.

– De *Kafue River*! Daar ben ik geweest.

– Waar dan?

– Bij een vissersdorpje een stukje stroomopwaarts. De weg daar naartoe was verschrikkelijk slecht.

– Wat heb je daar gedaan?

– Ik heb er bij een project geholpen waarbij condooms werden uitgedeeld.

– Oh ja?

– Er wordt in dat dorp met buitengewoon veel succes gevist en de mannen die vissen willen hun opbrengst aan de mensen uit Lusaka verkopen. Dus rijden de vrouwen uit Lusaka naar het dorp om de vis te kopen en mee te nemen naar de markt.

– Maar dat moet veel tijd en geld kosten, het transport is nogal duur.

– Juist, en daarom betalen de vrouwen niet met geld.

– Nee? Hoe betalen ze dan?

– Hoe denk je?

Josh verstijft. Hij begrijpt wat ze bedoelt, dat ziet ze, maar hij zegt niets. Door de wijn is ze nogal spraakzaam en minder alert hoe haar verhalen worden ontvangen. Ze gaat onverstoorbaar verder.

– Ze betalen met seks natuurlijk. Veel van de vrouwen brengen bijna de helft van hun tijd in het vissersdorp door, ze worden voor hun diensten betaald in de vorm van vis, en reizen dan terug naar Lusaka waar de meesten van hen een gezin met kinderen hebben.

– Komen hun echtgenoten in Lusaka daar niet tegen in opstand?

– Nee. Ofwel ze hebben helemaal niet door wat er aan de hand is, of het kan ze niets schelen. Misschien hebben ze het geld wel zo hard nodig dat ze het zich niet kunnen permitteren te beseffen wat er precies gebeurt. Dat is wat ik ervan begrepen heb.

– Was dat het doel van het project waar jij aan meewerkte?

– Het doel van het project was de sekshandel te stoppen of er in elk geval voor te zorgen dat iedereen condooms zou gaan gebruiken. Dat dorp is een van de grootste besmettingshaarden voor HIV in de hele omgeving. De vrouwen worden of door hun eigen man besmet, of door de vissers en nemen de ziekte dan mee naar huis waar het vervolgens weer verder wordt verspreid.

– Draait het op dit continent dan alleen maar om seks!? barst Josh plotseling woedend uit. Seks hier en seks daar, en condooms om de zaak te vergemakkelijken.

'Oei', denkt Ellen verrast. Hier heb ik kennelijk een zwakke plek geraakt. Maar net zo snel als de uitbarsting was opgekomen is hij ook weer verdwenen.

– Het spijt me, lacht Josh verontschuldigend terwijl hij opstaat om de ober te wenken. Het moet mijn missionarisopvoeding zijn die me parten speelde. Natuurlijk heb je helemaal gelijk dat het belangrijk is dat mensen condooms gebruiken, en vooral hier.

Ellen verontschuldigt zich en loopt naar het toilet. Wat bezielde hem? Er is iets vreemds met Josh en zijn verhouding tot de kerk en tot seks. Soms is hij buitengewoon geïnteresseerd en nieuwsgierig, en soms lijkt hij zich opeens overal over op te winden. Hij heeft vast geen gemakkelijke jeugd gehad.

Maar hij weet extreem veel over Afrikaanse planten en dieren. Hij heeft al twee vogelsoorten aangewezen – de broodboomvink en de dwergpapegaai – en kende de namen van alle bomen langs de kant van de weg. Mahonie, winterdoorn en de jackalberryboom. Het kan best leerzaam zijn een rondje met hem door het park te maken. Het is pas twee uur, dus ze hebben nog een paar uur voor ze terug naar de stad moeten. Hopelijk wordt haar menstruatiebloeding iets minder hevig, zodat ze het redt met het aantal tampons dat ze bij zich heeft. Bij het verlaten van het hotel vanmorgen wist ze natuurlijk nog niet dat ze een uitstapje zou gaan maken.

Als Ellen bij het tafeltje terugkomt heeft Josh al betaald. Ze maakt hier bezwaar tegen want ze vindt dat het haar beurt is, en als ze voorstelt dat zij de entree voor het park betaalt vraagt hij haar of ze contant geld bij zich heeft. 'Nee, maar je kunt vast wel met een bankpas betalen', zegt ze. Dan wil hij ook graag de entree betalen, want hij heeft te veel kwacha's opgenomen en als het echt zo belangrijk voor haar is kan ze hem bij het hotel terugbetalen. Het was uiteindelijk allemaal zijn idee en hij wil graag trakteren.

Ze stappen net de auto in als Ellens mobiele telefoon gaat. 'Blessing' denkt ze, en terwijl ze zich tegenover Josh verontschuldigt, stapt ze de auto uit en beantwoordt de oproep. De vrouwen hebben elkaar sinds hun aanvaring van gisteren niet meer gesproken en ze wil niet dat Josh kan meeluisteren. Misschien is er iets nieuws gebeurd, de hemel beware me. Het probleem is al groot genoeg.

Maar op de display van haar telefoon ziet ze een nummer staan dat ze niet kent.

– Hallo, met Ellen.

– Goedendag.

Het is een mannenstem die ze niet herkent. Hij praat Amerikaans Engels.

– Met wie spreek ik?

– Dat doet er niet toe.

– Hoezo, doet dat er niet toe?

– Luister goed naar me. Het is belangrijk. Waar ben je?

– Waarom zou ik dat vertellen als jij niet eens zegt wie jij bent?

– Ik neem aan dat je niet alleen bent?

– Dat gaat je ook helemaal niets aan.

– Ik geloof dat jullie in oostelijke richting zijn gereden, klopt dat?

– Wie ben je?

– Laten we zeggen een vriend. Waar zijn jullie?

– In Lower Zambezi, we staan op het punt het *National Park* in te rijden, als je het zo nodig wilt weten.

Ellen begrijpt niet waarom ze dat vertelt, maar iets in de stem van de man klinkt zowel bevelend als verzoekend. Net zoals haar vaders stem kon klinken als hij haar betrapte op stiekem roken en het haar niet lukte tegen hem te liegen.

– Je moet proberen zo snel mogelijk naar de stad terug te gaan, zegt hij. Verlaat de man met wie je naar het park bent gereden.

– Maar waarom? Wat heb jij daarmee te maken?

– Zorg in elk geval dat je in de buurt van andere mensen blijft, waarschuwt de stem.

– Loop naar de hel!

Josh stapt ondertussen de auto uit en Ellen zet bevend, maar ook een tikkeltje uitgelaten haar telefoon uit. 'Loop naar de hel!' Wanneer had ze dat voor het laatst tegen iemand gezegd?

– Wie was dat? vraagt Josh, alsof het hem aangaat.

– Het hotel. Ik had ze gevraagd me even te laten weten als de luchtvaartmaatschappij had gebeld.

– Oh. Wat wil je van die luchtvaartmaatschappij?

– Ik had mijn ticket willen omboeken, maar dat schijnt niet te lukken.

– Wanneer vertrek je dan?

– Donderdag.

– Ik vlieg op vrijdag, zegt hij, terwijl hij hoffelijk het portier voor haar openhoudt.

De leugen over het hotel en de luchtvaartmaatschappij komt er zo snel uit dat ze zich er zelf over verbaast, maar tijdens het gesprek heeft Ellens onderbewustzijn op de vraag zitten broeden hoe de onbekende man aan haar telefoonnummer is gekomen. Ofwel is hij het die haar adressenboekje heeft gestolen, of hij heeft met iemand van de receptie van het hotel gesproken, misschien zelfs geld gegeven, omdat ze haar nummer daar had achtergelaten voor het geval de luchtvaartmaatschappij zou bellen.

Josh is misschien een enigszins rare snuiter, beschadigd door een ellendige jeugd, maar hij is makkelijk en prettig in de omgang. Nu alles zo chaotisch is kan ze een ontspannen rit door het park wel gebruiken.

Ze rijden rustig langs de *Zambezi* en Josh vertelt. Zijn jeugd lijkt één groot avontuur te zijn geweest met vistochten, het bouwen van kano's en ritjes op olifanten waarmee ze tussen de huizen doorliepen. De strenge vader en de dronken moeder zijn vergeten en Afrika bestaat uit een weelde van geluk en harmonie. Als het hek van het park achter hen dichtgaat begint het te regenen en de weg wordt een beetje glibberig maar de robuuste Jeep kan alle hindernissen aan en Josh lijkt de weg op zijn duimpje te kennen. Ze belanden achter een kudde impala's en Ellen vertelt over de domme rendieren uit haar jeugd die kilometer na kilometer midden op de weg bleven lopen terwijl er constant auto's op hen afreden. Hij lacht en ze is tevreden dat ze ook een natuurervaring heeft kunnen inbrengen.

Als hij linksaf slaat, weg van de rivier het oerwoud in, reageert ze.

– Kunnen we voor het uitzicht niet beter langs de rivier blijven rijden? 'Zodat we af en toe een andere auto voorbij zien rijden en in de buurt van andere mensen blijven', denkt ze er achteraan, terwijl ze zich een beetje schaamt.

– We hoeven niet hetzelfde te doen als alle andere toeristen, zegt hij kortaf. Ik heb geen borden nodig om dieren te kunnen vinden. Je wilt toch zeker wel een leeuw zien?

Hij laat het gaspedaal los, geeft een ruk aan het stuur, waarbij de achterwielen slippen en het rechterwiel in de modder wegzakt. Alle paardenkrachten van de motor worden ingezet om de auto uit de modder te krijgen.

Ellen friemelt in haar rugzak naar haar telefoon. Geen ontvangst. Ze gluurt in de richting van Josh om te zien of hij heeft gemerkt wat ze deed. Hij ontmoet haar blik en plotseling ziet ze dat hij zijn loensende oog helemaal onder controle heeft. Hij kijkt haar strak aan.

Het is gestopt met regenen.

Op hetzelfde moment rijdt een Jeep met een andere blanke man in de richting van de ingang van het *National Park*. De man heeft stekeltjeshaar en zwaait door het omlaaggedraaide raampje onduidelijk met een of ander legitimatiebewijs naar de bewaker.

– Politie, zegt de man, en hoe zou de bewaker dat kunnen controleren, hij kan niet eens lezen. Maar het woord 'politie' begrijpt hij. Op de foto's die de blanke man aan de bewaker laat zien staan een blanke man en een blanke vrouw. Hoewel de foto's wat onscherp zijn herkent de bewaker ze meteen. 'Ja, die man en die vrouw zijn hier voorbijgekomen, misschien een half uur geleden. Ze reden in een grote witte Jeep.' De politieagent bedankt de bewaker vriendelijk en geeft hem zelfs een paar bankbiljetten.

Dat doet de politie nooit. Die eisen alleen maar geld. De bewaker denkt bij zichzelf dat hij zich moet herinneren dit vanavond aan zijn vrouw te vertellen, dat buitenlandse politieagenten pas echt agenten zijn. Maar tegen die tijd heeft hij een heel ander verhaal te vertellen. Voorbij een bocht blokkeert een kudde impala's de weg, maar de man ziet in dat als hij geen aandacht wil trekken hij beter niet kan toeteren. Mensen die in nationale parken rijden willen impala's zien. Mensen die in nationale parken rijden hebben geen haast.

De man met het stekeltjeshaar bladert door wat papieren die naast hem op de passagiersstoel liggen. Het belangrijkste document mist een afzender of een officiële stempel. Hij weet dat een deel van het materiaal van de *FBI* en andere politiebronnen afkomstig is, maar dat is niet te zien.

Het document dat hij nu zeker voor de vijfde keer bestudeert is afkomstig van de eigen veiligheidsdienst van de geneesmiddelenindustrie, maar ook daarop is geen afzender te bekennen.

De man kijkt op. De impala's zijn de greppel ingelopen en de chef veiligheidsdienst kan er voorzichtig voorbijglippen. De weg loopt langs de rivier, maar dan, midden op een recht stuk, ziet hij aan de linkerkant een klein zijweggetje dat stijl omhoog gaat. Als er niet zo'n vers bandenspoor te zien was geweest, zou de weg hem nauwelijks zijn opgevallen, maar nu aarzelt hij geen seconde, draait de auto het pad op en rijdt plankgas naar boven.

Chongwe-District, Zambia
24 februari 2004

– Pater Abraham! Pater Abraham! U moet snel meekomen. Ze zijn aan het ruziemaken.

Tussen het groepje kinderen dat hijgend voor de deur van de kerk staat, herkent hij Beauty's dochter. Ze heeft een angstige blik in haar ogen.

– Wie maken er ruzie?

– Een hele groep mensen heeft zich bij ons huis verzameld, zegt het meisje dat op het punt staat in tranen uit te barsten. Ik denk dat ze weer met mijn moeder gaan ruziemaken.

– Hebben jullie de politie gewaarschuwd?

– Die zegt dat ze niets kan doen.

– Ik kom eraan.

Pater Abraham steekt een bijbel onder zijn arm en volgt de kleine kinderschare. Hij probeert rustig en statig te lopen, met zijn handen gevouwen, zodat hij tijd wint om na te denken. Het komt niet als een verrassing. De laatste dagen is de gespannen sfeer rond Beauty toegenomen en steeds meer mensen noemen haar een heks. Sinds Puni's moeder op bed is blijven liggen en met niemand meer wil praten, zeggen velen dat ook zij behekst is. Anderen verdedigen de vroedvrouw, vooral nu het verhaal over de geboorte van de kleine Miracle de ronde doet en flink wordt aangedikt. In de laatste versie die pater Abraham hoorde staken zowel het ene armpje, als het ene beentje door de vagina naar buiten, waarna Beauty met bovenaardse kracht het kind naar buiten trok. Maar daarvan vinden sommigen dat je dat ook aan hekserij kunt wijten. De aanvaring bij het politiebureau heeft ook voor beide partijen olie op het vuur gegooid. De mensen van de politie weten heus wel wanneer ze met een heks te maken hebben. Kletspraat, de politiechef was straalbezopen en zoals gewoonlijk kwaad op alles en iedereen.

Pater Abraham heeft aan alle mensen die het wilden horen verteld wat er eigenlijk tijdens de geboorte van Miracle is gebeurd, maar verder vindt hij het lastig stelling te nemen. Hij weet zeker dat

Beauty achter heel wat 'miskramen' zit, vooral nu hij met de bisschop heeft gesproken.

Tegelijkertijd heeft zijn zus, die nog steeds bij hem thuis aan het herstellen is, heel veel lastige vragen gesteld. Hoe zou haar leven zijn geweest als ze geen hulp van de blanke vrouwen had gekregen? Een verkrachte non, misschien zelfs zwanger, heeft geen leven. Ze zou uit het klooster zijn verbannen, haar kind zou overal moeilijkheden zijn tegengekomen en zij zou in de ogen van alle mannen 'beschikbaar' zijn. Het is niet eens zeker dat pater Abraham haar, als hij haar in zijn huis had opgenomen, had kunnen beschermen. Hij zou haar dan toch af en toe alleen hebben moeten laten.

Nu kan ze terugkeren naar het klooster, naar het leven dat ze zelf heeft gekozen, een keuze waar pater Abraham grote achting voor heeft, maar onder voorwaarde dat de overval geheim blijft. En dus kan pater Abraham zijn diepe wanhoop en twijfels niet met de bisschop delen. Voor de bisschop is alles zo eenvoudig: 'De Bijbel zegt dat alle mensen, zelfs de ongeborenen, recht op leven hebben. Je bent toch niet gaan twijfelen, lieve broeder?'

Maar dat doet hij wel. Pater Abraham piekert terwijl hij op zijn plastic sandalen zo waardig mogelijk achter de kinderen aan hobbelt. Hoe kan hij Beauty en zijn zus helpen zonder afbreuk aan zijn geloof te doen? Wat is goed en wat is verkeerd?

Op het platgetrapte erf van Beauty staan twee ruziënde partijen tegenover elkaar. Aan de ene kant staat de groep die de familie uit het dorp wil wegjagen. Iemand probeert het huis binnen te sluipen om alvast de meubels naar buiten te kunnen gooien, maar Joseph houdt hem tegen. Beauty's man heeft al een paar pogingen gedaan de dorpsbewoners weg te sturen, maar zonder resultaat. De andere groep steunt Beauty en hun belangrijkste woordvoerster staat naast Beauty die op de buitentrap is gaan zitten. Ze streelt de vroedvrouw over haar hoofd en zwaait dreigend met de vuist van haar andere hand naar degenen die Beauty van hekserij betichten.

Als pater Abraham verschijnt richten beide groepen zich tot de priester:

– U was er bij toen Miracle werd geboren, en ook toen Puni stierf. Wat vindt u ervan?

265

Ja, wat vindt hij ervan?

In zijn verwarring ziet pater Abraham maar één oplossing. Hij pakt de bijbel en slaat hem bij een willekeurig hoofdstuk open. Het derde hoofdstuk van 'Prediker', ziet hij. Het is een tekst die hij al vele malen in de kerk heeft voorgelezen dus daarom valt de bijbel precies daar open.

Pater Abraham heft zijn arm op en probeert zijn meest krachtige priesterstem op te zetten.

– Laat ons naar Gods woord luisteren.

Langzaam, in het begin met onzekere stem, begint pater Abraham te lezen.

– Alles heeft zijn uur en ieder ding onder de hemel zijn tijd.

Er is een tijd om te baren en een tijd om te sterven,

Een tijd om te planten en een tijd om wat geplant is uit te rukken.

Een tijd om te doden en een tijd om te helen.

De groep zwijgt en probeert te begrijpen wat de priester met deze tekst wil zeggen. Dat vraagt de priester zichzelf ook af. Is dit wel waar? Is er een tijd om te doden? Er is in ieder geval een tijd om te helen, daar is hij zeker van, en hij gaat verder, er steeds meer van overtuigd dat Gods stem aan het woord is:

'Een tijd om af te breken en een tijd om op te bouwen.

Een tijd om te wenen en een tijd om te lachen.

Een tijd om te rouwen en een tijd om te dansen.

Een tijd om stenen weg te werpen en een tijd om stenen te verzamelen.

Een tijd om te omhelzen en een tijd om zich van omhelzen te onthouden.

Een tijd om te zoeken en een tijd om verloren te laten gaan.

Een tijd om te scheuren en een tijd om dicht te naaien.

Een tijd om te zwijgen en een tijd om te spreken.

Een tijd om te beminnen en een tijd om te haten.

Een tijd van oorlog en een tijd van vrede.'

Hij slaat de bijbel dicht en draait zich, nu volledig overtuigd, naar de leden van beide groepen.

– Dat zegt de Heer. Vrede heeft zijn tijd. En ook wat geplant is, moet soms worden uitgetrokken. En hoewel men heeft gehuild kan er weer met lachen worden begonnen. Haat kan omslaan in liefde. Laat ons Gods boodschap naleven en hier onder Gods hemel Beauty bedanken voor wat ze heeft gedaan.

Hij loopt naar Beauty, pakt haar bij de schouders en leidt haar het huis in.

De dorpsbewoners druipen langzaam af, sommigen blij voor de steun die Gods woord hen heeft gegeven, anderen chagrijnig en kibbelend. Achteraf kan niemand goed uitleggen wat de priester nu precies heeft bedoeld.

Maar het waren mooie woorden!

Lower Zambezi, Zambia
24 februari 2004

Zonder nog een woord te zeggen manoeuvreert Josh de auto over de hobbelige weg. Ellen vecht met haar groeiende ongerustheid en kijkt naar buiten of ze ergens leeuwen kan ontdekken.

– Zou je niet iets rustiger rijden om ze niet af te schrikken?

– Wie?

– De leeuwen.

Ellen zoekt Josh's blik, maar hij concentreert zich op de weg.

– Nee, die schrikken niet. Hier in het park zijn ze gewend aan auto's, dat maakt voor hen deel uit van de natuur.

– Maar dan toch. We kunnen zo nauwelijks iets zien.

– Ik ga zo ergens stoppen.

– Stoppen? Maar we zijn toch op zoek naar dieren?

– Ja, maar het kan juist goed zijn een poosje stil te staan zodat ze tevoorschijn durven komen. En daarbij gaan we ook even praten.

– Waarover?

De auto is bij een kleine heuvel aangekomen. Achter een droge, stekelige boom steekt een grote termietenheuvel omhoog. Josh zet de motor uit die een zucht van verlichting lijkt te slaken. Ellen zou het raampje omlaag willen draaien, zonder airco is het in de auto in no-time bloedheet en ze zweet ook al om een andere reden, maar ze durft het niet. Stel dat er een leeuw in de buurt is?

– Waar wil je over praten? vraagt Ellen nogmaals.

– Over wat jij hier eigenlijk komt doen. En waar dat toe kan leiden.

Zijn gebruikelijke glimlach is van zijn gezicht verdwenen en opnieuw ziet ze dat zijn blik veel meer is gecoördineerd, alsof zijn ogen samen op hetzelfde – verachtelijke – object gefocust zijn. Zijn blik is ijskoud en Ellen krijgt het opeens zo benauwd dat ze naar de hendel wil grijpen om het raampje open te draaien, maar halverwege stopt ze.

– Wat bedoel je?

– Ik bedoel dat ik weet wie je bent en wat je hier doet.

– Hoezo, wat ik hier doe? Ik begrijp niet wat je bedoelt.

– Je weet donders goed wat ik bedoel.

Terwijl haar hersens bijna het kookpunt bereiken, probeert Ellen toch te blijven nadenken. Wie is hij? Wat weet hij? Wat is hier de bedoeling van!?

Josh heeft zijn blik strak op de termietenheuvel gericht.

– Wist je dat er in mijn land iedere dag vierduizend kinderen worden vermoord, zegt hij. Vier van hen zouden mijn broertje of zusje zijn geworden en één van hen zou mijn kind zijn geworden, als hun moeders niet de verschrikkelijkste misdaad hadden begaan. Het waren hun moeders, hoor je wat ik zeg, hun moeders, de vrouwen van wie het de eerste taak is hun vlees en bloed te beschermen, die hen hebben vermoord. Hun eigen kinderen.

Zijn geëmotioneerde stem breekt bijna, maar dan wordt hij weer iets rustiger.

– Als dat wijf haar zin had gekregen was ik waarschijnlijk ook vermoord. Dat was in elk geval wat ze me de hele tijd vertelde.

Nu kijkt hij haar weer aan en zijn bovenlip is op een akelige manier gespannen.

Ellens stem klinkt angstig, er is iets faliekant veranderd.

– Hoe bedoel je, dat je dan was vermoord?

– Op dezelfde manier waarop jij Zambiaanse kinderen vermoordt. Met pompen, pillen en gruwelijke ijzeren tangen. Formeel is het in mijn land wettelijk toegestaan, maar dat is hier toch niet het geval?

– Als je abortus bedoelt, ja dat is ook hier wettelijk toegestaan, zegt ze, terwijl ze voelt dat het zinloos is zich in deze legaliteit vast te bijten.

Ellen durft Josh nauwelijks aan te kijken. Zijn agressiviteit laat de hete lucht in de auto vibreren. Ellen is doodsbang en het gezicht van Josh is gespannen. Hij draait zich naar haar toe, terwijl hij zijn stem verheft en elke lettergreep benadrukt.

– Is het voor rijke blanke vrouwen soms toegestaan hiernaartoe te vliegen met hun koffers vol moordwapens en levensgevaarlijke medicijnen uit te delen aan jonge onschuldige meisjes?

– Nee, als je het zo beschrijft is dat natuurlijk niet toegestaan. (Hoeveel weet hij!?)

Leeuw of niet, ze moet nu het raampje opendraaien. Het zweet

gutst langs haar rug omlaag en haar rok zit aan de zitting vastge-
plakt. Ze heeft haar veiligheidsriem losgemaakt, maar de deur is
vanuit de chauffeursplaats vergrendeld. Toen ze bij het restaurant
aankwamen kon ze pas uitstappen nadat hij de deur had geopend.
'Kinderslot', had hij gezegd met een lach die toen volstrekt onschuldig leek.

– Hoe oud ben je? gaat hij verder.

– Zesendertig.

Dat is in ieder geval een ongevaarlijk antwoord. De man van wie
ze denkt dat hij Josh heet, hoewel ze natuurlijk niet weet of dat zijn
echte naam is, plotseling weet ze niets meer zeker, kijkt niet meer
naar haar maar zit voorovergebogen met zijn armen op het stuur in
de verte te staren, voorbij de termietenheuvel.

– Ik ben eenenveertig. Weet je wat er tijdens mijn leven is gebeurd?

Opeens realiseert Ellen zich dat ze haar antwoorden nauwkeurig
moet afwegen. Welk antwoord is gevaarlijk?

– Misschien niet wat jij bedoelt, oppert ze voorzichtig.

– Ik ben in 1963 geboren, op 22 november. Weet je wat er op
die dag is gebeurd?

– Nee.

– Op die dag is President Kennedy in Dallas, in de staat Texas,
doodgeschoten. Ik heb wel eens gedacht dat dat een teken was,
alsof ik zijn taak moest overnemen. Geloof je in zulke tekens?

– Dat weet ik niet zo precies …

– Maar dat is niet wat ik wilde zeggen.

– Nee?

– Stel dat men in 1963 naar onze tijd had kunnen kijken, wat had
men dan gezien?

– Ik weet het niet.

Een warme druppel bloed glijdt langs haar been omlaag en eist
haar aandacht op. Ze is bang. Ze moet uitstappen om haar tampon
te verwisselen, want zo meteen zit de hele stoel onder het bloed. Of
maakt dat nu toch niets meer uit?

– Stel dat iemand aan die mensen in 1963 zou hebben verteld
dat er één generatie verder geen ochtendgebed meer op school
zou worden opgezegd en dat men condooms aan kinderen zou
uitdelen. Stel dat hen was verteld dat kindermoord en euthanasie

zouden zijn geaccepteerd en tegelijkertijd Gods naam en alle christelijke feestdagen zouden zijn afgeschaft. En dat er overal moskeeën zouden zijn gebouwd! En dat mannen met mannen en vrouwen met vrouwen zouden kunnen trouwen, wat uitdrukkelijk tegen het woord van God ingaat, terwijl het heilige gezin terrein verliest en de helft van alle huwelijken op een scheiding uitdraait. En dat alles in één generatie. Wat zal de volgende stap zijn, en de volgende, als we dit geen halt toeroepen?

Hij praat op een beheerste maar indringende toon. Als een soort predikant.

– Een halt toeroepen? Op welke manier?

– De Bijbel moet terugkomen als ons enige wetboek. We zullen Gods woord weer moeten naleven. God zal de christelijke leiders vertellen wat juist is en de christelijke leiders zullen dit aan het volk doorgeven.

Ellen schuift onrustig op haar stoel heen en weer. Ze is bang. Het is bijna nog beangstigender als hij zo rustig en beheerst praat, dan lijkt hij nog gevaarlijker. Ze denkt koortsachtig na wat ze het beste kan zeggen, hoe ze hem zo naar de mond kan praten dat zij hier in elk geval kan wegkomen.

– Hoe dan? Er staan zoveel verschillende dingen in de Bijbel.

– Ik denk dat de tien geboden al afdoende zouden zijn, maar op dat gebied ben ik geen expert. Dat mogen anderen beoordelen. Het belangrijkste is dat Gods wet gaat gelden en niet die van het volk. Wij christenen zijn toch door God opgeroepen de macht op aarde over te nemen en de enige waarheid te verkondigen, zodat Jezus in al Zijn glorie kan terugkeren. En dat zal niet lang meer duren, dus we moeten opschieten.

Hij lijkt wat te zijn bedaard en heeft haar tijdens zijn hele betoog nauwelijks aangekeken. Ze hoopt dat het zo genoeg is geweest, dat ze nu mag uitstappen om te plassen en haar tampon te verwisselen en dat hij dan zo is gekalmeerd dat ze kunnen terugrijden. Ze zou hem kunnen aanbieden dat zij terugrijdt. Het zou beter zijn als zij achter het stuur zou mogen zitten. Misschien zou ze zelfs zonder hem kunnen wegrijden.

– Het spijt me, Josh, zegt ze, terwijl ze voorzichtig de mouw van zijn overhemd aanraakt. Ik moet naar het toilet.

Ze lacht geforceerd en doet alsof ze een grapje maakt.

– Denk je dat er hier zoiets te vinden is?

– Je zult even moeten wachten, zegt hij bevelend. Het kan nuttig voor je zijn eindelijk eens te luisteren.

Hij strekt zijn arm uit naar de achterbank waar al die tijd een tas heeft gelegen. Hij haalt er een groot fotoboek uit met de titel 'Bewijs van een moordzaak'. Op de omslag staart een bijna voldragen vrucht recht in de camera. Het dode lichaam zit vol sneeën en de navelstreng is blauw. Bij de foto staat de tekst 'Danny, in zijn zevende levensmaand door zijn eigen moeder vermoord.'

– Blader! beveelt hij.

Ze bladert. Ze heeft de foto's al eens eerder gezien. Een heleboel anti-abortuswebsites, de meeste afkomstig uit Amerika, zetten steeds nieuwe foto's van geaborteerde baby's op hun site onder de rubriek 'Het laatste nieuws'. Ze weet dat, want ze heeft zelf ook wel eens zo'n site bezocht. Dit boek in koffietafelformaat is echter ongewoon mooi in kleurendruk uitgegeven. Maar dan ziet ze dat er een aantal bladzijden uit het boek is gescheurd en het ziet ernaar uit dat het in grote haast of met veel woede is gebeurd. Een paar foto's zitten er nog voor de helft in, maar van andere is er alleen nog een scherp randje over in het midden.

Iemand heeft de foto's eruit gerukt en ze gebruikt.

Om ze bijvoorbeeld in een stukgesneden autoband te steken.

– Ik snap heel goed dat je je hier boos over maakt, zegt ze, terwijl ze probeert kalm over te komen. Het moet zwaar voor je zijn, met jouw verleden. We moeten er uitgebreid over praten, als we in de stad terug zijn. Maar ik moet nu echt uitstappen, anders gebeurt er hier op de stoel zo meteen een ongeluk.

– Ga maar, zegt hij, terwijl hij haar nog steeds niet aankijkt.

– Denk je dat het niet gevaarlijk is, qua leeuwen?

– Zie jij die dan?

– Nee, maar denk je dat ze hier zitten?

– Hier zitten geen leeuwen!

– Maar je zei …

– Ik weet wat ik zei. Het belangrijkste is dat hier geen mensen zijn.

Tampa Florida, VS
28 februari 2004

En weet u, vanaf toen ging het helemaal mis.

Ik checkte in bij het kleine motel net buiten Tampa, precies zoals Martin me had opgedragen, en hoorde bij de receptie dat er een tweepersoonskamer voor me was gereserveerd. Het voelde goed dat hij voor een tweepersoonskamer had gekozen. Hij zou nu snel komen. Ik nam een douche, trok schone kleren aan en ging op bed liggen wachten. Het seringpaarse jurkje legde ik op het andere bed. Martin had gezegd dat hij stipt om vijf uur zou bellen, maar omdat we niet wisten op welke dag ik precies zou aankomen duurde het drie dagen voor ik pas echt ongerust werd. Ik keek ondertussen voornamelijk tv.

Het meisje bij de receptie, Judy heette ze, was zo lief dat ik haar ten slotte vertelde dat ik wachtte tot mijn aanstaande man zou komen, maar dat ik me ongerust begon te maken omdat hij niets van zich had laten horen. Ik zei dat ik hoopte dat God over hem waakte en dat hoopte zij ook. We knielden zelfs samen een moment achter de balie van de receptie en baden dat God Martin zou steunen en beschermen. Ze vond het een beetje merkwaardig dat ik helemaal geen telefoonnummer van hem had, en daar had ze wel gelijk in, hoewel ik wist dat we voorzichtig moesten zijn. En bij het Heilig Kerkgenootschap kreeg ik nog steeds geen gehoor, maar door Judy voelde ik me in elk geval iets beter. Ik zat meestal bij de receptie waar we samen kletsten en tv keken. We merkten dat we veel gemeenschappelijke opvattingen hadden en ze bleek lid van dezelfde kerk als Martin en ik te zijn, alleen van een andere gemeente. Ik vroeg of ze hem kende, en ze zei van niet, maar ze begon zo hevig in haar papieren te bladeren dat ik wat gevoelens van jaloezie naar boven voelde komen. Maar hij kwam helemaal niet, noch naar mij, noch naar haar, dus waarschijnlijk had ik me om niets druk gemaakt.

Op de vierde dag was ik misselijk van angst. Ik was naar de stad geweest om een krant te kopen en las in de Washington Post dat ze hadden ontdekt dat de rechter niet door een natuurlijke dood was gestorven – wat is in dit goddeloze land een 'natuurlijke dood'! – en dat ze mij verdachten, of in elk geval de vrouw die bij hem had schoongemaakt, maar ze wisten natuurlijk niet dat ik dat was. Niemand leek te weten wie ik was. En dat was mooi, maar waar was Martin!?

Judy en ik lazen samen in de Bijbel, want dat zou me misschien een beetje kalmeren. Ik kon natuurlijk niet vertellen dat ik me ook nog zorgen over andere dingen maakte, en had de Washington Post in een prullenbak op het plein gegooid, zodat ze niet zou zien wat ik las, maar het voelde toch fijn dat ik iemand had om mee te praten. Ze wees me een aantal hoofdstukken in de Bijbel aan die over verantwoordelijkheid en boete gingen en ik las de hele nacht door en dacht na over wat ik het beste zou kunnen doen, voor Jezus en voor Martin. Ik bad, maar ik kreeg geen antwoord.

Zou het mogelijk zijn dat zowel Martin als God me hadden verlaten? Dan had ik niets meer om voor te leven.

Op een dag kwam de politie. Ik logeerde inmiddels al tamelijk lang in het motel maar was het besef voor tijd een beetje kwijtgeraakt en kon net op tijd van de bank bij de tv opstaan om naar de gang te glippen. Ik begreep dat ze mij zochten, maar Judy wist niets over een meisje met lang blond haar en een spijkerbroek, althans, dat zei ze. Ik was immers een brunette met een bloes en een rokje.

Daarna werd ik steeds banger en voelde ik dat ik niet verder wilde leven. Ik probeerde een aantal kinderziekenhuizen te bellen om te horen wat er met mijn dochtertje was gebeurd, maar omdat ik niet wilde vertellen wie ik was kreeg ik geen informatie.

Op de laatste avond dacht ik dat ik Martin buiten op de parkeerplaats in een auto zag zitten, maar dat moet ik me hebben ingebeeld, want toen ik naar buiten liep reed de auto weg en Judy had niemand gezien, zei ze, maar omdat ik al zo lang in het motel logeerde wilde ze me voor dezelfde prijs een betere kamer aanbieden. Ik kreeg een kamer met twee grote bedden en een badkamer met ligbad. Op de rand van het bad lag een pakje scheermesjes dat een gast vermoedelijk had lagen liggen. Ik liet het bad vollopen en hing *de seringblauwe jurk in de kast – de rest weet u. Ik neem aan dat Judy de ambulance heeft gebeld.*

U klaagde steeds dat ik niet met u wilde praten en u niets wilde vertellen. Omdat u zo aardig bent geweest en steeds naar me toe bent gekomen heb ik besloten toch mijn verhaal met u te delen. Als u deze band krijgt betekent het dat ik heb besloten dat ik net zo goed alles kan vertellen. Misschien dat u dan iets beter begrijpt waarom het allemaal zo is gelopen.

Als u deze band niet krijgt ligt hij ergens op de bodem van een meer of in een prullenbak te smeulen, en dat hoop ik maar, want dat zou betekenen dat ik samen met Martin op weg ben naar het noorden. Dan laten we mijn bruidsjurk bij een snelstomerij reinigen en halen daarna mijn dochtertje op.

Martin belde gisteren naar de afdeling waar ik lig, stipt om vijf uur, en zei tegen de verpleegster dat hij mijn oudere broer was. Toen ik hem aan de lijn kreeg zei hij dat het hem zo speet dat hij niet op tijd was geweest. Ik voelde me dolgelukkig toen ik zijn stem hoorde en hij zei dat hij de hele tijd aan me had gedacht. Hij was voor een belangrijke opdracht van God naar Afrika geweest. Ik zei dat ik dat begreep en dat er niets ernstigs was gebeurd, ik had gedaan wat ik moest doen en had er met niemand over gesproken.

De afdelingsverpleegster was blij dat er iemand van zich had laten horen en me wilde komen bezoeken. Morgen is Martin hier en dan komt alles goed. Als ik mijn ogen dichtdoe zie ik zijn gezicht voor me, dat gezicht waar ik zo veel van houd. Zijn mooie lach en zijn charmante oog, dat zo lief loenst. Ik ben mijn spullen alvast aan het inpakken.

Lower Zambezi, Zambia
24 februari 2004

– We moeten blijkbaar een poosje wachten, zegt Josh verbeten en Ellen zou haar ogen willen sluiten maar dat durft ze niet.

Ze is banger dan ze in haar hele leven ooit is geweest, banger dan die nacht in die studentenkamer, maar alles is in één en dezelfde film veranderd, beelden van de kapot gescheurde bloes, de bruine sprei en de hijgende puistige Marcus boven op haar vermengen zich met de contouren van de stekelige boom en het glimmende witte overhemd verderop bij de auto.

Hij heeft haar vastgebonden en een stuk tape strak over haar mond geplakt.

Voor alle zekerheid, mocht er een of andere stroper met gespitste oren rondlopen.

Toen ze op haar hurken achter een boom zat, waarbij het bloed uit haar druppelde en ze de overvolle tampon onder een steen legde, was hij naar haar toegekomen. Ze zocht in haar rugzak naar een tissue en had de plastic tas met het mollige houten nijlpaard eruit gepakt en naast de boom gelegd. Het leek een eeuwigheid geleden dat ze dat had gekocht, in een ander leven.

Josh had een keukenrol in zijn hand. Ze stak haar hand uit om hem aan te pakken, maar hij wilde hem niet geven.

– Oh ja, had je dat gedacht? zei hij.

– Ja, zei ze, terwijl ze niet wist of dit een goed of een slecht antwoord was.

Ze is in elk geval niet zwanger en is niet van plan een abortus te ondergaan, dat kan ze hem garanderen.

– Bloedt het constant of alleen af en toe?

Een merkwaardige vraag, maar als je nog nooit ongesteld bent geweest kun je dat natuurlijk niet weten.

– Af en toe.

– Dan zal het nu dus wel weer een tijdje ophouden.

– Ja, maar je weet nooit precies wanneer het weer begint.

– Dat zien we dan wel weer.

Ze stond onhandig op om haar onderbroek omhoog te trekken. Op dat moment haalde hij het touw tevoorschijn. Ze begreep nog steeds niet precies wat hij van haar wilde en besefte dat ze zich nauwelijks zou kunnen verdedigen, want hij was veel te groot en sterk, en waar zou ze in een nationaal park, waar op alle borden werd gewaarschuwd vooral in de auto te blijven, naartoe moeten rennen?

Hij was niet zozeer gewelddadig als wel zeer vastberaden.

En nu zit ze hier onder een stekelige boom in de Afrikaanse namiddagzon, haar armen vastgebonden aan de boom en een stuk tape over haar mond waarin nauwkeurig een inkeping voor haar neusgaten is gesneden, zodat ze kan ademhalen. 'Denk je dat ik je dood wil hebben? Nee, nog niet, tenminste'.

Ze schrikt erg van het mes, dat er vlijmscherp uitziet en waarmee hij bijna geruisloos het stevige elektriciteitstape onder haar neus heeft weggesneden. Hij lijkt niet zo bedreven met het mes, draait het verschillende keren in zijn hand om een betere grip te krijgen. Is dit een goed of slecht teken? Kun je beter een ervaren messentrekker hebben dan een klunzige? Ze realiseert zich dat dit een idiote vraag is. De ene messentrekker is niet beter dan de andere. Ze zijn allemaal levensgevaarlijk. Dit is verdomme geen droom.

Toch is het mes het ergste niet.

Het ergste is haar kruis. Hij is op zijn knieën gaan zitten en heeft haar benen ruw uit elkaar geduwd. De nieuw ingebrachte tampon heeft hij er met een harde ruk uitgetrokken. Hij heeft haar voeten met touw aan twee boomstronken vastgemaakt. Daar zit ze, vastgebonden, haar benen wijd. Hij heeft keukenpapier, gras, aarde, alles wat hij heeft kunnen vinden in haar vagina gestopt.

Hij staat op en doet een paar passen achteruit. Zijn witte overhemd is vlekkerig en stoffig en zijn keurige broek heeft zwarte knieën. Het zweet loopt over zijn gezicht en de rug van zijn overhemd is doorweekt. Hij zegt niets maar haalt hijgend adem. Zijn bewegingen zijn schokkerig en agressief, hij rukt en trekt aan haar benen om er beter bij te kunnen. Ellen kreunt onder het tape en probeert oogcontact met hem te krijgen, maar hij is volledig op zijn taak geconcentreerd.

Haar onderlichaam doet pijn en ze probeert tevergeefs, vol schaamte, haar vastgebonden benen, die branden in de zon, naar elkaar toe te duwen. Ze is doodsbang en de takken van de stekelige boom geven nauwelijks schaduw.

– Ik zal je helemaal uitdrogen, zegt hij, waarbij zijn adem stootsgewijs elk woord naar buiten pompt. Ik heb dat al een keer uitgeprobeerd en dat was, precies zoals je had gezegd, erg lekker. Je bloedde toen ook een beetje, maar je voelde er niets van omdat je bewusteloos was. Dat was dus geen echte straf. Dit keer zal ik je neuken totdat je scheurt en kapotgaat, zodat je zelf een beetje de pijn zult voelen die je mijn kinderen bezorgt als je ze met je tangen en pompen naar buiten trekt. Maar eerst moet je volledig droog zijn.

Op hetzelfde moment dat hij zich naar voren buigt om het papier eruit te trekken en te controleren of het bloeden is gestopt, hoort ze verderop een auto krachtig optrekken.

De parkwachter is ingedut en schrikt wakker als er aan de andere kant van het hek wordt getoeterd. De zon is net aan het ondergaan en de bewaker sjokt slaperig naar beneden om het hek open te doen. Het enige wat hij ziet zijn twee achterlichten van een grote auto die slippend optrekt en weer in het park verdwijnt. De bewaker denkt de politiewagen te herkennen, maar hij is er niet helemaal zeker van.

Veel verder komt hij niet met zijn gedachten, want opeens ziet hij een eindje verderop langs de kant van de weg een soort bult liggen. De bult beweegt niet en heeft ongeveer de grootte van een menselijk lichaam. Opeens herinnert hij zich de exacte formulering van het reglement dat hij bij zijn aanstelling uit zijn hoofd heeft moeten leren: 'Een dienstdoend parkwachter mag nooit zijn post verlaten.'

In deze lastige en misschien zelfs gevaarlijke situatie, die een eenvoudige parkwachter in de problemen zou kunnen brengen, lijkt deze regel van toepassing. Hij loopt naar het wachthuisje en belt zijn chef.

Tien minuten later komt de parkchef aanrijden. Hij parkeert zijn open Landrover bij het wachthuisje en dankt zijn ondergeschikte voor dit wijze besluit. De chef knapt dit soort klusjes het liefst zelf op. Als er te veel mensen te veel weten, komen er praatjes van en daar is niemand bij gebaat. Het is een ramp als een of andere toerist door een buffel is gegrepen of door een slang is gebeten – dat ze niet in hun auto kunnen blijven zitten! Iedere keer dat een blanke avonturier zijn auto uitstapt wordt de reputatie van het park ernstig bedreigd.

De parkchef is ervan overtuigd dat hij maar beter als eerste en als enige van ongevallen op de hoogte kan zijn, zodat eventuele schade kan worden voorkomen.

De bewaker wijst naar de weg en zijn baas doet een zaklantaarn aan. De lichtstraal schijnt op de rode aarde en blijft even bij het diepe bandenspoor stilstaan. Het licht straalt verder het park in en komt tot stilstand. Langzaam loopt de chef in de richting van de vieze bruine bult. De deken is om iets groots gewikkeld en uit een spleet golft een streng lang bruin haar.

De chef geeft voorzichtig een duwtje met zijn schoen en de bult beweegt. Met bonkend hart buigt de man zich voorover en trekt voorzichtig een punt van de deken opzij terwijl hij de zaklantaarn in zijn trillende linkerhand houdt. Wat hij in het witte licht ziet is vele malen erger dan een door een slang gebeten avonturier. Veel erger dan hij zich had kunnen voorstellen.

De vrouw ademt, maar haar starende ogen lijken niets te zien en ze reageert niet op zijn stem. Als de chef de deken probeert op te tillen geeft ze er een ruk aan en begint zachtjes te jammeren. Onder haar bh-bandje zit een briefje geschoven.

'Ze is in shock, maar niet ernstig gewond. Ze logeert in Hotel Pamodzi, kamer 612. Bel mevrouw Blessing op telefoonnummer 567 43 21 en vraag haar u daar te ontmoeten.'

Terwijl de chef zijn auto haalt besluit hij, als het menselijkerwijs mogelijk is, dit geheim te houden.

Tampa, Florida, VS
2 maart 2004

– Pastoor Gonzales! Wat goed dat u bent gekomen. Ik was net van plan u te bellen. Het heeft geen zin daar naar binnen te gaan, want ze is er niet meer. We hebben haar helaas toch verloren.

– We hadden haar toch beter in de gaten moeten houden, dat zien we nu in, maar we hadden de indruk dat het zoveel beter met haar ging. Nadat haar broer haar had gebeld was ze meteen een stuk vrolijker, ze wilde gaan douchen en begon weer te eten. Het leek alsof er sprake was van een ommekeer. Ze zei dat ze werkelijk weer wilde leven.

– Later, toen haar broer was vertrokken, zijn we bij haar geweest en ze leek heel rustig en evenwichtig. Hij had een fles met een of ander buitenlands drankje voor haar meegenomen, daar had ze een glaasje van gedronken en ze klonk vrolijk. Nu wist ze wat Gods bedoeling was, zei ze.

– Begrijpt u wat ze daarmee bedoeld kan hebben? Kan ze hebben gedacht dat God wilde dat ze zou sterven?

– Want vanmorgen konden we haar niet wakker krijgen. Ze moet gisteravond al zijn gestorven. De nachtzuster weet zeker dat er niemand anders in haar kamer is geweest. Het moet haar dus toch zijn gelukt het zelf te doen. De politie is langs geweest en er zal sectie op haar lichaam worden verricht. We gaan proberen contact met haar broer op te nemen, maar hij heeft geen adres achtergelaten.

– Maar zij heeft voor u een enveloppe neergelegd. Het voelt alsof er een cassettebandje in zit. Ik neem aan dat dit onder de zwijgplicht valt, dus heb ik niets tegen de politie gezegd.

– Het is zo zonde van zulke jonge mensen.

Lusaka, Zambia
25 februari 2004

Het lauwe water omhult Ellens lichaam en Blessing waggelt de badkamer in en uit. Soms met een kop thee, soms met een handdoek en soms alleen met een enorme klaagzang.

Ellen kan zich van de tocht naar het hotel nauwelijks iets herinneren. Het laatste wat ze nog weet is dat de auto van Josh in een stofwolk verdween en dat ze de motor van een andere auto hoorde. Daarna herinnert ze zich een donkere man in een kakikleurig pak die haar in een andere auto tilde. Zijn vraag of ze naar het ziekenhuis wilde klonk nauwelijks oprecht en nee, ze wilde niet naar het ziekenhuis. Ze wilde alleen maar terug naar het hotel. Ze wilde zich in haar kamer opsluiten, zich wassen en gaan slapen.

De auto hobbelde over de onverharde weg en tegen de tijd dat ze bij de grote weg waren aangekomen, was Ellen in slaap gevallen. Bij het hotel vroeg de man of ze zelf naar binnen kon lopen en tot zijn verbazing kon ze dat. Ze waggelde de foyer van het hotel in, de vieze deken om haar onderlichaam gewikkeld. De man kwam achter haar aan met haar rugzak en een klein plastic tasje waarin een mollig houten nijlpaard zat.

De portier kwam haastig aanlopen, maar Blessing zat op de uitkijk en was er als eerste bij. Ze bedankte de man met een knikje, pakte de rugzak en het nijlpaard aan, maakte een afwijzend gebaar naar de portier en sloeg een beschermende arm om Ellens schouders. Ze leidde Ellen naar de lift, drukte op de knop en ondersteunde haar tijdens de wandeling in de oneindig lange gang naar de hotelkamer. Daar kleedde ze haar vriendin voorzichtig uit en begeleidde haar naar de badkamer.

– Ik zou je kunnen afspoelen, zegt ze met een luide en duidelijke stem, alsof Ellen doof of niet helemaal goed bij haar hoofd is. Wil je dat?

Ellen knikt.

– Wil je aangifte doen bij de politie? Want in dat geval moeten we het bewijs niet vernietigen.

– Aangifte? Bewijs?

De gedachte alleen al. Een Zambiaans politiebureau, in deze staat, met vragen waarom ze met wie waarheen was gereden – nee, ze wil absoluut geen aangifte doen. Het enige wat ze wil is schoon worden.

Na een hele tijd, ze heeft geen idee hoe lang, is het badwater zo goed als koud. Blessing rommelt wat in de kamer en komt af en toe de badkamer in om achter het douchegordijn te kijken.

– Hoe gaat het? Wil je opstaan?

Ellen wil nooit meer opstaan, maar ze rilt in het koud geworden badwater en heeft pijn in haar onderlichaam. Bovendien voelt ze dat er een nieuw stroompje menstruatiebloed onderweg is.

Ze verlangt naar een zacht bed met schone lakens.

Als Ellen wakker wordt zit Blessing in een stoel bij het balkon. Haar zware hoofd hangt voorover en ze snurkt zachtjes. Buiten is het aardedonker en in het hotel is het doodstil. Ellen ziet aan de lichtgevende cijfers van de wekkerradio dat het vier uur is. Voorzichtig probeert ze op te staan om naar het toilet te gaan. Haar benen trillen en ze moet met haar handen tegen de muur steunen om te kunnen lopen. Blessing heeft een flink maandverband in haar onderbroek gedaan. Die gooit ze weg en ze zoekt naar het doosje tampons. De urine stroomt zachtjes de toiletpot in, vermengd met bloed. Het doet pijn, maar Ellens professionele hersenhelft schat in dat ze geen ernstige inwendige verwondingen heeft opgelopen. Maar waarschijnlijk zal ze nog even met tampons moeten wachten. Blessing staat in de deuropening met een schoon maandverband. Ellen bedankt met een knikje.

Als Ellen weer in bed ligt wil Blessing haar instoppen, maar Ellen wil per se rechtop zitten. Blessing schuift alle kussens achter Ellens rug.

– Dank je wel dat je bent gekomen, zegt Ellen met een heel dun stemmetje. Hoe wist je het?

– Ik ben gebeld door iemand van het *National Park*.

– Hoe wisten ze dat ze naar jou moesten bellen?

– Misschien hadden ze me in je adressenboekje gevonden?

– Maar dat ben ik verloren.

– Nee hoor, het zit in je rugzak. Ik heb het gevonden toen ik naar je kamersleutel zocht.

Ellen wil nu zeker weten of het boekje echt in haar tas zit. Hoe kan ze dat hebben gemist? Ze heeft haar rugzak minstens tien keer doorgespit, maar Blessing heeft gelijk, onder in haar rugzak ligt het groezelige boekje.

– Moet je niet naar huis? De kinderen hebben je toch nodig?

– Nee, ik heb met de huishoudster gesproken. Zij zorgt vannacht en morgenochtend voor iedereen. Ik blijf hier. Je kunt nu niet alleen blijven. Kun je vertellen wat er is gebeurd?

Langzaam begint Ellen te vertellen. Over Josh, hoe ze hem heeft leren kennen, hoe hij haar heeft misleid, hoe dom ze is geweest en wat zich heeft afgespeeld.

Blessing heeft de hele nacht zitten piekeren of haar verraad iets met Ellens aanranding te maken heeft. Of de man van het geneesmiddelenconcern zich misschien aan haar heeft vergrepen. Maar ze kan het plaatje niet rond krijgen, waarom zou hij Ellen iets willen aandoen?

Het wordt stil. Ellen heeft geen puf meer om te praten, of te denken. Blessing heeft nog miljoenen vragen, maar ze begrijpt het. In de toilettas in de badkamer vindt Blessing een slaappil. De vrouw in het bed draait zich naar de muur en kruipt in de foetushouding. Het enige wat ze wil is slapen.

Blessing opent de balkondeur naar de zwarte nacht. Het bouwplastic dat nog over was is inmiddels door de wind stukgewaaid en Blessing trekt het weg zodat ze uitzicht heeft op de stad. Met haar voet voelt ze iets vreemds en ze doet het balkonlicht aan om het te kunnen zien. Het is een kleine piramide van ronde stenen. Het heksenteken. Woedend schopt ze de piramide kapot en gooit met alle kracht die ze in zich heeft de stenen over de rand van het balkon. Ze belanden met een kleine plons in het zwembad.

– Wat doe je? vraagt Ellen nauwelijks hoorbaar.

– Niets, antwoordt Blessing. Probeer maar te slapen.

Blessing is in slaap gedommeld maar wordt wakker van Ellen die in haar slaap ligt te kreunen en met een strak verbeten gezicht onrustig heen en weer beweegt. Ellen droomt en het is geen fijne droom.

Blessing trekt het dekbed weer over het gespannen lichaam. Ellen schudt met haar hoofd en er biggelt een traan over haar bleke wang. Het hotelbed is breed en voorzichtig duwt Blessing haar vriendin een stukje naar de muur toe en gaat met haar grote lichaam naast haar liggen. Zachtjes streelt ze Ellens rug terwijl ze een oeroud wiegenliedje neuriet. Als het gezang de boze droom heeft verjaagd ontspant Ellens lichaam.

De zon wekt de beide vrouwen in het bed. Ellens hoofd ligt op Blessings brede schouder.

– Dank je wel dat je voor me zorgt, zegt Ellen.

– Als je me nooit zult kunnen vergeven heb ik daar alle begrip voor, zegt Blessing. Ik geloof dat ik mezelf niet eens kan vergeven. Dat Puni en de andere meisjes dood zijn is mijn schuld en daar kom ik nooit meer van af.

– Dat is waar, zegt Ellen. Het is jouw schuld, maar ook die van mij.

Tot haar verbazing wil ze Blessing troosten.

– Je kunt nooit zeker weten of ze anders niet op een andere, misschien veel pijnlijkere manier waren gestorven.

Dat helpt niet.

Blessing komt overeind en snuit luidruchtig haar neus in de zakdoek die ze in haar hand heeft geklemd.

– Ik snap alleen niet waarom je het gedaan hebt, zegt Ellen. Waarom ben je er zomaar ingetrapt?

– Ik zal wel dom en goedgelovig zijn.

– Nee, dat ben je niet. Geen van beide. In dat geval ben ik minstens even dom geweest. Gaat het om geld?

Nu is Ellen ook overeind gekomen en leunt tegen de muur. Met moeite buigt ze haar pijnlijke benen, schuift haar knieën onder haar kin en vouwt haar armen eromheen. Ze beschermt haar bloedende onderlijf.

– Ja, dat ook, dat valt niet te ontkennen. Maar ik denk dat ik me vooral enorm gevleid voelde. Dat een of andere hoge piet uit de Verenigde Staten juist mijn hulp wilde hebben.

– Hoeveel geld heb je gekregen?

– Dat maakt nu toch niets meer uit.

– Dan kun je het net zo goed vertellen, ik weet nu toch alles.

– Oké. Vijfenzestigduizend dollar.

– Contant?

– Ja. In dollarbriefjes. Ik wil geen kwacha's of geld op de bank hebben en het door inflatie weer kwijtraken.

– Wat kun je met zo'n bedrag doen?

– Al het schoolgeld voor de kinderen betalen, tot de middelbare school.

– Zo. Dan heb je mijn hulp voor Hope dus niet meer nodig.

Ellen hoort hoe gekwetst en bitter haar stem klinkt.

– Ik misschien niet, maar zij wel. Ik wil me helemaal niet verontschuldigen, zegt Blessing, want het valt niet te vergeven, maar armoede speelt wel de hoofdrol in dit land. Eer en moraal zijn essentieel, maar als je geen eten voor je kinderen hebt is dat belangrijker. Ik geloof dat je dat af en toe moeilijk kunt begrijpen.

Lower Zambezi, Zambia
24 februari 2004

De vuurplaats is klein en het vuurtje nog kleiner. Een paar gloeiende dunne takjes houden het brandend, maar iedere keer als de man er een nieuwe prop papier op gooit laaien de vlammen op. Het gaat langzaam, want voor hij de informatie door de vlammen laat verteren leest hij iedere pagina eerst nauwkeurig door:

James 'Jim' Carter alias Joshua 'Josh' Smith, geboren in Iowa, in de Verenigde Staten.

De familie verhuisde naar Zambia toen James zes jaar was en zijn vader een aanstelling kreeg als missionaris. Vermoedelijk werd dominee Carter vanuit de parochie in zijn thuisland overgeplaatst vanwege geruchten over ongepast gedrag. Mevrouw Carter had haar man toen al een aantal keer wegens mishandeling van haarzelf en haar zoon bij de politie aangegeven, maar iedere keer had ze de beschuldiging ingetrokken en was het vooronderzoek stopgezet. De zoon werd nooit grondig verhoord.

Van de gebeurtenissen in Zambia zijn geen officiële documenten maar de leraar van James op de missieschool heeft met de ouders meerdere malen serieuze gesprekken gevoerd over het gedrag van hun zoon. De jongen was zeer begaafd en kon erg charmant zijn, maar was ook een ruziezoeker en vertoonde sadistische trekjes, zei de leraar, en ter illustratie noemde hij het pesten van schoolkameraadjes en de bloedige executie van kleine dieren. 'Jim lijkt niet te snappen of zich er druk om te maken dat hij anderen pijn doet of bang maakt' zei de leraar. De vader wuifde de klachten weg en de moeder was in het algemeen niet geïnteresseerd. (Kopie van een interview met de leraar in bijlage 1)

James had geen broers of zussen. Toen hij veertien jaar was keerde de familie terug naar de Verenigde Staten en gingen de ouders uit elkaar. James woonde met zijn moeder en haar familie in Florida, en zijn vader verdween voorgoed uit zijn leven. De man overleed tien jaar later aan een hartinfarct. Zijn moeder werd een aantal malen voor alcoholisme behandeld, zonder opzienbarende vooruitgang, en haar zoon moest zich voornamelijk zelf zien te redden. Sinds zijn moeder en welgestelde opa zijn overleden heeft James Carter een economisch onafhankelijk leven kunnen leiden. Hij presenteert zich als freelance journalist maar heeft met zijn werk nauwelijks een cent verdiend.

Op een paar kleine overtredingen in zijn tienerjaren na is James Carter nooit voor enig delict veroordeeld, maar hij heeft met verschillende jeugdvrienden, die in het criminele circuit zijn terechtgekomen, contact gehouden en het is dan ook zeer aannemelijk dat deze oude vrienden hem onder andere aan wapens, explosieven en een vals identiteitsbewijs hebben geholpen, maar aangezien men Carters medeplichtigheid aan een misdrijf nooit heeft kunnen aantonen is dit verband niet verder onderzocht.

Toen Jimmy Carter, wiens opvattingen lijnrecht tegenover die van James Carter stonden, tot president werd gekozen, veranderde hij van naam. De naamsverandering werd niet via de formele weg doorgevoerd, maar met behulp van een vals identiteitsbewijs. De naam die in het paspoort staat, dat hij volgens de gegevens op dit moment in gebruik heeft, is Joshua Fitzgerald Smith. 'Joshua' naar de profeet uit het Oude Testament, 'Fitzgerald' naar John Fitzgerald Kennedy, omdat hij bijna op hetzelfde moment werd geboren dat Kennedy werd doodgeschoten, en 'Smith' omdat die naam anonimiteit uitstraalt. (Verteld door een jeugdvriend die in de gevangenis zit, zie bijlage 2.)

James Carter, tegenwoordig Joshua Smith, heeft langere periodes aan verscheiden hogescholen gestudeerd maar nooit een officieel examen afgelegd. Hij is getalenteerd maar kan zich moeilijk concentreren. Door zijn leraren en studiegenoten wordt hij omschreven als charmant en opgewekt, maar ook als snel geïrriteerd, machtsbelust en met een vrijwel volledig gebrek aan empathie. (Zie interview met een voormalig studiegenoot, bijlage 3.)

Vanaf het moment dat Josh zich bekeerde en lid werd van de Nieuwe Christelijke Beweging, groeide zijn betrokkenheid bij de anti-abortusbeweging, zowel in het openbaar als in het geheim. Hij schrijft regelmatig artikelen in het tijdschrift van de beweging en heeft geholpen met het opzetten van diverse militante websites. Zijn contacten in de onderwereld bleken interessant voor andere militante anti-abortusactivisten en er wordt aangenomen dat hij behulpzaam is geweest bij de aanschaf van explosieven en wapens die bij verschillende aanvallen op abortusklinieken zijn gebruikt.

Een groep gemaskerde jongeren, die een drogisterij in Fort Meyers in Florida binnendrongen waarbij ze alle anticonceptie-middelen en alle medische instrumenten die bij abortus worden gebruikt meenamen en 'Abortus = Moord' op alle ramen spoten, wordt ervan verdacht Josh Smith als organisator te hebben gehad en – mogelijk – als chauffeur.

Diverse activisten, die bij de Planned Parenthood-klinieken een baan namen om te infiltreren, informatiemateriaal te stelen en over verschillende activiteiten te kunnen rapporteren, hebben het over een 'begeleider' van wie het signalement met dat van Josh Smith overeen kan komen. Hij heeft echter steeds andere namen gebruikt, nooit verteld waar hij woont of andere informatie over zijn identiteit prijsgegeven, waardoor de politie hem niet heeft kunnen traceren. De infiltranten leken zelfs na hun bekentenis bang te zijn om iets over hun 'begeleider' te vertellen. De inzet van de politie is overigens ook niet erg groot geweest. (Zie politie-verhoor bijlage 4.)

Een loods van een van onze dochterbedrijven in Texas brand-de vorige lente tot de grond toe af. Het lukte ons de zaak stil te houden, maar de brand was aangestoken in het gedeelte waar de uitrustingen voor abortus lagen opgeslagen. Onder alle ruiten-wissers van de vrachtwagens van het bedrijf waren anti-abortus-pamfletten geschoven. Het artikel dat later op een van de websites van de beweging werd gepubliceerd was opvallend informatief, maar was niet ondertekend. Een terugkerende spelfout wees erop dat het door Josh Smith was geschreven, omdat hij eerder in wel gesigneerde artikelen dezelfde spelfout had gemaakt. (Zie uitdraai van het artikel, bijlage 5.)

Zelf is hij nooit opgepakt of zelfs maar door een getuige opge-merkt tijdens de overvallen. Hij wordt meer als het brein achter de organisatie beschouwd, een tactisch en strategisch denker, echter zonder groot doorzettingsvermogen. Ex-leden van de militante anti-abortusbeweging hebben getuigenissen afgelegd waarin ze over een man spraken die Josh Smith zou kunnen zijn, die onder verschillende namen werd gepresenteerd en aanwezig *was tijdens vergaderingen maar zich zelden anders uitdrukte dan in algemeen politieke termen. Een voorzichtige generaal. Onze informanten bij de FBI menen, op enkele details na, zeker te zijn van hun zaak.*

Daarbij heeft ons bedrijf een oud-medewerker opgespoord die contact met Josh Smith heeft gehad. De man, die eind januari ons bedrijf moest verlaten op verdenking van onrechtmatigheden, had per vergissing toegang gehad tot de informatie over de ontwikkeling van het nieuwe preparaat en de kanalen die worden ingezet om het product buiten het laboratorium te testen. Er wordt vermoed dat hij deze informatie aan Josh Smith heeft doorgespeeld in de veronderstelling dat Smith een journalist was die deze gegevens ten laste van ons bedrijf zou kunnen publiceren. Dit zou kunnen betekenen dat Josh Smith op de hoogte was van het werk in Zambia en dus de hele tijd precies heeft geweten naar wie hij op zoek was. Dat hij zich in Afrika bevindt lijkt absoluut geen toeval.

De samenwerking tussen de organisatie van Josh Smith en het meer militante anti-abortusnetwerk binnen de katholieke kerk wordt ook als bewezen beschouwd. Smith heeft bij verschillende gelegenheden het Vaticaan bezocht en heeft goede contacten met de organisatie Opus Dei. (Zie rapport van de veiligheidsdienst van het bedrijf, bijlage 6.)

Hieronder volgt enige informatie die vooralsnog onbevestigd is.

In de herfst van vorig jaar werd in een hotelkamer van een van de betere hotels in Fort Lauderdale, in Florida, een jonge vrouw dood aangetroffen. Ze was gewurgd. Na verloop van tijd kon ze als Mary Fletcher worden geïdentificeerd, een negentienjarig meisje dat al op achttienjarige leeftijd van huis was weggelopen en als schoonmaakster in een hotel in Miami had gewerkt. Volgens haar collega's was het een verlegen meisje en een streng belijdend christen en ging ze niet met leeftijdsgenootjes op haar werk om. Een van haar collega's dacht dat ze een vriendje had dat haar sloeg, want ze was wel eens onder de blauwe plekken naar haar werk gekomen.

Tijdens de lijkschouwing werd geconstateerd dat ze recent een abortus had ondergaan en zo kon via de Planned Parenthoodkliniek haar identiteit worden vastgesteld. Volgens de arts van de kliniek was Mary erg bang geweest, maar wel vastbesloten de abortus door te zetten. Ze had geweigerd haar besluit toe te lichten of te vertellen wie de vader was. 'Dat kunnen jullie maar beter niet weten' had ze gezegd, volgens de arts tijdens het politieverhoor.

De portier van het hotel in Fort Lauderdale, waar Mary zich samen met een man onder een valse naam had ingeschreven, gaf het signalement van een man dat met dat van Josh Smith kan overeenstemmen, maar er zijn geen vingerafdrukken gevonden en niemand anders heeft Mary met deze man gezien.

Langzaam maar zeker is het vooronderzoek stilgelegd wegens gebrek aan bewijs, maar gedeeltelijk ook omdat de ouders van Mary Fletcher, toen ze van de moord en de abortus op de hoogte waren gesteld, weigerden als eisende partij op te treden en zelfs vanaf de preekstoel in hun kerk publiekelijk verkondigden 'dat Mary Fletcher het recht had verloren hun dochter te zijn en door God was gestraft op een manier die Hij passend had gevonden'. (Zie samenvatting vooronderzoek, bijlage 7.)

Als – en we moeten hier benadrukken dat het slechts om een veronderstelling gaat die een zwakkere bewijswaarde heeft dan de rol van Smith in de anti-abortusbeweging – Josh Smith werkelijk Mary Fletcher heeft vermoord, dan is dat voor hem een grote stap geweest. Voor zover wij weten heeft hij nooit direct aan gewelddadige acties meegedaan, en zelf een moord begaan kan erop duiden dat de man die voorheen altijd op de achtergrond opereerde, alle remmen heeft losgegooid.

Wanneer mocht blijken dat Josh Smith zijn werkzaamheden naar Afrika heeft verplaatst, en er iets over zijn activiteiten daar kan worden verteld, zijn we uiteraard bijzonder geïnteresseerd.

Bij het overbrengen van elk vorm van informatie moet uiterste discretie in acht worden genomen.

Dit document moet na lezing onmiddellijk worden vernietigd. Geen handtekening.

Terwijl de man het vuur uittrapt komt er een grijs laagje as op zijn glimmende schoenen. De wind blaast een paar slierten verbrand papier omhoog die in de richting van de *Zambezi* dwarrelen. De man met de korte stekeltjes krabt op zijn hoofd en start de auto, dankbaar dat er geen leeuw is voorbijgekomen.

Lusaka, Zambia
27 februari 2004

Een licht loensende, goed geklede man gaat achter in de grote vertrekhal zitten. Hij heeft zijn bagage ingecheckt, zijn luchthavenbelasting betaald en is voorbij de paspoortcontrole gelopen, zonder enig probleem. In de taxfreeshop koopt hij een fles vruchtenlikeur voor zijn kleine zusje.

Hij pakt zijn mobiele telefoon en als hij er zeker van is dat er niemand in de buurt is die hem kan horen, kiest hij het landennummer van Italië gevolgd door een mobiel telefoonnummer.

De klus is geklaard. We hoeven ons over dit deel van de Duivelse macht geen zorgen meer te maken. Ik heb nog één klein zaakje af te handelen. Dat doe ik zodra ik thuis ben gekomen. Dank u wel. Moge God ook U zegenen, Vader.

Arlanda, Stockholm, Zweden
2 maart 2004

De koffer die Ellen van de band tilt is zwaar. Ze heeft geen enkele doos in de opslagruimte van het Pamodzi Hotel achtergelaten. Ze heeft ook alle kleding meegenomen. Geen beloften over een snelle terugkomst. Blessing zei niet veel toen ze Ellen naar het vliegveld bracht. Het zal een tijd duren voor de vrouwen elkaar weer zullen terugzien. Maar Ellen zal iedere maand geld voor Hope sturen. Dat is op dit moment het enige wat ze zeker weet. Verder zal ze wel zien hoe het loopt.

– Hoi lieverd!

– Hoi.

Ellen staat een lange tijd doodstil in Björns armen. Zijn koude winterjas voelt koel tegen haar gezicht. Met zijn handpalmen op haar wangen duwt hij haar een stukje van zich af. Hij doet haar bril af en kust haar op haar oogleden.

– Hoe is het?

– Het gaat wel.

– Hoe is het verder gegaan?

– Tja, niet echt goed natuurlijk, maar ik weet niet wat ik nog meer had kunnen doen. Ik moet er eerst verder over nadenken.

Björn neemt de bagagekar van haar over en rijdt naar de parkeergarage. Ellen loopt naast hem, haar hand op zijn arm. Ze staat nog niet helemaal stevig op haar benen.

Als ze hun appartement binnenkomen trekt Ellen haar gymschoenen uit die door de natte sneeuw doorweekt zijn. Haar sokken ook. Ze trekt ze uit en sloft op blote voeten naar de bank. Uit de keuken komt een lekkere geur. Björn heeft iets gebakken.

– Heb je honger? vraagt hij.

– Nee, ik heb in het vliegtuig gegeten.

Wil je dan iets drinken?

– Thee misschien. Thee met honing. Ik heb het een beetje koud.

Voor hij de waterkoker aanzet pakt hij een deken die hij om haar heen slaat. De thee is bijna op, zegt hij. En de melk ook. Hij zal straks boodschappen gaan doen. Wat zou ze willen eten?

Dat maakt haar niet uit. Hij mag het zelf bepalen.

Dan gaat hij tegenover haar in de versleten leren stoel zitten. Ze zeggen allebei niets.

Ellen kijkt om zich heen. Achter de ficus staat de houten giraf de kamer in te staren. Onder de eettafel liggen knäckebrödkruimels. Een vergeten adventsster voor het raam. Op de salontafel een hoge stapel sportbijlagen. Haar moeders geweven wandtapijt aan de muur bij de slaapkamerdeur. Zwaar besneeuwde boomtakken achter de gordijnen. Thuis.

– Hoe voelt het? vraagt hij ten slotte.

– Vreselijk. Dat we zo graag iets goeds wilden doen en dat het zo slecht heeft uitgepakt.

– We zouden toch wel iets moeten ondernemen – dat geneesmiddelenconcern aanklagen of in ieder geval die schurk opsporen? Hoe heette hij ook alweer? Josh? Denk je dat dat zijn echte naam is?

– Die zit vast al aan de andere kant van de aardbol. En hoe stel je je dat voor, aangifte doen, zonder dat ik zou moeten toegeven wat ik heb gedaan? Bij een Zambiaanse rechtbank? Denk je dat ze me dan nog laten gaan? En Blessing – wat zouden de gevolgen voor haar zijn? En hoe kunnen we onze bewijzen tegen zo'n groot geneesmiddelenconcern ooit hardmaken? Je weet dat we op geen enkele manier meer aan zo'n verkeerd verpakt doosje Magnecyl kunnen komen.

– Maar zo gemakkelijk kunnen ze er toch niet van afkomen?

– Oh nee?

Haar stem klinkt onnodig ironisch. Ze heeft er gelijk spijt van. Hij doet zo zijn best.

– Sorry, zegt ze. Je hebt gelijk. Ik vind het alleen allemaal zo ingewikkeld. Maar ik heb nagedacht. Ik denk dat ik uiteindelijk weer terug moet gaan. Met Beauty en de anderen moet gaan praten. Het uitleggen. Ik heb het gevoel dat ik daar een poosje zou moeten werken, alleen maar helpen, zonder dat ik een heleboel spullen meeneem. Op de een of andere manier iets terugdoen.

– Waarom?

– Dat ben ik ze verschuldigd.

– Denk je dat je welkom bent?

– Dat hoop ik wel. Ik zou ze moeten proberen uit te leggen wat er is gebeurd en hopen dat ze het begrijpen.

– En jezelf aan nieuwe gevaren blootstellen?

– Ach. Dat is toch niet zo gevaarlijk?

Björn loopt naar de keuken om thee te zetten. Hij komt terug met de aardewerken theepot die hij van zijn ouderlijk huis heeft meegenomen en twee witte bekers.

– Honing? vraagt Ellen met een piepstemmetje, waarna hij het potje gaat halen.

Ze roert in haar kopje en warmt haar handen aan het warme porselein, diep verzonken in schuldgevoelens en plannen over boetedoening, zonder enige aandacht aan Björn te schenken.

Ze luistert amper als hij praat, rustig en geconcentreerd.

– Wat zei je?

Ellen kijkt op en Björn herhaalt:

– Ik heb ook nagedacht. Ik zie in dat ik je niet kan stoppen als je met dit volstrekt krankzinnige plan wilt doorgaan. Maar dan zul je het zonder mij moeten doen. Aan jou de keuze.

– Wat bedoel je?

– Precies wat ik zeg. Aan jou de keuze.

Ellen voelt haar oude woede – jij-gaat-mij-niet-vertellen-wat-ik-moet-doen – omhoog borrelen.

– Denk je soms dat jij alles kunt bepalen?

– Nee, dat zeg ik niet. Ik kan je niet tegenhouden. Als je het absoluut wilt, kun je ermee doorgaan, hoewel ik het dwaas vind. Ik zal je niet verraden of aangeven of zoiets. Het is jouw keuze. Maar ik wil er niet naast staan en toekijken. Dat kan ik niet. Jij kiest jouw leven, maar ik moet het mijne kiezen.

– Ellen nipt aan de hete thee.

– Zouden we niet bij elkaar blijven in voor- en tegenspoed?

– Binnen redelijke grenzen, ja. Dat is in elk geval mijn interpretatie.

– Heeft het ook te maken met het krijgen van kinderen? Dat we helemaal geen onderzoek hebben laten doen en zo? Ik heb daar ook over nagedacht. Ik vind dat we een afspraak in het ziekenhuis moeten maken.

– Ja, daar heeft het ook mee te maken. Het hangt natuurlijk met elkaar samen. Jij hebt helemaal geen tijd voor kinderen, eigenlijk ook niet voor mij, je hebt jouw project en moet zo nodig de wereld verbeteren.

Björn is opgestaan en naar het raam gelopen. Hij praat verder met zijn rug naar Ellen toe.

– Ik snap dat je het allemaal met de beste bedoeling hebt gedaan, maar het is nou niet bepaald goed gegaan. Je probeert zowel in de kleine als in de grote wereld te leven. Dat valt kennelijk niet te combineren. Misschien moet je wel kiezen. En dat is nou precies wat ik bedoel. Ik heb de kleine wereld nodig, en daarin leef ik graag samen met jou. Aan jou de keuze.

De warme thee verwarmt haar niet meer. Ellen voelt zich in een hoek gedrukt. Ze wil de beslissing uitstellen, een time-out vragen, eerst met de anderen van de *Junta* praten, zorgen dat hij kalmeert en alles niet zo zwaar opneemt, met Blessing overleggen, er een nachtje over slapen…

Maar ze ziet in dat ze die tijd niet krijgt. Ze moet antwoorden.

– Is het niet voldoende als ik een afspraak maak voor een vruchtbaarheidsonderzoek?

– Nee, dat is niet voldoende.

Hij draait zich naar haar toe en ze ziet dat er niet met hem valt te onderhandelen.

– Je moet me beloven dat je met het project stopt en niet meer naar Afrika gaat.

– Eis je dat van me?

– Ja.

– Dan doen we dat maar, antwoordt ze vlak.

Ze staat op en brengt met ijskoude voeten haar theekop naar de keuken, terwijl ze over haar schouder zegt:

– Ik geloof dat ik even moet gaan slapen. Is dat goed?

– Natuurlijk, zegt hij, en zijn stem klinkt blij, ja enthousiast. Ik heb het bed verschoond.

Als Ellen tussen de naar lavendel geurende lakens is gekropen steekt Björn zijn hoofd door een kier van de deur.

– Trouwens, zegt hij, ze hebben van het Artsenverbond gebeld, je hebt een oproep voor de ethische raad. Het ziet ernaar uit dat ze je een soort verhoor willen afnemen.

– Dat moet maar even wachten. Ik denk dat ik me eerst maar eens een poosje ziek meld.

Washington DC, VS
8 mei 2004

Voor hij de dikke, witte enveloppe openmaakt trekt Inspecteur Stephen Chu van de politie van Washington eerst een paar plastic handschoenen aan. In de enveloppe zit een cassettebandje en een handgeschreven briefje:

Aan de politie,

Dit verhaal is mij in mijn functie van pastoor en zielenherder toevertrouwd. Ik heb daarom lang geworsteld met de vraag in hoeverre ik me hierbij aan mijn zwijgplicht diende te houden, maar na vele overdenkingen en gesprekken met collega's heb ik besloten dat het zowel de wil van deze jonge vrouw is als die van God dat de politie de beschikking krijgt over Melissa's verhaal. Het spijt me als deze vertraging uw onderzoek heeft bemoeilijkt, maar ik ben ervan overtuigd dat God u zal bijstaan bij het vinden van de werkelijke moordenaar.

Met vriendelijke groet,
Pastoor Henrique Gonzales
St. Mary's Ziekenhuis
Tampa
Florida.

Chongwe- District, Zambia
17 mei 2004

Het meisje zit op de trap te wachten als Beauty van haar werk terugkomt. Beauty herkent haar direct, ze heeft haar wel eens op de markt gezien en weet dat ze in een naburig dorp woont. Het meisje draagt een schooluniform en bestudeert haar huiswerk terwijl ze zit te wachten. Het uniform is schoon en netjes gestreken, maar wel aan de kleine kant. De bloes zit strak om de jonge borsten.

Ze hoeft de situatie niet uit te leggen. Beauty begrijpt het al.

Vroeg of laat zou het gebeuren, dat wist ze. Ze heeft geprobeerd zich voor te bereiden op wat ze zeggen zal, hoe ze er onderuit kan komen. In het vervolg zal ze zich uitsluitend met geboortes bezighouden, dat heeft ze zichzelf, Joseph en Jezus beloofd. Louter het leven.

Maar met dit meisje voor zich, in het gunstigste geval is ze dertien jaar, staat alles weer op zijn kop. Als Beauty's verantwoordelijkheid bij het leven ligt, over wiens leven gaat het dan? Wat voor een toekomst heeft het kiempje dat in de buik van het meisje groeit? Als het al mogelijk is om uit dit onontwikkelde lichaam geboren te worden. En wat voor toekomst heeft het vlijtige schoolmeisje?

– Hoe was het ook alweer: 'Er is een tijd om te planten en een tijd om het geplante uit te rukken.'

– Wie heeft je hiernaartoe gestuurd? vraagt Beauty.

– Pater Abraham zei dat u me misschien zou kunnen helpen …

– Ja, misschien kan ik dat wel.

Beauty heeft een besluit genomen. Ze legt haar arm rond de tengere meisjesrug en leidt haar het huis in. Ze moeten eerst praten.

Nawoord

Het belangrijkste deel van dit verhaal berust op waarheid. 'Beauty' werkt als verloskundige in Afrika. Ik heb haar ontmoet. Ze heeft het leven van honderden moeders en kinderen gered. Ze heeft ook bij het afbreken van ongewenste zwangerschappen geholpen, alleen niet op de manier zoals beschreven in dit boek.

Zweedse artsen en verloskundigen hebben 'Beauty' en haar collega's met hun werk geholpen, alleen niet zoals het in dit boek beschreven is.

De organisaties voor seksuele educatie, *RFSU* en *Sida*, steunen zowel het werk van de 'Beauty's' als de 'Ellens' maar niet op een onwettige manier. De dubbelzinnigheden in dit boek zijn mijn eigen verzinsels.

'Josh' en 'Melissa' bestaan ook, of in ieder geval zijn er velen die erg op hen lijken. Hun geestverwanten hebben zich in de *'Pro-life-movement'* verzameld, een beweging die er in zijn zogenaamde ambitie om levens te redden niet voor terugdeinst levens te beëindigen.

Kindertehuizen van het soort waar Melissa's kind is geboren zijn er ook, opvangtehuizen niet alleen voor kinderen maar ook voor rechtsgeoriënteerde christelijke fundamentalisten.

Het type aanslagen waaraan Josh heeft deelgenomen, hebben plaatsgevonden en vinden vandaag de dag in de Verenigde Staten nog steeds plaats.

Voor zover ik weet heeft noch de *Pro-life-movement*, noch de katholieke kerk tot nu toe een rechter in het Hooggerechtshof vermoord of een doodseskader naar Afrika gestuurd.

Het door mij verzonnen farmaceutisch concern bestaat niet, maar de mondiale geneesmiddelenindustrie heeft vaak op onethische wijze nieuwe medicijnen op 'minder opiniegevoelige markten' getest. Ik wil echter niet beweren dat het type medicijn dat in dit boek wordt beschreven op deze wijze is verspreid of dat vertegenwoordigers van deze industrietak geweld hebben gebruikt. Laten we hopen dat dit niet zo is. Hoewel ik het niet kan bewijzen ben ik ervan overtuigd dat dit soort bedrijven hun eigen veiligheidsdienst hebben.

Het denkbeeld dat 'droge seks' voor mannen meer bevredigend is leeft sterk in Zambia en aangrenzende landen. Alle beschrijvingen over vrouwelijke en mannelijke seksualiteit die in dit verhaal voorkomen zijn tradities die leven in veel landen in zuidelijk Afrika.

'Pater Abraham' bestaat ook. De katholieke kerk heeft in Afrika en in veel andere delen van de wereld voor onherstelbare schade gezorgd. Het Vaticaan werkt dagelijks op intensieve wijze de gezondheid en rechtvaardigheid in Afrika tegen. Sommigen van zijn vertegenwoordigers gehoorzamen blind aan de onmenselijke voorschriften van de paus, anderen doen als pater Abraham en laten naastenliefde prevaleren boven het decreet van Rome.

George W. Bush bestaat absoluut. Laten we hopen dat het niet zijn ambitie is geweest het fanatisme van 'Josh' en zijn kompanen aan te wakkeren, want dat is zonder twijfel wel waartoe zijn politiek handelen heeft gestimuleerd.